Le Régime à faible index glycémique
ou Comment maigrir avec un régime riche en glucides de haute qualité

Jennie Brand-Miller – Professeur en nutrition humaine à l'université de Sydney, elle occupe également une chaire au sein du département Nutrition humaine de l'École de biologie moléculaire et microbienne. « La reine de l'index glycémique », comme la surnomment affectueusement ses pairs, est reconnue dans le monde entier comme étant la spécialiste dans le domaine des glucides et de leurs effets sur la santé. Son ouvrage intitulé *L'Index glycémique : un allié pour mieux manger* (Marabout) a été traduit dans plus de dix langues. Plus de deux millions d'exemplaires ont été diffusés. Ses travaux portent sur plusieurs domaines de la nutrition : index glycémique (IG) des aliments, régimes alimentaires et diabète, insulinorésistance, intolérance au lactose et nutrition infantile.

Depuis 1981, Jennie Brand-Miller et son équipe jouent un rôle fondamental sur la scène internationale, d'une part, en validant des données scientifiques quant aux bienfaits connus ou supposés des index glycémiques et, d'autre part, en mettant à la disposition du grand public toutes les informations indispensables permettant de mettre en place un régime alimentaire à IG bas.

Kaye Foster-Powell – Cette diététicienne de renom a concentré ses recherches sur l'index glycémique. Ses activités sont multiples. Elle mesure l'index glycémique d'une multitude d'aliments à l'université de Sydney, conseille des centaines de patients sur leur utilisation, rédige des articles et informe, dans le monde entier, sur les conséquences que peut avoir l'index glycémique des aliments sur la santé. Dans le domaine de la diététique, Kaye Foster-Powell est une figure incontournable. Elle a coécrit douze livres dont *L'Index glycémique : un allié pour mieux manger* (Marabout) et compilé les résultats sur les index glycémiques obtenus aux quatre coins du monde dans des tableaux qui ont permis de montrer une corrélation entre l'IG, la charge glycémique (CG) et la santé. Elle apporte son aide à tous ceux et toutes celles qui veulent perdre du poids.

Johanna McMillan-Price – Spécialisée dans les domaines de la nutrition et de la remise en forme, elle met ses compétences à votre service, vous aidant à modifier vos habitudes alimentaires et à inclure la pratique d'une activité physique dans votre vie. Depuis plus de treize ans, Joanna McMillan-Price incite nombre de personnes à commencer ou à reprendre de l'exercice et surtout à ne jamais baisser les bras. Dans cet ouvrage, elle a mis au point, pour vous, un programme qui vous aidera à avoir un corps fin et musclé, à préserver votre capital santé, à retrouver votre vitalité mais aussi à maigrir et stabiliser votre poids. Elle est parfaitement qualifiée pour parler de l'index glycémique. En effet, elle travaille depuis 2000 avec Jennie Brand-Miller à l'université de Sydney où elle prépare un doctorat. Son mémoire porte, d'une part, sur les effets des régimes sur la perte de poids, plus précisément sur la perte en graisses (selon qu'ils sont plus ou moins riches en glucides et en protéines et que leur IG est plus ou moins élevé) et, d'autre part, sur les répercussions que ces régimes ont sur des facteurs aussi importants pour la préservation du capital santé que le cholestérol sanguin.

Gérard Slama – Professeur de médecine, spécialisé en endocrinologie, diabète, maladies métaboliques à l'université Paris V-René-Descartes. Il a dirigé pendant près de vingt ans le service de diabétologie du fameux Hôtel-Dieu de Paris. Avec son équipe de recherche, il travaille depuis plus de vingt-cinq ans non seulement sur les effets biologiques des différents glucides (glucides simples comme le saccharose, le fructose ou le glucose complexes : céréales, légumineuses) mais aussi sur les effets de lipides alimentaires variés sur la santé des patients diabétiques et des sujets sains. Ses nombreuses publications et présentations dans les plus grands congrès internationaux lui ont permis de confronter ses résultats avec ceux de l'équipe du professeur Brand-Miller et de constater une grande convergence de vues au fil des années. Il a été fondateur et président du groupe Diabète et nutrition de l'Association européenne pour l'étude du diabète (EASD) et président de l'Association de langue française pour l'étude du diabète et des maladies métaboliques (ALFEDIAM). Il a assuré la cohérence scientifique et l'adaptation française de cet ouvrage.

Le Régime à faible index glycémique

ou Comment maigrir avec un régime riche en glucides de haute qualité

Professeur Jennie Brand-Miller • Kaye Foster-Powell •
Johanna McMillan-Price • Professeur Gérard Slama

• MARABOUT •

Ce livre a été tout d'abord publié en Australie en 2004 par Hachette Livre
Australia Pty Limited, sous le titre **The Low GI Diet**.

Traduction de Dominique Françoise.

© Professeur Jennie Brand-Miller, Kaye Foster-Powell et Joanna McMillan-Price,
2004.
© Recettes : Tracy Rutheford et Alison Roberts, 2004.
© Marabout, Hachette Livre, 2007 pour la traduction et l'édition française.

SOMMAIRE

PARTIE I — Ce que l'on appelle régime à IG bas

PARTIE III – Un régime pour la vie

PARTIE IV – Recettes à IG bas

PARTIE V – IG : Tableau récapitulatif

AVANT-PROPOS

Après avoir mis à la disposition du public, fin 2006, une adaptation française d'un best-seller publié en Australie par l'équipe du professeur Jennie Brand-Miller sur l'index glycémique (*L'Index glycémique, un allié pour mieux manger* par les professeurs Jennie Brand-Miller, Kaye Foster-Powell, Stephen Colagiuri et Gérard Slama, Paris, septembre 2006), les éditions Marabout proposent maintenant l'adaptation française d'un second volume, émanant de la même équipe, et intitulé *Le Régime à faible index glycémique ou Comment maigrir avec un régime riche en glucides de haute qualité.*

La notion d'index glycémique, développée dans le premier volume, est connue depuis maintenant près de vingt-cinq ans et a suscité un intérêt scientifique lent à se propager, s'appuyant néanmoins sur une somme considérable de travaux internationaux divers, publiés dans les meilleures revues internationales. Ce concept permet de distinguer les aliments glucidiques (féculents, produits amylacés, farineux, sucres) non plus en fonction de leur constitution chimique mais de l'influence de leur absorption sur le taux du glucose sanguin.

L'ancienne distinction croyait pouvoir classer les aliments gluci-diques en glucides rapides et glucides lents, les premiers comportant tous les aliments au goût sucré (sauf produits « light », bien sûr), les seconds les produits amylacés (amidon). Cette classification binaire (oui/non, blanc/noir, bon/mauvais) s'est révélée fausse à l'examen scientifique. La classification sur l'index glycémique est basée sur l'expérimentation, produit par produit, sans *a priori*. Elle a permis de montrer, en particulier, que l'on trouvait, parmi les aliments les plus actifs sur le taux de glucose (les plus hyperglycémiants), des glucides au goût sucré comme le glucose (contenu dans les boissons pétillantes), mais aussi des produits farineux comme le pain blanc.

Ainsi, on peut également mettre en équivalence d'autres glu-cides sucrants comme le sucre de table (saccharose), et des produits céréaliers, comme les pâtes alimentaires et certains riz, dont l'effet sur la glycémie peut être considéré comme modéré. On a pu même constater avec surprise que certains glucides au goût sucré, comme le fructose, avaient un pouvoir faible sur la glycémie, comparable à celui des légumes secs (haricots, lentilles, etc.). Ceci était en soi une révolution (d'où le titre anglo-saxon du premier ouvrage, *The New Glucose Revolution*), dont on a pu mesurer l'impact sur la santé au cours de ces dernières années. En effet, le choix des aliments en fonction de leur index glycémique n'a pas une influence limi-tée aux variations de la glycémie mais touche, en consé-quence, bien d'autres éléments comme la satiété, la prise de poids, l'apparition à long terme d'une prédisposition aux mala-dies cardio-vasculaires, les performances mentales ou sportives, pour n'en citer que quelques-unes. Le premier volume don-nait un aperçu détaillé du phénomène et de ses conséquences, des conseils diététiques incluant des recettes, des tableaux de composition nutritionnelle indiquant la valeur de l'index gly-cémique pour un nombre très important de produits.

L'ouvrage qui vous est présenté ici, émanant de la même équipe australienne, considérée comme l'une des quatre à cinq équipes les plus actives dans ce domaine, reprend et approfondit, sur la base d'études nouvelles, les notions des travaux développés dans le premier livre. Il est centré sur l'utilisation du concept d'index glycémique dans une stratégie visant à perdre du poids et, plus encore, à maintenir cette perte de poids tout en corrigeant de nombreux facteurs défavorables pour la santé. Cette stratégie imbrique des conseils nutritionnels et diététiques avec un programme d'augmentation progressive de l'activité physique, deux aspects qui constituent les piliers d'une politique volontariste de reprise en main de sa santé. Le plan proposé est d'abord expliqué de façon imagée, simplifiée mais néanmoins toujours scientifiquement argumentée. Il aboutit à la proposition d'un calendrier progressif de modifications alimentaires et d'un programme de remise en forme. L'ouvrage comporte un nombre considérable de nouvelles recettes et des menus équilibrés, tous chiffrés et clairement expliqués. La dernière partie comprend de nouveaux tableaux de composition alimentaire, qui augmentent et amplifient ceux publiés précédemment.

Ce livre peut donc être recommandé à toute personne désireuse de perdre quelques kilos et de conserver le bénéfice de cet effort sur le long terme en intégrant ce régime dans une conception moderne, scientifiquement établie et prenant en compte la santé dans sa globalité. On aurait tort de penser qu'il est question ici d'un énième régime miracle, comme il en apparaît un chaque trimestre, venant de tel ou tel endroit du monde. Il s'agit là, au contraire, d'une démarche raisonnée, prudente, scientifique, qui ne promet pas « tout tout de suite » mais, au contraire, propose une correction progressive et durable d'un ensemble de facteurs néfastes à la santé, le redressement d'une dérive caractéristique de nos sociétés modernes habituées à la « malbouffe » et à la sédentarité.

Nous ne pouvons qu'être reconnaissants à l'équipe du professeur Brand-Miller d'avoir pris la peine de descendre un instant des hautes sphères des publications scientifiques prestigieuses dans lesquelles nous nous confinons souvent pour expliquer, avec des mots simples, à un large public, des données complexes, récentes et offrir les moyens facilement accessibles de les appliquer. Pour notre part, nous nous sommes contentés d'adapter le texte pour un public francophone et introduire ou retrancher dans les tableaux les éléments, selon qu'ils étaient disponibles et consommés dans nos pays.

Professeur Gérard SLAMA,
Hôtel-Dieu, Paris.

PRÉFACE
DE L'ÉDITION FRANÇAISE

Voici une adaptation française du second ouvrage publié par la fameuse équipe australienne du professeur J. Brand-Miller, intitulé *The Low GI Diet – Lose Weight with Smart Carbs*. Ce livre a connu, dans le monde anglo-saxon, un succès tout à fait considérable, lié à la réputation de ses auteurs dans le domaine de la nutrition humaine et, plus particulièrement, à la notion de l'index glycémique. Sa traduction vient après celle, récente, que les éditions Marabout ont mise à la disposition du public francophone et intitulée *L'Index glycémique : un allié pour mieux manger*, publiée en 2006.

Ce nouvel ouvrage est davantage centré sur l'intégration et l'utilisation de cette notion d'index glycémique que doivent adopter les personnes voulant perdre du poids. Il développe en profondeur ce concept, apportant des éléments complémentaires, très récents.

INTRODUCTION

Il est temps que nous portions un regard nouveau sur notre alimentation, d'où l'objet de ce livre. L'objectif de cet ouvrage, intitulé *Le Régime à faible index glycémique ou Comment maigrir avec un régime riche en glucides de haute qualité,* est de vous faire découvrir un régime alimentaire sain, à base de glucides à faible index glycémique (IG). Il est destiné à vous apprendre à choisir les « bons » glucides, c'est-à-dire ceux qui se digèrent, sont assimilés lentement par l'organisme et élèvent faiblement les taux de glucose sanguin ainsi que d'insuline. Si la diminution du taux d'insuline joue un rôle fondamental dans la perte de poids, c'est également un facteur clé dans la protection – à long terme – du capital santé. Nos travaux, mais aussi nombre d'études menées par différents chercheurs, ont démontré les bienfaits d'une alimentation à faible index glycémique. Elle procure :

• une perte de poids plus rapide qu'un régime pauvre en graisse ;
• une diminution de la masse graisseuse sans toucher ni la masse musculaire ni l'eau contenue dans le corps ;
• la satiété, qui est favorisée, et une sensation de faim limitée ;

- une augmentation du métabolisme basal pendant la perte de poids ;
- une diminution des risques de reprendre du poids ;
- une baisse des taux de glucose sanguin et d'insuline au cours de la journée.

Notre régime à IG bas repose sur une consommation relativement élevée de pain, de pâtes alimentaires, de céréales pour le petit déjeuner, de riz, à condition, bien évidemment, de sélectionner les produits ayant l'IG le plus bas.

Les autres aliments à privilégier sont : la viande maigre, les volailles, le poisson, les crustacés, le lait et les produits laitiers – fromage et yaourt – pauvres en matières grasses. Les légumineuses qui ont l'IG le plus bas occupent le devant de la scène. Ceci explique pourquoi les végétariens n'ont aucun mal à suivre ce régime.

Mangez sans vous priver : quantité de fruits et de légumes, *sauf les pommes de terre* (à cause de leur IG élevé). Assaisonnez vos salades avec des huiles saines. Pour un résultat optimum, prenez 3 repas équilibrés par jour – avec un dessert ou une friandise au dîner – et, si possible, une collation le matin et une l'après-midi. Si vous le désirez, buvez un verre de vin ou une autre boisson alcoolisée au déjeuner et au dîner. Celles et ceux qui suivent ce régime à la lettre perdent au minimum 250 g de graisse par semaine : pas d'eau ou de muscles mais bien de la *graisse,* notamment celle accumulée au niveau de la taille.

Conseil : fiez-vous plutôt aux centimètres qu'au poids affiché sur le pèse-personne.

Le régime que nous préconisons n'est ni un régime pauvre en glucides, ni un régime pauvre en graisses, ni un régime riche en protéines. C'est un régime souple et peu contraignant, basé sur des aliments variés, des modes de préparation et des ingrédients empruntés à nombre de cuisines exotiques. Nous vous promettons que vous n'aurez pas faim entre les repas, que vous ne serez pas obligé(e) de peser tous les aliments que vous mangez ou compter les calories qui sont dans votre assiette.

L'atout majeur du régime alimentaire que nous proposons, c'est de vous rassasier et de faire durer plus longtemps la sensation de satiété. La sensation de faim est parfaitement contrôlée car la glycémie reste stable et la sécrétion, par l'organisme, des hormones régulant la faim et la satiété (comme la leptine), coupe-faim naturels, est augmentée. Sur le plan métabolique, un régime alimentaire à IG bas diminue les taux de glucose sanguin et d'insuline et permet de brûler le maximum de graisses. Grâce à ce régime peu contraignant et basé sur des denrées variées, vous pouvez consommer les aliments que vous préférez. En suivant le régime que nous préconisons, non seulement vous perdez du poids mais, parallèlement, vous diminuez les risques d'être frappé(e) par une crise cardiaque ou d'avoir du diabète, vous stabilisez votre taux de glucose sanguin et vous préservez votre capital santé et votre vitalité.

Rédigé par des scientifiques de renom international spécialisés dans les domaines de la nutrition, de la diététique et de la remise en forme, *Le Régime à faible index glycémique ou Comment maigrir avec un régime riche en glucides de haute qualité* est à la pointe de la recherche en matière de glucides, IG et perte de poids.

Grâce à notre formation et notre expérience, nous pouvons aider les hommes et les femmes qui se battent contre les kilos superflus. Le régime que nous préconisons a été approuvé par neuf experts en nutrition sur dix exerçant dans le monde entier. Des articles parus dans des revues et des magazines internationaux spécialisés dans les domaines de la nutrition et de la médecine ne font que confirmer qu'une alimentation à IG bas aide les sujets qui le désirent à perdre du poids sans mettre en danger leur santé. Même les plus sceptiques reconnaissent que les conseils d'hygiène alimentaire que nous avons livrés au grand public dans *L'Index glycémique : un allié pour mieux manger* (Marabout) sont fondés, judicieux, peu contraignants et ne mettent aucunement en danger la santé des individus ni à court terme ni à long terme.

L'ouvrage *Le Régime à faible index glycémique ou Comment maigrir avec un régime riche en glucides de haute qualité* se distingue, en outre, par l'intérêt conjoint porté non seulement à l'apport énergétique (c'est-à-dire ce que vous mangez), mais également à la dépense énergétique et aux bienfaits de l'activité physique – marcher plutôt que prendre sa voiture pour se déplacer. La dépense énergétique, en effet, trop souvent laissée pour compte dans la majorité des régimes alimentaires, est un élément capital dès qu'il s'agit de perdre du poids. Si vous ne tenez pas compte de la dépense énergétique, vous reprendrez inévitablement vos kilos. Moins vous pesez lourd, moins vous avez besoin de manger. C'est aussi simple que cela. Mais si vous pesez moins lourd et si vous vous dépensez plus, vous bénéficiez non seulement des bienfaits d'avoir plus de tonicité musculaire et de joie de vivre mais vous pouvez aussi consommer autant de calories que par le passé sans reprendre de poids. Pendant ces douze premières semaines qui doivent vous permettre de perdre du poids (le Plan d'action), nous vous guidons pas à pas et mettons à votre disposition un programme qui, semaine après semaine, vous explique exactement ce que vous devez faire et manger pour que vos kilos superflus disparaissent. À l'issue de ce Plan d'action, nous vous proposons, dans la partie intitulée « Un régime pour la vie », un programme basé sur trois facteurs essentiels. Relais de ce Plan, il vise à éviter les risques de reprise de poids. Empêcher les kilos de revenir est aussi important que de les perdre. Il est donc indispensable de franchir cette étape avant d'envisager de perdre des kilos supplémentaires. Dans ce chapitre, nous vous apprenons tout ce que vous devez savoir pour modifier votre mode de vie de manière sérieuse et durable afin de contrôler votre poids jusqu'à la fin de vos jours.

Nous vous expliquons comment inclure dans votre vie la pratique d'une activité physique et de nouvelles habitudes comportementales qui stimuleront votre « moteur » (votre métabolisme) et qui vous empêcheront de grossir, maigrir, regrossir et remaigrir indéfiniment. Vous prendrez soin de vous, vous serez bien dans votre corps et dans votre tête et vous améliorerez votre capital santé tant sur le court terme que le long terme. L'activité physique que vous aurez choisie et les *habitudes* alimentaires saines que vous aurez mises en place feront à tout jamais partie de votre vie.

Notre régime à IG bas s'adresse à tous : à votre conjoint(e), vos enfants, jeunes et moins jeunes. Pour tous, les règles de base sont les mêmes, seules les portions varient. À la différence des régimes les plus couramment proposés aux personnes désireuses de perdre du poids, notre régime n'a, à long terme, aucun effet néfaste sur les os, les reins, les vaisseaux sanguins et le cœur et n'augmente ni les risques de cétose ni de carence en micronutriments. Que les femmes qui envisagent une grossesse se rassurent : notre régime est le plus sûr qui soit pour les femmes enceintes mais aussi pour leur bébé et ce, dès la conception. Mieux encore, les femmes qui ont des difficultés à être enceintes voient leurs chances de procréer augmenter grâce à ce régime qui s'attaque à un problème de fond, à savoir la résistance à l'insuline qui touche 1 femme sur 5.

Les conseils regroupés dans cet ouvrage vous sont donnés par une équipe de chercheurs reconnus dans les domaines de la nutrition, de la diététique et de la remise en forme, comptant parmi les spécialistes de l'IG des aliments et faisant autorité aux quatre coins du monde.

PARTIE I

Ce que l'on appelle régime à IG bas

CHAPITRE 1

POIDS ET ALIMENTATION : UN VÉRITABLE DILEMME

On le déplore mais c'est malheureusement un fait établi : 19 personnes sur 20 ayant réussi à se débarrasser de leurs kilos superflus grâce à un régime alimentaire les reprendront un jour ou l'autre. Il est clair que la solution pour venir à bout des problèmes de poids récurrents consiste à adopter un mode de vie adéquat et non la poursuite de régimes successifs. Cet ouvrage est l'outil indispensable qui va vous aider à modifier votre façon de manger une bonne fois pour toutes.

Aujourd'hui, les personnes minces ou qui, tout au moins, ne souffrent pas de surpoids ne sont pas majoritaires. En Australie, entre 50 % et 70 % des adultes ont une surcharge pondérale ou sont considérés comme obèses. La France a une situation à peine plus enviable et rejoint les pays anglo-saxons à grande vitesse. Les hommes sont plus touchés que les femmes et les enfants ne sont pas épargnés. Environ 1 enfant sur 4 souffre d'un problème de surpoids par rapport à son âge et à sa taille. Penser que tous ces enfants perdront leurs rondeurs en grandissant est une erreur. Les médecins diagnostiquent, en effet, de plus en plus fréquemment chez les jeunes une maladie qui, jusqu'à ce jour, ne touchait que les adultes, le diabète de type 2. Les complications potentielles du diabète sont particulièrement graves : cécité, dysfonctionnement rénal, maladies cardio-vasculaires et, dans le pire des cas, mort prématurée.

Dans notre société moderne, même les animaux domestiques ne sont pas épargnés. Plus d'un quart des chiens et des chats est trop gros et, de ce fait, a du diabète. Or, les animaux domestiques ne boivent pas de boissons sucrées, ne fréquentent pas les *fast-foods* et ne passent pas, chaque jour, plusieurs heures avachis devant la télévision. Ce qui montre bien que les causes de cette épidémie d'obésité qui frappe les populations sont complexes.

Êtes-vous réellement trop gros(se) ou vous faites-vous de fausses idées ?

Les femmes ont tendance à se voir plus grosses qu'elles ne le sont en réalité et rêvent d'un poids qu'elles n'atteindront jamais. Si les hommes sont plus réalistes, ils n'ont pas toujours conscience que les kilos en trop mettent en danger leur capital santé (un homme viril ne fait jamais de régime !). Avec un mètre ruban, mesurez votre tour de taille – la circonférence la plus petite autour de l'abdomen – au niveau du nombril mais parfois légèrement plus haut ou plus bas. Reportez-vous au tableau ci-après et jugez par vous-même :

Êtes-vous trop gros ? Votre tour de taille en centimètres

	Surpoids et risques de développer une maladie	Surcharge pondérale très importante et très gros risques de développer une maladie
Hommes	+ de 94 cm	+ de 102 cm
Femmes	+ de 80 cm	+ de 88 cm

Fort préoccupant, le nombre de personnes ayant un surplus de graisses a doublé au cours des deux dernières décennies, malgré tous les efforts que nous faisons pour maigrir. L'industrie agroalimentaire a satisfait notre demande en proposant, à côté des produits traditionnels, des produits allégés en glucides ou en graisses, des denrées à base d'édulcorants artificiels et des substituts de matières grasses. Il suffit de demander pour être servi (encore faut-il demander !). Or, à ce jour, aucune entreprise n'a trouvé de solution pour éradiquer cette épidémie d'obésité qui frappe les populations. Cela n'empêche pas certains responsables de santé publique de mettre en accusation l'industrie agroalimentaire et la publicité.

Cette épidémie concerne également, sous nos climats, les sujets d'origine asiatique, même lorsqu'ils n'ont que quelques kilos en trop. En effet, quel que soit leur poids ou leur taille, chez les Asiatiques, la graisse a tendance à s'accumuler au niveau de l'abdomen, où elle est beaucoup plus néfaste pour la santé que celle stockée dans une autre partie du corps. Si votre tour de taille est supérieur à la moyenne, soit plus de 94 cm pour un homme ou plus de 80 cm pour une femme chez les Européens, vous faites partie des gros(ses) et risquez d'avoir, un jour ou l'autre, plus que d'autres, des problèmes de santé. Les normes sont plus basses chez les sujets asiatiques en particulier.

Nous vivons dans un monde où les machines remplacent de plus en plus les hommes, ce qui entraîne une baisse, parfois considérable, de nos besoins énergétiques. Du fait de la vie sédentaire que nous menons, ces besoins sont inférieurs de 30 % à 50 % aux besoins quotidiens de nos parents et de nos grands-parents. Il y a cinquante ans, les plus chanceux possédaient une voiture par foyer. Aujourd'hui, on compte souvent deux véhicules par famille. Il y a cinquante ans, la télévision faisait timidement son entrée chez Monsieur-tout-le-monde. Aujourd'hui, nous passons en moyenne 21 heures par semaine devant le petit écran. Du fait du manque d'exercice, il suffit de consommer 100 calories de trop par jour (c'est-à-dire l'équivalent d'une pomme) pour voir les kilos s'accumuler. Cette simple différence entre l'apport énergétique et la dépense énergétique suffit à expliquer le nombre croissant d'obèses recensés aujourd'hui. La bonne nouvelle, toutefois, c'est qu'il suffit de pratiquer une activité intense durant 10 minutes ou de marcher à vive allure 20 minutes pour éliminer 100 calories.

Apport énergétique	Dépense énergétique
Calories quotidiennes puisées dans les aliments et les boissons	Calories brûlées dans la vie, au travail ou lors d'un exercice physique

Pour éviter les kilos superflus et rester en bonne santé, l'apport énergétique et la dépense énergétique doivent être équilibrés. Mieux encore, faites en sorte que la dépense énergétique soit supérieure à l'apport énergétique, et non le contraire. Les exercices physiques de notre vie quotidienne sont nécessaires à l'équilibre de notre santé. La dépense énergétique qu'ils engendrent permet de manger un peu plus sans la prise de poids redoutée. La dépense énergétique étant un facteur capital dans la perte de poids, vous comprenez maintenant pourquoi les régimes basés uniquement sur une diminution des quantités consommées sont voués à l'échec.

Une surcharge pondérale augmente considérablement les risques de développer une maladie, notamment le diabète de type 2. Les risques d'avoir une maladie cardio-vasculaire, de l'hypertension artérielle, un cancer, de la goutte, des calculs biliaires, des problèmes de stérilité et de l'arthrose sont 2 à 3 fois plus importants chez les personnes ayant un surpoids.

Par ailleurs, trop de graisse accumulée autour du cou est responsable d'un trouble appelé apnée du sommeil, qui entraîne un arrêt de la respiration pendant de longues secondes, suivi de ronflements sonores. Ce trouble insidieux se traduit par une fatigue permanente et de l'agressivité. À cette liste viennent s'ajouter divers problèmes d'ordre psychologique et émotionnel. Les personnes déprimées mangent plus pour se réconforter, elles grossissent, donc dépriment encore plus, et le cercle vicieux continue, nécessitant parfois un recours à une intervention médicale.

Enfin, inconsciemment ou non, les employeurs préfèrent – à compétences égales – embaucher une personne mince plutôt qu'une personne obèse. Or, les personnes sans emploi ont tendance à manger plus que nécessaire pour combler leur inactivité et leurs angoisses liées aux effets négatifs que produit le chômage sur le plan psychologique.

Pourquoi les régimes traditionnels basés sur la restriction de nourriture sont-ils voués à l'échec ?

Vous avez probablement déjà lu quantité de livres et d'articles offrant LA solution pour maigrir. Chaque semaine, de nouvelles recettes miracle font la une des journaux. Si l'argument publicitaire fait grimper les ventes, la réalité est tout autre ! En effet, si ces régimes fonctionnaient vraiment, il n'y en aurait pas autant. Dans le meilleur des cas, un régime basé sur la restriction de nourriture permet de réduire l'apport calorique. Au pire, il diminue la masse musculaire au profit de la masse graisseuse. Le graphique suivant montre les effets des régimes yo-yo (perte de poids et reprise des kilos superflus au premier excès) qui, au final, se traduisent par une prise ou reprise de poids égale à 2 ou 3 kg par an. Mais comment expliquer ce phénomène ?

L'effet yo-yo

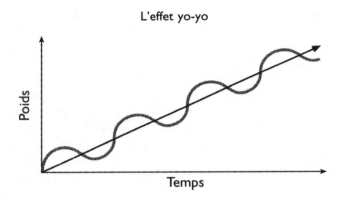

Les restrictions caloriques draconiennes font malheureusement perdre non seulement de la graisse, mais aussi une partie de votre masse musculaire. Au fil du temps, les régimes yo-yo modifient la composition de votre corps, c'est-à-dire moins de muscles et, proportionnellement, plus de graisse. Il est alors très difficile de stabiliser votre poids. Pour fonctionner correctement, votre organisme requiert de moins en moins d'énergie. C'est ce phénomène qui permet aux animaux de s'adapter à leur environnement. Lorsque la nourriture manque, leurs besoins diminuent. Or, pour perdre une bonne fois pour toutes vos kilos superflus, vous devez vous débarrasser de la graisse tout en préservant votre masse musculaire et l'eau contenue dans votre organisme.

« Ne faites pas de régime »

L'un des messages de ce livre, même si le titre peut prêter à confusion, est : « Ne faites pas de régime. » *Ne* vous privez *jamais* de nourriture, *ne* sautez *jamais* un repas, notamment le petit déjeuner, *ne* suivez *jamais* un régime farfelu – au risque d'aller au-devant des difficultés. Faites-nous confiance ! Nous allons vous apprendre à modifier votre mode de vie et, peut-être, à changer quelques-unes de vos habitudes alimentaires, afin de développer votre masse musculaire (qui fournit de l'énergie à l'organisme), puiser dans les réserves de graisses (éliminer les bourrelets disgracieux) et brûler le maximum de calories afin de stabiliser votre poids (« Mettez un tigre dans votre moteur, avec une essence à indice d'octane élevé ! »).

Combien de kilos pouvez-vous espérer perdre ?

Fixez-vous un but raisonnable. L'idée que vous vous faites d'un régime alimentaire est, peut-être, totalement utopique. Ne soyez pas trop pressé(e). Si votre médecin connaît bien son travail, il vous encouragera à retrouver votre « poids idéal », soit un indice de masse corporelle (IMC) compris entre 19 et 25. Ensemble, réfléchissez et demandez-vous :
1) combien de kilos vous pouvez espérer perdre ;
2) en combien de temps.
Pour calculer votre indice de masse corporelle, divisez votre poids (en kilogrammes) par le carré de la taille (en mètres).

EXEMPLE

L'IMC d'une femme mesurant 1,50 m et pesant 70 kg est égal à :
70 / (1,5 × 1,5) = 31.

Vous pouvez espérer perdre entre 5 % et 10 % de votre poids en douze semaines sans craindre des effets néfastes sur les plans physique et psychologique. Par exemple, si vous affichez 100 kg sur la balance, vous pouvez raisonnablement envisager de perdre 5 à 10 kg en 12 semaines. Parvenir à ce résultat, et surtout arriver à *stabiliser* votre poids sur le long terme, est une grande victoire, d'autant que les risques de développer une maladie chronique seront considérablement diminués.

Si ce résultat ne vous satisfait pas pleinement, procédez par étapes. Laissez à votre organisme le temps de s'habituer et attendez 3 à 6 mois que votre poids se stabilise avant d'envisager de maigrir à nouveau. Le programme que nous vous proposons est basé sur un Plan d'action (voir pages 103 à 268) de 12 semaines, période durant laquelle vous perdrez du poids suivie d'une autre phase de 3 à 6 mois, que nous avons appelée « Un régime pour la vie », qui vous permettra de stabiliser votre poids (voir pages 269 à 339) avant de décider éventuellement de perdre à nouveau du poids. Respecter chacune de ces étapes vous aide ainsi à éliminer toute la tension associée à un régime alimentaire classique et augmente vos chances de réussite.

LA PERTE DE POIDS CHEZ LES ENFANTS

Aujourd'hui, 1 enfant sur 4 a un problème de surpoids. Si l'un de vos enfants est trop gros, ne lui imposez pas un régime alimentaire qu'il sera le seul à suivre, mais revoyez les habitudes alimentaires de toute la famille. Le programme que nous vous proposons dans cet ouvrage s'adresse à chacun d'entre vous, petits et grands.

Chez les enfants et les adolescents, la perte de poids repose le plus souvent sur une augmentation de l'activité physique (faire du sport au lieu de regarder la télévision) plutôt que sur une restriction alimentaire. Pour faire bouger vos enfants, reportez-vous aux pages 326 à 328. Durant la croissance, rares sont les enfants qui ont besoin de maigrir. Stabiliser leur poids ou, en d'autres termes, éviter que les kilos superflus s'accumulent doit être votre objectif premier.

QUIZ : combien devez-vous peser pour être en pleine forme ?

Supposons que votre poids soit supérieur au poids idéal, c'est-à-dire celui dans lequel vous vous sentez bien dans votre corps et dans votre tête. Il est évident que certaines mesures s'imposent. Essayez de définir les raisons qui ont occasionné un surpoids et l'impact de vos kilos superflus sur votre vie de tous les jours. Cochez les options correspondant à votre cas.

A. Mon poids (en kilogrammes) divisé par le carré de ma taille (en mètres) est supérieur à 25. ☐

B. Ma silhouette est en forme de pomme au lieu d'être en forme de poire (la graisse est stockée autour de la taille plutôt que sur les hanches et les cuisses). ☐

C. Mes deux parents sont obèses. Depuis l'enfance, j'ai une surcharge pondérale. ☐

D. Depuis cinq ans, je suis moins actif(ve). Je pense que je mange plus que nécessaire. ☐

E. Je souffre d'un ou de plusieurs des troubles ☐
mentionnés ci–dessous :
- hyperglycémie ;
- hypertension artérielle ;
- obstruction des artères ;
- goutte ;
- calculs biliaires ;
- apnée du sommeil ou ronflements ;
- arthrose ;
- dyspnée (essoufflement) lors d'un effort ;
- impossibilité de faire certaines choses que je ferais si j'étais plus mince.

*Vous avez coché A : votre poids est trop élevé
et votre santé est menacée*

Qu'est-ce que cela signifie concrètement ? Vous venez de calculer l'indice de votre masse corporelle (IMC) qui permet d'évaluer votre corpulence en fonction de votre taille. Si l'IMC est un indicateur très significatif pour une population donnée, sur le plan personnel, d'autres facteurs sont à prendre en compte. Pour les populations de race caucasienne, un IMC supérieur à 25 atteste d'un surpoids et un IMC supérieur à 30 d'une obésité. Sur le plan clinique, cela laisse supposer que l'accumulation de graisse est telle que la santé est menacée. Selon les ethnies, les résultats d'IMC seront interprétés différemment. Par ailleurs, les personnes ayant une masse musculaire très développée sont considérées comme ayant une surcharge pondérale dès lors que leur IMC est supérieur à 27. Gardez à l'esprit que les estimations sont toujours plus ou moins arbitraires et que ce n'est pas parce que votre IMC est légèrement supérieur à la normale que vous devez craindre pour votre santé.

Vous avez coché B : la graisse accumulée autour de la taille est un facteur de risques

La répartition de la graisse sur le corps est plus importante que le poids affiché sur la balance. Dans ce cas, comment savoir si vous êtes trop gros(se) ? Avez-vous des bourrelets ou des poignées d'amour ? Si vous êtes encore dans le doute, placez un mètre ruban à peu près au niveau de votre nombril et mesurez votre tour de taille. Comme indiqué page 27, un tour de taille supérieur à 80 cm chez une femme et à 94 cm chez un homme augmente les risques de développer une maladie due à l'accumulation de graisse intra-abdominale.

Vous avez coché C : vous avez probablement une prédisposition génétique à l'embonpoint

Comme on le dit communément, « Tout vous profite ». En d'autres termes, du fait de votre patrimoine génétique, vous avez tendance à grossir plus que n'importe qui.

Le poids et le type de silhouette dépendent, en grande partie, de votre héritage génétique mais aussi de l'alimentation et de l'activité physique pratiquée. Nombre d'études scientifiques laissent à penser que les sujets ayant dans leur famille proche des personnes obèses ont plus de risques, du fait de leur patrimoine génétique, d'avoir des problèmes de poids.

Vous avez coché D : votre mode de vie peut, en partie, être responsable de votre surpoids

Pour quelle(s) raison(s) êtes-vous moins actif(ve) que par le passé ? Avez-vous changé de profession ? Vous êtes-vous rapproché(e) de votre lieu de travail ? Avez-vous arrêté de fumer (ce qui ralentit le métabolisme) ? Avez-vous acheté une voiture ? Avez-vous été immobilisé(e) à la suite d'un accident ? Par ailleurs, votre apport énergétique a augmenté : vous n'achetez pas les mêmes produits, votre situation financière s'est améliorée ou détériorée, vous avez pris votre retraite, vous manquez de temps et mangez plus de plats prêts à consommer, etc.

Vous avez coché E : votre poids affecte votre santé et votre vie quotidienne

Recouvrer la santé et se sentir bien dans son corps et dans sa tête n'est pas réservé aux gens minces. Être en bonne santé et avoir de la vitalité ne dépend ni de la corpulence ni de la morphologie. C'est surtout l'accumulation de graisse dans l'abdomen (obésité dite androïde) qui favorise le développement de certaines pathologies : maladies cardio-vasculaires, diabète, hypertension artérielle, goutte, calculs biliaires, apnée du sommeil et arthrose. Tout excès de graisse stockée sur une autre partie du corps peut, toutefois, altérer la santé, réduire la mobilité et engendrer un essoufflement ou des palpitations au cours d'un effort. Heureusement, dès qu'une personne ayant une surcharge pondérale perd entre 5 % et 10 % de son poids, la plupart de ces symptômes disparaissent.

La majorité des régimes alimentaires abordés dans les livres et les magazines traitant de l'obésité repose sur l'hypothèse selon laquelle tout le monde peut stabiliser son poids et remodeler sa silhouette sans prendre en compte la physiologie et le patrimoine génétique. L'objet de cet ouvrage n'est pas de vous dire : « Pour être en bonne santé, vous devez impérativement atteindre tel poids. » Nul ne peut dire, en effet, quel poids vous devez atteindre et si vous le maintiendrez pour vous sentir bien physiquement et mentalement. En revanche, nous affirmons que les risques d'avoir des problèmes de santé sont considérablement minimisés dès lors que vous perdez 5 % à 10 % de votre poids, à condition de pratiquer, parallèlement, une activité physique. Atteindre votre poids idéal implique peut-être un simple changement dans vos habitudes comportementales. C'est pourquoi nous avons mis au point un Plan d'action établi sur 12 semaines afin de vous aider à prendre progressivement de bonnes habitudes alimentaires et à intégrer une activité physique dans votre emploi du temps.

Vous et votre patrimoine génétique

Seuls quelques individus chanceux voient les années défiler sans prendre le moindre gramme. Généralement très actifs, s'il leur arrive de prendre un ou deux kilos, ils les perdent aussi vite qu'ils les ont pris. *A contrario*, des hommes et des femmes voient les chiffres augmenter sur la balance en dépit d'efforts surhumains − régimes draconiens, exercices physiques astreignants, traitement médical, voire même intervention chirurgicale. Pourquoi une telle injustice ?

Voyons dans quelle mesure le patrimoine génétique influe sur la prise et la perte de poids. Quel crédit pouvons-nous accorder aux personnes qui, d'un air résigné, nous confient que leur mère est obèse et que leur problème de poids est dû à leur héritage génétique ? Eh bien ! Elles n'ont pas tout à fait tort. Nombre d'études le confirment :

• d'une part, le poids et la morphologie dépendent, tout au moins en partie, des gènes. Un enfant né de parents obèses risque plus d'avoir une surcharge pondérale qu'un enfant né de parents minces ;

• d'autre part, les facteurs environnementaux jouent un rôle non négligeable : mode de vie, habitudes alimentaires.

Les deux facteurs, génétique et environnemental, interagissent.

Les travaux menés sur des jumeaux parlent d'eux-mêmes. Les vrais jumeaux pèsent pratiquement le même poids, et ce même lorsqu'ils sont élevés séparément. Par ailleurs, les jumeaux adoptés dès leur plus jeune âge ont la même corpulence que leurs parents biologiques, pas celle de leurs parents adoptifs.

Ceci mérite cependant d'être adapté car, si la génétique a un impact important sur le poids, celui-ci est néanmoins modulé par des facteurs environnementaux indiscutables. Dans le cas ci-dessus, un jumeau adopté par une famille où la surcharge pondérale domine sera plus gros que son frère ou sa sœur adopté(e) par une famille mince : les deux seront éventuellement trop gros, mais l'un plus que l'autre ; l'environnement a également un effet significatif, heureusement ! car si on ne peut modifier son patrimoine génétique, on peut en moduler les conséquences.

UN RIEN VOUS PROFITE-T-IL ?

Si, depuis plusieurs années, vous souffrez d'obésité, si vos proches ont des problèmes de poids ou si vous grossissez dès que vous faites le moindre écart, pour les chercheurs, vous faites partie des personnes auxquelles toute nourriture profite. Vous pensez que vous n'y pouvez rien car c'est inscrit dans vos gènes.

Lorsque l'apport énergétique des personnes minces dépasse de 10 % leurs besoins, leur métabolisme de base s'adapte et augmente, empêchant qu'elles grossissent. *A contrario*, dans la même situation, les sujets ayant un surpoids voient les kilos s'accumuler. Selon les données stockées dans nos gènes, nous brûlons ou emmagasinons les calories qui ne nous sont pas strictement indispensables.

De notre génome dépend la vitesse métabolique. Les organismes, à l'image des voitures, n'ont pas tous les mêmes besoins pour fonctionner. Une voiture huit cylindres consomme plus de carburant qu'une voiture quatre cylindres et une forte corpulence consomme plus de calories qu'une petite corpulence. Lorsqu'une voiture est à l'arrêt, le moteur se met au ralenti et n'utilise que la quantité de carburant nécessaire pour tourner. Lorsque nous dormons, nous utilisons une quantité minime de calories. Le métabolisme de base (MB) ou besoins de base, c'est-à-dire le nombre de calories brûlées lorsque nous sommes au repos, fournit le carburant nécessaire au cerveau, au cœur et autres organes pour fonctionner correctement. Lorsque nous bougeons, le nombre de calories (la quantité de carburant utilisée) augmente. Toutefois, c'est lorsque nous sommes au repos que la quantité de calories utilisées sur une période de 24 heures est la plus importante.

Ces besoins de base, c'est-à-dire les besoins minimaux pour faire fonctionner jour et nuit nos organes et nos tissus, que l'on soit au repos ou non, représentent la part la plus importante de nos besoins quotidiens. Par exemple, le métabolisme de base peut être de l'ordre de 1 500 calories pour un homme dont les besoins globaux sont de 2 400 calories par jour, on comprend alors que le MB et le poids sont intimement liés. Plus votre MB est bas par rapport à une autre personne comparable, plus vous aurez tendance à grossir et *vice versa*. Cependant, on observe chez chacun qu'une prise de poids s'accompagne d'une augmentation du MB, ce qui constitue un facteur de régulation, de limitation. Or, le MB est en partie déterminé par le patrimoine génétique. Nous connaissons tous quelqu'un qui mange comme quatre mais ne prend jamais un gramme. Jalousement, nous lui envions ce métabolisme rapide qui lui permet de rester svelte.

Le MB des hommes est plus élevé que celui des femmes. En effet, leur masse musculaire étant plus importante, leur organisme a besoin de plus d'énergie pour fonctionner correctement. Chez les femmes, la masse graisseuse est plus conséquente. Du fait de notre mode de vie, notre masse musculaire est moins développée que celle de nos ancêtres. C'est pourquoi nous devons faire des exercices physiques variés, éventuellement en salle, pour nous remuscler et augmenter notre métabolisme de base.

Nous savons par ailleurs que, selon notre patrimoine génétique, notre organisme au repos consomme plus ou moins de glucides et de graisses, même si, au final, la quantité d'énergie utilisée est identique. Pour nombre de scientifiques, c'est parce que l'organisme puise moins dans les réserves en graisses que dans celles en glucides que certains sujets sont trop gros, voire obèses. Ne baissez pas les bras sous prétexte que vos parents ont des kilos superflus et que vous avez hérité de leurs gènes. Tout n'est pas perdu et vous pouvez agir, ne serait-ce qu'en essayant de comprendre pourquoi vous devez être particulièrement vigilant(e) quant à votre alimentation, alors que certaines personnes peuvent manger absolument tout ce qu'elles veulent. Et c'est là que nous intervenons en vous expliquant comment forcer votre organisme à puiser dans ses réserves en graisses, sans contrainte ou frustration.

Rendre le patrimoine génétique responsable de tous les problèmes de poids est une profonde erreur. En effet, alors que les gènes n'ont pas subi de mutation au cours de ces vingt dernières années, notre environnement et notre mode de vie ont été considérablement modifiés, sédentarisation et surconsommation d'aliments favorisant la prise de poids.

C'EST LA FAUTE DE MAMAN

Les problèmes de poids peuvent-ils remonter à la vie intra-utérine ? Peut-être. Les bébés qui, à la naissance, pèsent moins de 2,5 kg ou plus de 4 kg risquent d'avoir des problèmes de santé à l'âge adulte. La programmation fœtale aurait une incidence sur les pathologies métaboliques, notamment l'insulinorésistance.

En un mot, si vous étiez un gros bébé à la naissance, pourquoi demeure-t-il important que vous fassiez attention à ce que vous mangez ? C'est plus compliqué que cela. En effet, il est possible d'intensifier ou de diminuer l'action de certains gènes. Choisissez soigneusement les glucides et les graisses que vous consommez afin de favoriser la sécrétion de l'insuline, de *stimuler* les gènes impliqués dans l'élimination des graisses et de *diminuer* l'activité des gènes intervenant dans l'élimination des glucides. Pour trouver l'énergie dont il a besoin, l'organisme sera obligé de puiser dans les réserves en graisses au détriment des réserves en glucides. C'est exactement ce qui se passe lorsque vous commencez à consommer les aliments que nous vous conseillons dans notre Plan d'action de 12 semaines.

Le choix des aliments a des répercussions sur l'appétit

Selon les aliments consommés, vous aurez de nouveau faim plus ou moins rapidement après un repas et vous mangerez en quantité différente. Si vous optez pour des aliments qui se digèrent lentement dans la partie inférieure de l'intestin, les coupe-faim naturels sont stimulés. Par conséquent, la quantité et la qualité des produits ingérés sont des facteurs clés pour le contrôle du poids. De plus, le succès d'une alimentation à IG bas chez les personnes désirant maigrir puis stabiliser leur poids dépend des mécanismes suivants.

Parmi les quatre principales sources de calories présentes dans les aliments – protéines, lipides, glucides et alcool –, les lipides ont la teneur calorique par unité de poids la plus élevée. Ils sont donc deux fois plus énergétiques que les glucides et les protéines.

Un aliment riche en lipides ou graisses a une forte densité énergétique. En d'autres termes, dans une portion, le nombre de calories est particulièrement élevé. Un croissant aux amandes représente 1 885 kJ/451 kcal, soit environ 20 % des besoins énergétiques quotidiens d'une personne de corpulence moyenne. Une pomme de 100 g représentant 418 kJ/100 kcal, il faut manger entre 4 et 5 pommes pour arriver à couvrir les mêmes besoins. Lorsque vous consommez des aliments riches en graisses, vous avez tôt fait de dépasser les besoins énergétiques de votre organisme, ce qui explique l'engouement pour les régimes amaigrissants prônant une alimentation pauvre en graisses.

Toutefois, le plus important n'est pas tant la teneur en graisses d'un aliment que sa densité énergétique, à savoir le nombre de calories par gramme. Certains régimes alimentaires, notamment le régime méditerranéen, sont relativement riches en graisses (principalement en huile d'olive) tout en ayant une densité énergétique relativement peu élevée, dans la mesure où les matières grasses sont consommées avec quantité de fruits et de légumes. *A contrario*, parmi les aliments pauvres en graisses ou allégés récemment mis sur le marché, un grand nombre a une forte densité énergétique... La plupart ont la même densité énergétique que les produits de qualité standard riches en graisses, dans la mesure où chaque gramme de matières grasses est remplacé par deux grammes de glucides. Si une portion d'un aliment pauvre en graisses a la même teneur en calories qu'un aliment riche en graisses, vous comprenez qu'il soit facile de manger plus que nécessaire. Afin d'éviter tout excès, les nutritionnistes ont édicté quelques règles de base :

• consommer des fruits et des légumes en grande quantité est plus important que de manger des aliments pauvres en graisses ;

• le type de graisses consommées importe davantage que la quantité ;

• le type de glucides consommés est également essentiel.

Pensez en termes de densité énergétique par portion,
et non en termes d'aliments riches ou pauvres en graisses.
Ce qui compte, c'est la quantité globale de calories ingérées
par jour plutôt que simplement la richesse en graisses.

Alimentation et insulinorésistance

Comme on le sait, les cellules du pancréas sécrètent de l'insuline. Dans le diabète de type 1, cette hormone n'est plus ou presque plus sécrétée. Pour survivre, les malades doivent, chaque jour, avoir recours à des injections d'insuline. Chez les sujets ayant en particulier un surpoids, obèses ou atteints de diabète de type 2, la sécrétion d'insuline est, au contraire, élevée. C'est le cas également des personnes ayant un gros ventre, obèses ou non. Trop de graisse au niveau de l'abdomen engendre une certaine forme d'inertie ou de résistance à l'action de l'insuline. Pour pallier cette résistance, les cellules du pancréas doivent sécréter de plus en plus d'insuline (vous haussez bien le ton lorsque vous vous adressez à une personne ayant des troubles de l'audition !). Cet état d'insulinorésistance, accompagné d'une sécrétion élevée d'insuline, caractérise ce que l'on appelle un syndrome métabolique. 1 adulte sur 2 en serait atteint très souvent sans le savoir. Ce qui peut être une bombe à retardement risque finalement d'exploser, entraînant infarctus, accident vasculaire cérébral (AVC) ou diabète. En perdant du poids, vous pouvez diminuer considérablement le taux d'insuline dans le sang, notamment si vous privilégiez les glucides à IG bas.

Une glycémie encore normale (grâce à une sécrétion accrue d'insuline) dans l'instant, un taux normal de cholestérol chez ces sujets peuvent, à tort, laisser croire que le risque de maladie cardio-vasculaire est faible. La glycémie ne tarde pas à s'élever s'il existe une hérédité diabétique. Le bilan lipidique est néanmoins perturbé (taux élevé de triglycérides sanguins, taux abaissé de HDL-cholestérol), ce qui permet de corriger cette impression fallacieuse et de mettre en route les mesures préventives du diabète et des maladies cardio-vasculaires.

On nous demande souvent pourquoi autant de personnes souffrent d'insulinorésistance. L'explication est relativement simple. La résistance à l'action de l'insuline a deux causes majeures : le patrimoine génétique et l'environnement. Les personnes d'origine asiatique et afro-américaine et les descendants des aborigènes d'Australie, mais aussi d'Amérique du Nord et d'Amérique du Sud, présentent, *a priori*, une plus grande résistance à l'action de l'insuline que les personnes d'origine caucasienne, et ce même lorsqu'elles sont jeunes et minces.

Cela dit, quelle que soit l'origine ethnique, l'insulinorésistance tend à s'aggraver avec le temps, non pas à cause du vieillissement à proprement parler mais parce que, au fil des ans, la graisse s'accumule, l'activité physique est souvent ralentie, voire réduite, et la masse musculaire diminue. À ce stade, l'alimentation joue un rôle capital. Une alimentation trop riche en graisses, et plus précisément en graisses saturées, et pauvre en glucides augmente la résistance à l'action de l'insuline. Toutefois, si l'apport en glucides est élevé, il faut privilégier les glucides à IG bas, les glucides à IG élevé pouvant avoir un effet négatif et accentuer l'insulinorésistance. Il existe différentes formes d'insulinorésistance que seul votre médecin peut détecter.

LES DIFFÉRENTES FORMES DE L'INSULINO-RÉSISTANCE

Si votre médecin traitant détecte chez vous de l'hypertension artérielle et un taux de glucose sanguin légèrement trop élevé (signe annonciateur de diabète ou d'une diminution de la tolérance au glucose), vous souffrez probablement du syndrome métabolique, ou syndrome d'insulinorésistance.

Si vous êtes une femme, que votre cycle menstruel est irrégulier, que vous avez des poils disgracieux sur le visage et/ou de l'acné, vous souffrez peut-être du syndrome des ovaires polykystiques (SOPK), pathologie directement liée à une résistance à l'action de l'insuline.

Si vous avez un surpoids, que vous *ne* buvez *pas* beaucoup d'alcool mais que les analyses de sang révèlent un problème au niveau du foie (élévation des enzymes hépatiques), vous souffrez certainement d'insulinorésistance.

Pourquoi l'insulinorésistance ne doit-elle pas être prise à la légère ?

Un taux d'insuline constamment élevé favorise la prise de poids. C'est pourquoi, en dépit de tous leurs efforts, les sujets diabétiques ont beaucoup de mal à maigrir.

Plus le taux d'insuline est élevé, plus l'organisme puise dans ses réserves en glucides au détriment de celles en graisses.

En effet, l'insuline a deux actions principales :

• *ouvrir les portes* afin que le glucose puisse parvenir jusqu'aux cellules qui l'utilisent comme carburant ;

• *inhiber* la libération des graisses stockées dans l'organisme. Un organisme qui brûle ses graisses épargne ses réserves glucidiques, et *vice versa*. Même chez les personnes souffrant d'insulinorésistance, l'insuline remplit ces deux fonctions, l'organisme sécrétant alors plus d'insuline dans le sang. Malheureusement, la quantité d'insuline qui permet au glucose d'être acheminé jusqu'aux cellules est alors 2 à 10 fois supérieure à celle nécessaire pour que l'organisme soit obligé de puiser dans les réserves en graisses.

En cas de syndrome métabolique et d'insulinorésistance, des taux élevés d'insuline circulante favorisent l'épargne et le stockage des graisses au détriment de l'utilisation (d'où l'hyperglycémie par manque de pénétration) et de la mise en réserve du glucose dans le foie et les muscles. De ce fait, le taux de glucose connaît d'amples variations, rendant difficile le contrôle de la faim et stimulant la sécrétion des hormones du stress. Au cours de la journée, l'organisme puise également dans les glucides stockés en faible quantité dans le foie et les muscles. Les réserves de graisses n'étant pas utilisées, la graisse s'accumule dans les différentes parties du corps :

• autour de la taille (bourrelets) ;

• dans le sang (taux de triglycérides ou TG élevé très fréquent chez les personnes diabétiques ou souffrant du syndrome d'insulinorésistance) ;

• dans le foie (stéatose hépatique non alcoolique : accumulation de lipides dans les hépatocytes) ;

• à l'intérieur des cellules musculaires (un signe d'insulinorésistance).

Un taux d'insuline élevé augmente les facteurs de risque de développement d'une maladie cardiaque ou du diabète de type 2. Des taux d'insuline et de triglycérides élevés entraînent une diminution du taux de HDL-cholestérol ou « bon » cholestérol, ce qui favorise l'épaississement et l'obstruction des artères. Un taux élevé d'insuline accroît les risques de formation de caillots dans le sang et, par-delà, ceux de thrombose dans les artères coronaires les plus étroites et d'infarctus.

Chez les sujets ayant un taux d'insuline en permanence élevé, le risque de développer une résistance à l'insuline est important. L'organisme étant moins sensible à l'action de l'insuline, cette hormone doit être sécrétée en plus grande quantité. Tout se passe comme si cette augmentation croissante épuisait les cellules du pancréas. Si vous hurlez tout le temps et que vous avez les cordes vocales constitutionnellement faibles, à la fin de la journée vous avez la voix enrouée ! Alors que le taux d'insuline commence à chuter, la glycémie augmente, d'où un prédiabète (glycémie élevée mais sous le seuil du diagnostic du diabète) et, dans le pire des cas, un diabète de type 2.

(L'insulinorésistance et les taux élevés d'insuline n'impliquent aucunement, en pratique médicale courante, ni la mesure directe de l'insulinorésistance, qui nécessite des techniques longues et compliquées, ni même la mesure du taux d'insuline sanguin [procédés non utilisés]. Ce sont les signes indirects qui définissent le syndrome métabolique : obésité abdominale [tour de taille], chiffres de glycémie à jeun, pression artérielle, bilan lipidique comportant la mesure du taux de triglycérides et de HDL-cholestérol, auxquels s'ajoutent l'appréciation de l'âge, le sexe, la sédentarité, l'usage du tabac.)

Des aliments sains à IG bas et la pratique d'une activité physique augmentent la sensibilité à l'insuline et diminuent son taux au cours de la journée.

Toute la vérité sur les glucides

Jusqu'à très récemment, les glucides avaient mauvaise presse, ce qui explique que nombre de personnes se posent aujourd'hui encore une multitude de questions. Si vous envisagez de suivre un régime pauvre en glucides, quelques explications s'imposent. Parlons tout d'abord des bienfaits des glucides. Les glucides, et non le sucre, sont les substances les plus largement consommées dans le monde après l'eau. Bon marché, ils favorisent la satiété et ont le plus souvent un goût sucré. Aliments sains et savoureux, ils sont appréciés par les petits et les grands. Le lait maternel, plus riche en glucides que n'importe quel autre lait d'origine animale, couvre tous les besoins en énergie du cerveau des nourrissons.

Le glucose est le plus simple des glucides. Très rapidement assimilé par l'organisme, il est un carburant indispensable pour le cerveau, les globules rouges, l'embryon et le fœtus. Lors d'un exercice physique intense, les muscles puisent dans les réserves en glucose.

LES NUTRIMENTS DE L'ALIMENTATION HUMAINE

L'alimentation humaine comporte essentiellement trois ordres de nutriments : les glucides, les lipides ou graisses et les protides. Ils doivent idéalement être pris ensemble, dans des proportions équilibrées, bien qu'il y ait eu des exceptions dans l'histoire de l'humanité.

• **Les glucides** (fruits, céréales, légumineuses) sont l'élément de base de l'être humain depuis ses origines : ce sont les aliments les plus disponibles et les moins chers. Ils doivent représenter au moins 50 à 60 % de notre alimentation quotidienne. Une petite quantité de lipides, en particulier les graisses essentielles, et de protéines, animales ou végétales, est également indispensable. Essayer de suivre un régime pauvre en glucides conduit quasi mécaniquement à surconsommer des graisses très souvent saturées et, dans une moindre mesure, des protéines qui en contiennent aussi, et donc à prendre le risque de favoriser les maladies cardio-vasculaires.

• **Les lipides** ou **graisses** sont d'origine animale terrestre (gras contenus dans et autour des viandes, peaux des volailles, beurre et laitages, œufs), ou marine (poissons, crustacés) ou d'origine végétale (noix, oléagineux, huiles et margarines végétales). Les premières sont, sauf les graisses des poissons, riches en acides gras saturés, néfastes à la santé quand elles sont prises en trop grandes quantités tout au long de la vie ; les autres, celles d'origine végétale ou marine, sont riches en acides gras polyinsaturés et en lipides essentiels, les oléagineux étant, eux, riches en acides gras mono-insaturés. Les graisses ne peuvent, de toute façon, constituer l'essentiel de l'alimentation, encore qu'elles peuvent représenter de nos jours jusqu'à 50 % des apports quotidiens. Il est un exemple historique qui semble unique au cours de l'humanité, celui des Esquimaux (Inuits des régions polaires) dont l'alimentation traditionnelle, disparue de nos jours, était constituée essentiellement de graisses, de quelques viandes séchées et de rares fruits ou baies récoltés en été : ces populations ne présentaient pourtant pas d'athérome (vieillissement artériel) prématuré. Cela était dû à l'origine marine, essentiellement, des graisses consommées, très riches en acides gras polyinsaturés, favorables à la santé ; il faut ajouter la rareté de l'alimentation et les efforts physiques déployés pour l'obtenir.

• **Les protéines** (viandes, volailles, poissons, laitages, œufs) ne sont qu'une partie plus modeste de la ration calorique quotidienne (15 à 20 %), l'organisme étant limité, de toute façon, dans ses capacités à les métaboliser au-delà d'un certain seuil. Leur métabolisme conduit à la production d'une certaine quantité d'ammoniac par le foie, éliminée dans le rein par l'urine. Une nourriture uniquement basée sur les protéines, à l'exclusion de toute quantité notable de graisses ou de glucides, n'est donc pas compatible avec la vie à moyen terme. Il y a là, encore, un exemple historique : lors de la ruée vers l'Ouest américain, certains pionniers n'ont eu pour seule nourriture que des lapins qu'ils chassaient, animaux qui, comme tous les gibiers, sont riches en muscles et pauvres en graisses. Ils ne se sont nourris pendant de longues périodes que de protéines et ont fini par succomber à une maladie appelée en anglais *rabbit starvation*, que l'on pourrait traduire par « jeûne à base de lapin ». Ainsi, l'homme n'est pas un carnivore mais un omnivore.

Quelles que soient les études menées, les chercheurs arrivent toujours à la même conclusion : les graisses saturées (animales, hormis le poisson) sont plus néfastes à la santé, en quantités excessives et sur le très long terme, que n'importe quel autre élément entrant dans la composition d'un aliment. Tout au long de la première moitié du XXe siècle, les médecins prescrivaient aux patients diabétiques un régime pauvre en glucides mais riche en graisses (animales) qui, certes, leur permettait de stabiliser leur glycémie, mais favorisait également le développement de maladies cardiaques fatales.

Les nutritionnistes soulignent aussi que les personnes qui suivent un régime pauvre en glucides sont privées des micronutriments essentiels présents dans les céréales, les fruits et les légumes. Les compléments nutritionnels – vitamines, minéraux et oligoéléments – préconisés par les adeptes des régimes pauvres en glucides prouvent bien qu'ils sont parfaitement conscients des carences de tels régimes. Sachez, par ailleurs, que les compléments nutritionnels ne font que pallier ce manque, certaines substances, présentes notamment dans les fruits et les légumes, n'ayant pu être obtenues par synthèse.

Régimes pauvres en graisses ou pauvres en glucides ?

Aujourd'hui, dès que l'on évoque les régimes amaigrissants, les avis des consommateurs, mais aussi des nutritionnistes et des diététiciens divergent. D'un côté, des spécialistes soutiennent qu'il n'y a rien de mieux pour maigrir que les régimes pauvres en graisses tant il est vrai que, indéniablement, ne pas manger de graisses permet de perdre quelques kilos. De l'autre côté, le professeur Walter Willett, directeur de l'École de santé publique de Harvard, et quelques autres spécialistes de renom affirment qu'un régime pauvre en graisses et riche en glucides (tous glucides confondus) peut être néfaste pour la santé. Nous confirmons ce second propos en nous appuyant sur les faits suivants :

• une alimentation pauvre en graisses peut avoir la même densité énergétique qu'une alimentation riche en graisses, donc les mêmes conséquences ;

• les glucides : rapidement digérés et assimilés par l'organisme, ils peuvent stimuler l'appétit (à IG élevé) ;

• les glucides : rapidement libérés dans l'organisme, ils augmentent considérablement le taux d'insuline ;

- un taux d'insuline élevé peut compromettre la capacité de l'organisme à brûler ses graisses.

CE QU'IL FAUT RETENIR

Opter plutôt pour un régime riche en graisses mono-insaturées, comme l'huile d'olive.
Éviter surtout les glucides à index glycémique (IG) haut.
Il vaut mieux choisir une alimentation composée de glucides dont l'indice glycémique (IG) est bas.

Pour les défenseurs des régimes pauvres en glucides, la meilleure façon de diminuer la sécrétion d'insuline et de perdre des kilos superflus est d'éliminer les glucides. Dans une certaine mesure, ils n'ont pas tort.

En effet, un régime amaigrissant pauvre en glucides est beaucoup plus efficace qu'un régime traditionnel pauvre en graisses. La perte de poids est liée, en partie, à une perte d'eau et aux graisses brûlées par l'organisme. Ces régimes alimentaires, pauvres en glucides, peuvent vous faire perdre du poids sans nécessairement être plus sains. Remplacer les glucides par des graisses saturées et des acides gras trans (huile végétale partiellement hydrogénée entrant dans la composition des certains types de margarine, biscuits sucrés et salés mais aussi la plupart des plats prêts à consommer) ne fait qu'accroître les risques de développer une maladie cardio-vasculaire. Fort heureusement, grâce à une politique de santé européenne concertée avec les industriels, les acides gras trans ont été diminués de façon drastique dans l'alimentation humaine.

Pourquoi maigrit-on plus vite lorsque l'on opte pour un régime pauvre en glucides ? Cette question revient sans cesse. Une fois encore, sur ce point, les avis des spécialistes divergent. Certains prétendent que, si vous éliminez tous les glucides, quels qu'ils soient, le choix des aliments est de plus en plus limité. Vous *ne* devez *plus* manger de céréales et nombre de fruits sont à proscrire. Si, dans un premier temps, vous acceptiez de vous nourrir exclusivement d'œufs et de viande, au bout d'un moment vous auriez la nausée rien qu'à la pensée d'un steak ou d'un œuf à la coque. La perte de poids pourrait également être due à l'effet coupe-faim de certaines protéines et à un taux élevé de cétone dans le sang (voir page 75).

Par ailleurs, les protéines pourraient diminuer sensiblement « l'efficacité métabolique ». Exemple : 4 calories pour 1 gramme de protéines, et le coût énergétique pour le métaboliser (élevé pour les protéines) ; résultat : 1 gramme de protéines apporte *in fine* moins de calories utiles que 1 gramme de glucides, 1 gramme de lipides procurant 9 calories, quasiment toutes utilisables.

Quels sont les inconvénients d'un régime traditionnel pauvre en graisses par rapport aux avantages d'un régime pauvre en glucides ? La majorité des aliments dont la teneur en matières grasses est comprise entre 1 % et 3 % est très riche en glucides à IG élevé, ce qui se traduit dans l'organisme par une augmentation de la glycémie et du taux d'insuline.

Par ailleurs, la plupart des personnes trop grosses ou obèses souffrent d'insulinorésistance. De ce fait, la réponse insulinique après l'ingestion de glucides à IG élevé est entre 5 et 10 fois supérieure à la réponse insulinique chez les sujets minces. Sachant qu'un taux d'insuline élevé inhibe la métabolisation des graisses, nombre de spécialistes sont arrivés à la conclusion que, pour perdre du poids, il faut diminuer le taux d'insuline par tous les moyens possibles. Cependant, éliminer tous les glucides *n*'est *pas* la meilleure solution car ces nutriments se trouvent alors remplacés par des protéines et des graisses.

Le choix des aliments, dans ce cas, est considérablement restreint et, les protéines stimulant également la sécrétion d'insuline, s'alimenter devient problématique. Celles et ceux qui préconisent un régime pauvre en glucides afin de réduire le taux d'insuline ne tiennent absolument pas compte de ces éléments d'une importance capitale. Si vous suivez leur raisonnement, vous tombez dans une situation extrême totalement injustifiée, donc évitable.

Un débat sur le choix de tel ou tel régime n'a de réel sens que sur le très long terme. Voilà pourquoi nous privilégions un régime riche en glucides à IG bas, riche en fibres, pauvres en lipides, plus souhaitable qu'un régime pauvre en glucides. Un débat s'avère moins crucial sur de courtes périodes de quelques semaines pour commencer un régime et perdre quelques kilos.

Si nous faisons preuve d'objectivité, nous pouvons reconnaître que le Dr Atkins (fervent d'une alimentation pauvre en glucides) a *partiellement* raison. Les régimes riches en glucides qui font grimper le taux d'insuline, car à IG élevé, rendent difficile la perte de poids, l'organisme étant obligé de brûler le glucose et non de puiser dans les réserves de graisses.

Comme nous l'avons vu précédemment, il est nécessaire de différencier les glucides à IG élevé et les glucides à IG bas. Digérés et assimilés plus lentement par l'organisme, ces derniers font augmenter le taux d'insuline plus lentement et plus progressivement, rendant l'organisme plus sensible à l'action de cette hormone. Des études menées par nos équipes au sein des universités de Sydney et de Paris ont prouvé que la sécrétion d'insuline après un repas à base de glucides à IG bas n'est pas plus importante qu'après un repas riche en protéines – aliments que le Dr Atkins recommande de consommer en grande quantité. Pour une meilleure compréhension, reportez-vous au tableau ci-après.

**Les aliments à IG bas ont les mêmes effets
sur la sécrétion d'insuline
que les aliments pauvres en glucides.**

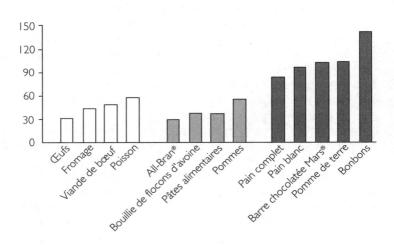

Index d'insulino-sécrétion *(insulin score)* pour 1 000 kJ de l'aliment

Les bienfaits d'une alimentation à IG bas

Il existe un juste milieu, fort heureusement, entre une alimentation pauvre en graisses et une alimentation pauvre en glucides. Il est donc aisé de manger équilibré tout en préservant son capital santé : adopter une alimentation qui diminue le taux d'insuline et favorise la perte de poids sans présenter le moindre danger sur le long terme.

Le Régime à faible index glycémique ou Comment maigrir avec un régime riche en glucides de haute qualité vous livre le secret de cette alimentation et vous aide à trouver un équilibre entre un régime traditionnel pauvre en graisses et un régime pauvre en glucides. Privilégier les glucides se digérant lentement permet de cuisiner des mets savoureux, sains et procurant une sensation de satiété tout en diminuant au cours de la journée le taux d'insuline, exactement comme le ferait n'importe quel régime pauvre en glucides.

CHAPITRE 2

L'INDEX GLYCÉMIQUE : UN OUTIL PUISSANT AU SERVICE DE LA DIÉTÉTIQUE

Il n'y a pas encore si longtemps, les glucides étaient répartis en deux catégories : les **glucides simples** et les **glucides complexes**. Les sucres, qui sont de petites molécules, entraient dans la première catégorie alors que les amidons, qui sont de grosses molécules, appartenaient à la seconde. Du fait de leur taille, les glucides complexes, lentement digérés et assimilés par l'organisme, étaient supposés entraîner une augmentation relativement faible et progressive du taux de glucose sanguin. *A contrario*, les glucides simples (les sucres) étaient montrés du doigt pour être rapidement digérés et assimilés et faire grimper brutalement la glycémie. Nous savons aujourd'hui que le concept chimique sur lequel repose la différenciation entre les glucides « simples » et les glucides « complexes » ne livre, en fait, aucune information probante sur la manière dont les glucides se comportent à l'intérieur de l'organisme. Les scientifiques se sont mis au travail et ont trouvé un autre système pour décrire la nature ou le type de glucides et les classifier en fonction des répercussions observées sur le taux de glucose dans le sang. C'est ainsi que le concept d'index glycémique vit le jour. Pendant 25 ans, des chercheurs ont travaillé sans relâche sur les glucides – ce qui, dans un premier temps, suscita nombre de polémiques – pour finalement prouver que l'index glycémique était non seulement un outil indispensable, mais également un facteur ayant des conséquences fondamentales sur la santé de chacun.

Pour les sujets souhaitant perdre du poids, les aliments à IG bas présentent deux avantages :

• à la différence des aliments à IG élevé, ils favorisent la satiété et permettent d'attendre le repas suivant sans avoir besoin de grignoter ;

• ils font baisser le taux d'insuline. L'organisme puise dans les réserves de graisses. La masse musculaire est protégée alors que la vitesse métabolique est augmentée.

Même si cela peut paraître étonnant, ce n'est qu'au début des années 1980 que les scientifiques commencent à s'interroger sur la réponse glycémique induite par les aliments les plus couramment consommés. Depuis 1981, des centaines et des centaines d'aliments ont été testés isolément puis mélangés à d'autres, d'une part, sur des personnes en parfaite santé et, d'autre part, sur des sujets diabétiques. Les professeurs David Jenkins et Tom Wolever de l'université de Toronto furent les premiers à parler d'« index glycémique » pour illustrer l'augmentation plus ou moins rapide et progressive du taux de glucose sanguin (glycémie) survenant après la consommation de différents glucides.

L'index glycémique, ou IG est un outil permettant de mesurer l'augmentation du taux de glucose dans le sang (glycémie) en fonction de la teneur en glucides. Les aliments à IG élevé contiennent des glucides qui font fortement accroître le taux de glucose sanguin, alors que les aliments à IG bas renferment des glucides ayant un effet moindre.

L'IG est un outil permettant de calculer l'incidence
des glucides sur le taux de glucose sanguin.
Les glucides sont comparés poids par poids,
gramme par gramme.

Les travaux menés sur l'IG ont totalement remis en cause nombre de croyances profondément ancrées.

Premièrement, les chercheurs ont découvert que, contrairement à ce qu'ils avaient toujours pensé, l'amidon contenu dans certains aliments, comme le pain blanc, les pommes de terre et la plupart des différents types de riz, était très rapidement digéré et assimilé par l'organisme.

Deuxièmement, ils ont démontré que le sucre contenu dans les aliments (fruits, chocolat, crème glacée) n'entraînait pas une augmentation rapide et prolongée du taux de glucose sanguin. Plus étonnant encore, il fut établi que les sucres contenus dans les aliments – et ce quelle que soit la source – engendraient une réponse glycémique modérée inférieure à la réponse glycémique observée suite à la consommation de denrées renfermant de l'amidon.

Dès lors que l'on s'interrogeait sur le taux de glucose sanguin, la distinction faite entre les aliments contenant de l'amidon et ceux renfermant du sucre, ou entre les glucides simples et les glucides complexes, n'avait plus de sens. Toutefois, indiquer précisément la valeur de l'IG d'un plat était très difficile, même pour un chercheur expérimenté ayant tous les détails quant au mode de préparation et à la composition chimique des ingrédients pris isolément.

Ne pensez plus en termes de glucides simples ou complexes, mais en terme d'IG élevé ou bas.

La vitesse de digestion : un élément déterminant pour comprendre ce qu'est l'IG

Les aliments renfermant des glucides qui se décomposent facilement au cours de la digestion ont les IG les plus élevés. La réponse glycémique est importante et durable. En d'autres termes, le taux de glucose (ou sucre) dans le sang augmente fortement. *A contrario*, les aliments renfermant des glucides qui se dégradent lentement et libèrent progressivement du glucose dans le sang ont un IG bas, c'est-à-dire que si le taux de sucre dans le sang s'élève à la même vitesse que précédemment, le taux maximum observé est beaucoup plus faible, la durée totale de l'élévation brève (voir figures ci-après).

Les figures ci-après (a et b) montrent la différence entre les effets des aliments à IG élevé, moyen et bas sur le taux de glucose sanguin.

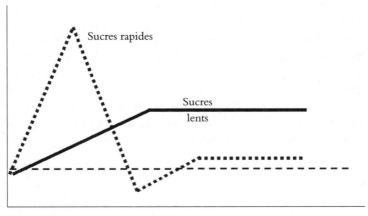

Figure a.

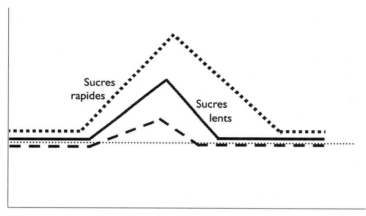

Figure b.

Pour la plupart des individus, les aliments à IG bas présentent plus d'avantages que les aliments à IG élevé. Cependant, chez les personnes pratiquant un sport à haut niveau, la consommation de glucides à IG élevé est parfois la meilleure des solutions.

La substance qui fait le plus fluctuer la glycémie est le glucose pur (commercialisé sous forme de poudre et présent dans les boissons énergétiques).

Les tests réalisés sur l'index glycémique ont montré que la plupart des aliments ont moins d'effet sur le taux de glucose sanguin que le glucose lui-même. L'IG du glucose pur est égal à 100, alors que la valeur de tous les autres aliments est comprise entre 0 et 100 en fonction de l'augmentation plus ou moins rapide, marquée et soutenue de la glycémie. Quelques rares aliments, comme le riz jasmin, ont un IG supérieur à 100. Si cette constatation peut surprendre, l'explication est simple. Le glucose est testé sous forme de solution très concentrée qui n'est pas immédiatement évacuée de l'estomac vers l'intestin grêle. En revanche, le riz jasmin, qui contient de l'amidon sous forme solide, quitte rapidement l'estomac pour être totalement digéré et assimilé par l'organisme.

Les aliments à IG bas, lentement digérés et assimilés, passent petit à petit dans les parties inférieures de l'intestin grêle, stimulant la sécrétion de puissants « facteurs de satiété ». Dans cet ouvrage, nous insisterons beaucoup sur le rôle que ces coupe-faim naturels peuvent jouer chez les sujets désireux de perdre du poids.

Il est cliniquement prouvé que l'index glycémique
est un outil indispensable pour contrôler l'appétit,
mieux vivre avec du diabète
et préserver le système cardio-vasculaire.

Perdre du poids grâce aux glucides à IG bas

Dans nos précédentes publications, nous avons souligné les bienfaits des aliments à IG bas : effet de satiété et augmentation lente et progressive du taux de glucose sanguin. Aujourd'hui, nous pouvons affirmer – preuves scientifiques à l'appui – que l'IG peut vous aider à maigrir et à vous débarrasser de la graisse stockée au niveau de la taille. En effet, nous avons la preuve qu'en optant pour une alimentation à IG bas, vous maigrirez plus rapidement qu'en suivant un régime traditionnel pauvre en graisses.

Cette affirmation repose sur des études menées par notre équipe de l'université de Sydney ainsi que sur des travaux effectués à l'université de Harvard et à l'Hôtel-Dieu de Paris, dont vous trouverez un résumé pages 429 à 431.

Par ailleurs, plusieurs études de faible ampleur mais extrêmement bien conduites ont confirmé que, à long terme, une alimentation à IG bas permet de stabiliser son poids, un point particulièrement important dans la mesure où, avec les régimes traditionnels, les kilos ont tendance à s'accumuler au fil des ans. Il est temps maintenant d'étudier les principes sur lesquels repose le régime à IG bas que nous préconisons.

Surmonter sa faim

Les personnes qui souhaitent perdre du poids sont confrontées à la difficulté de ne pas succomber à cette sensation obsédante qu'est la faim. En effet, il est quasiment impossible d'ignorer la faim qui tenaille – lorsque l'apport en énergie est insuffisant, le cerveau envoie des signaux pour signifier que nous avons besoin de carburant. Se priver de nourriture trop longtemps débouche souvent sur le grignotage et une surconsommation d'aliments. C'est pourquoi nous déconseillons fortement les régimes basés sur la privation qui promettent une perte de poids rapide.

Le régime que nous recommandons repose sur un fait prouvé scientifiquement, à savoir que les aliments à IG bas favorisent plus la satiété que ceux à IG élevé. Non seulement vous avez rapidement l'estomac rempli mais vous espacez également les repas et diminuez les grignotages au cours de la journée. *A contrario*, les aliments à IG élevé stimulent la faim plus rapidement et poussent à faire des repas plus copieux (voir graphique page suivante).

Face au pouvoir de satiété, tous les aliments ne sont pas égaux. Certains aliments et nutriments, plus que d'autres, favorisent la satiété, et ce à portion égale. Les protéines arrivent en tête de liste, suivies par les glucides et les graisses. Pour preuve, tout le monde sera d'accord pour dire qu'un steak satisfait mieux l'appétit qu'un croissant, même si le nombre de calories est identique.

Les repas à IG bas favorisent la satiété

Consommation non contrôlée après un petit déjeuner et un déjeuner à IG bas, moyen et élevé – Étude réalisée sur 12 adolescents obèses

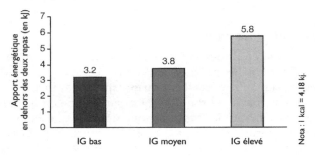

Tout le monde sait que, lorsque l'on commence à manger certains aliments – chips de maïs ou de pommes de terre –, il est difficile de s'arrêter. Bien que extrêmement caloriques, les aliments riches en matières grasses encouragent peu la satiété, comme l'ont démontré différentes études. Des chercheurs ont demandé à des volontaires de manger jusqu'à ce qu'ils soient repus. Pour tous, l'apport calorique s'est avéré plus élevé lorsque les aliments consommés étaient riches en graisses que lorsqu'il s'agissait d'aliments riches en amidon ou en sucre. Même lorsque les matières grasses et les glucides étaient dissimulés dans les aliments, par exemple un yaourt ou un entremets, l'apport énergétique était supérieur lorsque les aliments consommés présentaient une teneur élevée en graisses. N'oubliez pas qu'il y a deux fois plus de calories dans un gramme de graisse que dans un gramme de protéine, d'amidon ou de sucre.

Dans notre laboratoire de l'université de Sydney, le Dr Susanna Holt a mis au point le premier indice de satiété (capacité d'un aliment à satisfaire celui qui le mange) d'une multitude d'aliments. Elle a demandé à des volontaires de consommer des aliments isolés ayant exactement le même apport calorique, puis elle a comparé la quantité de nourriture devant être ingérée pour se sentir rassasié.

Elle a découvert que le facteur le plus important impliqué dans la sensation de satiété est le poids réel ou le volume de nourriture ingérée. Plus le poids pour 1 000 kJ/239 kcal est élevé, plus le pouvoir de satiété est important. Les aliments riches en eau (par conséquent ayant la plus faible densité énergétique), comme la bouillie de flocons d'avoine, les pommes et les brocolis, sont ceux qui facilitent le plus la satiété. Deux aliments dont la teneur en eau est identique ont un pouvoir de satiété qui s'avère plus important pour 1) l'aliment le plus riche en protéines et 2) l'aliment le plus riche en glucides.

Lorsque la teneur en glucides est identique intervient l'IG (les aliments à IG bas induisant plus rapidement la satiété que les aliments à IG élevé). Les pommes de terre, il est vrai, en dépit d'un IG élevé, se placent très haut sur l'échelle de l'indice de satiété. Si nous pouvions « inventer » une pomme de terre à IG bas, son pouvoir de satiété serait encore plus grand !

Tous les tests ont prouvé que les aliments dont le nombre de calories par gramme est le plus élevé (les croissants, le chocolat et les cacahuètes ont une très grande densité énergétique) sont ceux qui favorisent le moins la satiété. Lorsque nous consommons ces aliments, nous avons toujours tendance à en vouloir davantage et à manger plus que de raison, sans même nous en apercevoir. C'est ce que les scientifiques appellent la « surconsommation passive ». Nous nous sommes fortement inspirés de ces résultats pour rédiger cet ouvrage et vous aider à choisir les aliments dont l'effet de satiété est prolongé.

Par ailleurs, outre nos propres travaux, une vingtaine d'études menées aux quatre coins du monde a confirmé que les aliments à IG bas, comparativement aux aliments à IG élevé ayant la même teneur en nutriments, rassasient mieux et retardent le moment où la faim réapparaît et/ou permettent de diminuer le nombre de calories consommées le reste de la journée. Ceci s'explique de plusieurs façons : les aliments à IG bas restent plus longtemps dans l'estomac avant d'être acheminés vers la partie inférieure de l'intestin grêle. Ils déclenchent les récepteurs qui stimulent les coupe-faim naturels, la plupart se trouvant uniquement dans la partie inférieure de l'intestin. Il n'est pas nécessaire d'être un spécialiste en diététique pour comprendre qu'un aliment qui quitte rapidement l'estomac, digéré et assimilé en quelques minutes, n'a pas un grand pouvoir de satiété.

EN RÉSUMÉ

• Les aliments à IG élevé stimuleraient la faim car les fluctuations fortes et rapides du taux de glucose sanguin déclencheraient des réponses contre-régulatoires.
Les hormones du stress, notamment l'adrénaline et le cortisol, sont libérées lorsque le taux de glucose fluctue suite à la consommation d'un aliment à IG élevé. Or, ces deux hormones engendrent la sensation de faim.
• Les aliments à IG bas favorisent plus la satiété que les aliments à IG élevé car ils ont souvent une plus faible densité énergétique. Par ailleurs, ils ont généralement une teneur élevée en eau et en fibres, ce qui ne fait qu'accroître leur pouvoir de satiété sans que soit augmentée leur teneur énergétique.

Les aliments à IG bas favorisent l'élimination de la graisse

À l'heure actuelle, une dizaine d'études a démontré que les personnes qui consomment des aliments à IG bas voient leur masse graisseuse diminuer plus fortement que celles qui se nourrissent principalement d'aliments à IG élevé (pour en savoir plus, reportez-vous au résumé de ces études pages 429 à 431).

Dans une étude réalisée à l'hôpital des Enfants de Boston, les chercheurs ont demandé à des adolescents de suivre soit un régime traditionnel riche en fibres et pauvre en graisses, soit un régime à base d'aliments à IG bas avec un peu plus de protéines et un peu moins de glucides. Le premier régime reposait sur des céréales complètes riches en fibres, des pommes de terre et du riz alors que le second préconisait la consommation de flocons d'avoine, d'œufs, de produits laitiers allégés et de pâtes alimentaires. Pour les deux types d'alimentation, le nombre de calories était identique. Les adolescents ont suivi leur régime durant une année. Au bout des six premiers mois, les membres du second groupe avaient perdu 3 kg de graisse contre 0 kg pour ceux du premier groupe. Six mois plus tard, soit à la fin de l'étude, ceux ayant suivi un régime à IG bas n'avaient pas repris un gramme alors que les individus de l'autre groupe avaient grossi.

Les régimes à IG bas permettent de stabiliser le poids

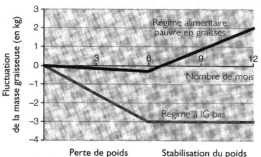

Dans notre unité de recherche, notre équipe a obtenu les mêmes résultats avec des jeunes adultes ayant un surpoids. Nous avons formé deux groupes, le premier devant suivre un régime à IG bas durant douze semaines et le second un régime traditionnel pauvre en graisses. Au bout des trois mois, nous avons observé que la perte de poids était deux fois plus importante pour les personnes du premier groupe que pour celles du second groupe, ce qui apparaît clairement sur la figure ci-après.

Comparaison entre un régime traditionnel pauvre en graisses et un régime à IG bas

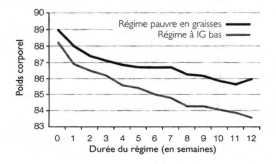

Pourquoi les résultats sont-ils meilleurs avec une alimentation à IG bas ? La différence la plus significative entre les deux régimes est que les taux d'insulinémie observés pendant la journée sont plus bas lors des régimes à IG bas (voir figure ci-après).

Fluctuations du taux d'insuline sur une période de 10 heures

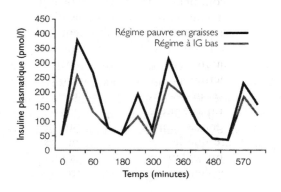

L'insuline est une hormone qui intervient non seulement dans la régulation du taux de glucose sanguin, mais aussi dans l'augmentation de la masse graisseuse. En effet, lorsque le taux d'insuline est élevé, l'organisme est obligé de puiser dans les réserves en glucides au détriment des graisses. Par conséquent, au cours de la journée, même si l'énergie consommée est identique, la proportion graisses/glucides est différente. Oxyder les glucides ne fait pas perdre de poids alors que brûler les graisses fait maigrir.

Les personnes obèses ont, *a priori*, des stocks élevés en glycogène dans le foie et les muscles, soumis à d'importantes fluctuations tout au long de la journée. On constate que le glycogène est l'une des principales sources de carburant chez les sujets ayant une surcharge pondérale. Or, si les réserves en glycogène sont régulièrement épuisées puis reconstituées (par exemple, avant et après les repas), l'organisme puise dans ces réserves plutôt que dans celles en graisses. Le processus est simple : avant le repas, les réserves sont épuisées mais, grâce aux aliments, notamment ceux à IG élevé, elles sont reconstituées avant d'être à nouveau épuisées. Il faut donc manger pour « refaire le plein » et ainsi de suite.

Voici d'autres bonnes raisons devant vous pousser, vous qui voulez perdre du poids, à opter pour notre régime :

• lorsque vous commencez un régime, votre dépense métabolique chute car vous consommez moins d'aliments, ce qui rend la perte de poids difficile à maintenir. Cette dépense diminuera moins si vous suivez notre régime à base d'aliments à IG bas plutôt qu'un régime traditionnel pauvre en graisses ;

• notre régime permet d'éliminer la graisse qui met en danger le capital santé – la graisse stockée au niveau de l'abdomen – et de préserver la masse musculaire ;

• des études de grande ampleur réalisées sur des sujets diabétiques ont montré que les régimes incluant des glucides à IG bas permettent non seulement d'éliminer la graisse stockée sur le ventre, mais également de mieux contrôler l'évolution de la maladie.

Alimentation à IG bas et préservation du capital santé

Outre l'aide apportée aux personnes qui envisagent de maigrir et/ou de stabiliser leur poids, notre régime à IG bas préserve, à long terme, le capital santé. Celles et ceux qui, *naturellement*, optent pour une alimentation à IG bas ou à charge glycémique (CG) basse (CG = IG × la quantité de glucides) ont moins de risques de développer l'une ou l'autre des maladies chroniques ou invalidantes qui frappent une grande partie de la population adulte dans les pays industrialisés, à savoir le diabète de type 2, les pathologies cardio-vasculaires, les cancers du gros intestin, du sein, du système digestif supérieur (estomac), du pancréas et de l'utérus. Cette affirmation est basée sur les résultats de plusieurs études épidémiologiques portant sur 10 000 à 100 000 personnes – voire plus –, notamment la *Nurse Health Study* menée par une équipe de la Harvard School of Public Health sur 65 000 infirmières.

QU'EST-CE QUE LA CHARGE GLYCÉMIQUE ?

La charge glycémique (CG) permet d'évaluer jusqu'à quel point un aliment pris en quantité usuelle (une « portion ») élève les concentrations sanguines de glucose et d'insuline. Pour calculer la charge glycémique, il suffit de multiplier l'index glycémique d'un aliment par la quantité de glucides dans la ou les portion(s) consommée(s) (par exemple, 20 g, 40 g de glucides) et de diviser le résultat par 100 :

CG = (IG × quantité de glucides dans une portion)/100

La charge glycémique est plus élevée pour les aliments à IG élevé ayant une forte teneur en glucides, notamment ceux que nous avons tendance à consommer en grande quantité. De nombreux nutritionnistes jugent importante la notion d'apport de CG : elle permet une appréciation non seulement quantitative mais également qualitative du glucide consommé (l'IG ne fournissant que des indications sur la qualité). Les deux notions sont cependant utiles ; en effet, dans des études réalisées sur un grand nombre de patients, il a été montré par l'université de Harvard que le risque de développer une maladie était corrélé à l'un comme à l'autre paramètre. La CG a permis de tirer la conclusion suivante : plus les aliments riches en IG élevé sont consommés, plus le capital santé est menacé.

Ne tenez pas uniquement compte de la CG car vous courez alors le risque de ne consommer que des aliments pauvres en glucides mais riches en graisses – notamment en graisses saturées – et extrêmement riches en protéines. Ayez recours à l'IG pour comparer des aliments de même nature (par exemple, du pain complet avec du pain blanc). Attention ! Certains aliments comme la pastèque, le cantaloup et le potiron, qui ont un IG élevé, ont cependant une teneur en glucides si faible que l'IG n'est pas un facteur probant.

Vous trouverez les valeurs d'IG et de CG d'une multitude d'aliments dans les ouvrages intitulés *L'Index glycémique, un allié pour mieux manger*, Éd. Marabout, et *Indice glycémique*, Éd. Marabout, collection « Mes P'tits Marabout ».

Ces études prennent en compte les différents facteurs susceptibles de favoriser le développement d'une maladie : âge, corpulence, antécédents familiaux, activité physique, consommation d'alcool, apport en fibres, etc. Tous les résultats montrent les bienfaits d'une alimentation à IG bas, ce qui ne peut pas être une simple coïncidence. Le fait remarquable de ces études a été de démontrer que si IG et CG étaient des facteurs prédictifs puissants de maladies métaboliques, tel n'était pas le cas d'indicateurs comme la quantité totale de glucides et la teneur globale en sucres ou en graisses de l'alimentation.

De plus, l'IG moyen des aliments consommés au fil du temps est négativement corrélé au taux de HDL-cholestérol (le « bon » cholestérol), facteur prédictif associé aux maladies cardio-vasculaires et coronariennes en particulier : plus l'index moyen est bas, plus ce taux de HDL est élevé. Ce qui constitue l'une des réponses à une question que se posaient depuis longtemps les nutritionnistes. Un HDL bas est caractéristique de la présence d'un syndrome métabolique (voir page 45) associé aux risques de maladies cardio-vasculaires, de diabète, de stérilité dans le cadre d'un syndrome des ovaires polykystiques, mais également de stéatose non alcoolique du foie.

Les études épidémiologiques nous ont aussi montré que beaucoup de personnes optent spontanément pour une alimentation à IG bas, ce qui laisse supposer qu'il est tout à fait possible de sélectionner de tels aliments parmi la vaste gamme de produits disponibles dans les supermarchés. Il est donc relativement facile de s'approvisionner et de profiter des bienfaits que ces produits peuvent produire, d'une part sur le capital santé et, d'autre part, sur le contrôle du poids. Une fois encore, le but de cet ouvrage est de vous donner toutes les informations qui vous permettront de choisir les bons aliments pour vous et votre famille.

Les bienfaits à long terme d'une alimentation à IG bas

Dès lors que vous suivez un régime – quel qu'il soit – et que vous vous dépensez physiquement, vous maigrissez. Lorsqu'il s'agit de *stabiliser* votre poids, donc d'éviter de reprendre les kilos perdus, tout se complique. Pourquoi faire des efforts si, au bout de trois mois, vous revenez à la case départ ? Réussir à stabiliser son poids est ce qui fait la différence entre les bons et les mauvais régimes.

Les régimes pauvres en glucides ne sont pas ceux qui donnent les meilleurs résultats sur le long terme car ils nécessitent de modifier radicalement la manière dont vous vous nourrissez. Toutefois, dans notre société, il est très difficile de se passer de glucides et des produits amylacés (contenant de l'amidon) courants comme le pain, les pâtes alimentaires ou le riz. Éliminer les produits sucrés est deux fois plus difficile dans la mesure où le plaisir de les consommer est inscrit très tôt dans notre cerveau.

Les fruits, les yaourts et les sorbets font partie intégrante du régime que nous préconisons alors qu'ils sont totalement exclus, ou tout au moins fortement déconseillés, dans un régime pauvre en glucides. Or, se plier à un régime draconien interdisant ce type d'aliments est difficilement envisageable sur le long terme pour vous et votre famille et risque même d'être perçu comme antisocial lorsque vous recevez ou que vous êtes invité(e). Votre entourage peut, dans le pire des cas, faire bande à part sous prétexte que vous rejetez les aliments « hérités » de l'enfance. Pour maigrir et surtout stabiliser votre poids, il est, en effet, primordial que vous soyez soutenu(e). Par ailleurs, si votre famille, vos collègues et vos amis passent leur temps à vous donner des conseils et à vous dire combien il est dangereux de suivre un tel régime, vous finirez par douter de vos capacités ou être stressé(e).

Le régime que nous vous proposons, au contraire, peut être confortablement suivi pour le restant de votre vie tout en gardant tous ses bénéfices. Durant les douze semaines qui vous permettront de perdre vos kilos superflus et les mois et années qui suivront, vous dégusterez les mêmes mets savoureux. Si vous devez réduire les portions, manger doit rester un acte convivial et un plaisir à partager avec votre entourage.

Les glucides agissent positivement sur l'humeur et le cerveau

De nombreux travaux scientifiques prouvent les bienfaits des glucides sur les performances intellectuelles. Le glucose (obtenu à partir des glucides digérés dans l'intestin ou fabriqués par le foie) est la seule source de carburant que peut utiliser le cerveau (hormis en période de jeûne prolongé). Le cerveau est l'organe qui a le plus besoin d'énergie pour fonctionner correctement. Les besoins énergétiques du cerveau sont plus de deux fois supérieurs à ceux des autres organes. À la différence des cellules musculaires qui brûlent aussi bien les graisses que les glucides, le cerveau n'a pas la capacité de puiser dans les réserves en graisses. Si vous jeûnez pendant 24 heures ou que vous décidez, pour une raison ou une autre, de ne pas consommer de glucides, votre cerveau va immédiatement puiser dans les réserves de glucides stockées dans le foie. Celles-ci étant limitées, au bout de quelques heures elles sont totalement épuisées, et le foie commence à synthétiser du glucose à partir de nutriments autres que les glucides – une solution qui ne peut être que provisoire. Or, si le cerveau vient à manquer de carburant, les fonctions cérébrales peuvent être altérées.

Selon plusieurs articles publiés récemment dans des revues médicales, les performances intellectuelles sont stimulées lorsque des aliments riches en glucides (ou des aliments riches en glucose) sont consommés. Plusieurs tests ont permis de mesurer sous différentes formes « l'intelligence », à savoir la mémorisation de mots, l'orientation dans un labyrinthe, des exercices d'arithmétique, des tests de mémoire immédiate, le traitement rapide d'informations et des exercices de raisonnement. Les conclusions sont unanimes : après avoir consommé des glucides, tous les sujets testés quels qu'ils soient – jeunes adultes, étudiants, personnes diabétiques, personnes âgées en bonne santé ou atteintes de maladie – ont de bien meilleurs résultats que lorsqu'ils optent pour une alimentation pauvre en glucides. Par ailleurs, les chercheurs ont constaté que les résultats des tests d'apprentissage et de mémorisation étaient meilleurs lorsque les sujets consommaient des glucides à IG bas, ceci résultant probablement d'une augmentation plus lente et progressive du taux de glucose dans le sang. Ces résultats semblent confirmer nos allégations, c'est-à-dire que les « bons » glucides, soit ceux à IG bas, jouent un rôle primordial et sont à privilégier.

Consommer les bons glucides est pour vous source de liberté, de diversité dans vos choix et de sécurité.

Les régimes pauvres en glucides et la cétose : ce que vous devez savoir

Tout au long de la journée, l'organisme doit maintenir un seuil minimal de glucose dans le sang afin d'assurer le bon fonctionnement du cerveau et du système nerveux central. Si, pour une raison ou une autre, le taux de glucose sanguin passe au-dessous de ce seuil (ce qui n'arrive que dans des situations pathologiques, d'exercices physiques extrêmes ou de jeûne très prolongé), les conséquences sont alors sévères : tremblements, vertiges, nausées, langage décousu et incohérent, manque de coordination. En cas de privation prolongée en glucides, le cerveau finit par s'adapter progressivement en consommant des corps cétoniques à la place du glucose ; ces corps sont un sous-produit de la dégradation des graisses et constituent, en quelque sorte, un critère d'efficacité du régime. Il s'agit là d'un état de cétose. Ce basculement d'un carburant énergétique (le glucose) à un autre (la cétone) par le cerveau n'est pas ce qu'il y a de mieux pour optimiser son fonctionnement. C'est un régime de survie.

Chez la femme enceinte, un taux de cétone élevé peut avoir des conséquences graves. Le fœtus peut souffrir de malformations et de problèmes cérébraux si des taux élevés de corps cétoniques franchissent la barrière hémato-placentaire. Le surpoids étant souvent un facteur de stérilité, les femmes obèses qui suivent un régime débutent une grossesse alors qu'elles ne s'y attendent pas. Dans la mesure où un régime à IG bas sain et équilibré ne met aucunement en danger ni la santé de la mère ni celle du bébé, nous le conseillons aux femmes désireuses de procréer. Il semblerait, par ailleurs, que les femmes qui suivent un régime à IG bas au cours de leur grossesse prennent moins de poids que les autres.

Dans le tableau ci-après, nous avons résumé tous les avantages qu'offre un régime à IG bas.

Le régime à IG bas que nous préconisons	Un régime pauvre en glucides
Vous êtes en pleine forme mentalement et physiquement.	Vous avez des maux de tête et de légers vertiges.
Vous perdez de la graisse, *pas* de l'eau ou des muscles.	Vous perdez de la graisse, de l'eau et des muscles.
Votre organisme devient plus sensible à l'insuline.	Détérioration de la tolérance au glucose.
Vous avez suffisamment d'énergie pour pratiquer une activité physique.	Faire un effort vous est pénible ; vous rechignez à le faire.
Vous consommez plus de graisses saturées et d'acides gras trans.	Régime *inévitablement* riche en mauvaises graisses.
Régime ne présentant aucun risque pour les enfants.	Régime pouvant, sur le long terme, avoir un effet néfaste sur la santé des enfants.
Régime pouvant être suivi durant la grossesse.	Régime présentant des risques chez les femmes enceintes.
Stimule les facultés mentales.	Altère les facultés mentales.
Reste convivial.	Peu convivial. L'entourage risque de se détourner de vous.
Sur le long terme, préserve le capital santé.	Sérieux doutes quant aux conséquences sur le long terme.

Le régime que nous préconisons n'est pas un régime farfelu de plus. Bien au contraire !
Mangez sainement et préservez votre capital santé tout au long de votre vie.

Combien de glucides ?

Lorsqu'il n'a pas le choix, l'être humain peut parfaitement se passer de glucides : le foie synthétise alors la majorité du glucose dont le cerveau a besoin pour fonctionner correctement et, lorsque ce glucose vient à manquer, peut utiliser les corps cétoniques. Toutefois, comme nous l'avons vu précédemment, les facultés mentales et physiques risquent, dans ce cas, de ne plus être au top.

Opter pour un régime pauvre en glucides n'est pas une idée judicieuse si vous décidez de vous dépenser plus – ce que nous encourageons fortement dans la mesure où pratiquer une activité physique est la *condition sine qua non* pour ne pas (re)prendre de kilos superflus. Plus l'activité physique est intense, plus l'apport en glucides doit être important. Les sportifs de haut niveau ne s'y risquent d'ailleurs jamais (en dehors de courtes phases dites de déplétion aiguë en glycogène précédant une recharge massive).

Quelle teneur en glucides pour une alimentation idéale ? Il n'y a pas encore si longtemps, seule une alimentation riche en glucides apportant 50 % de la ration énergétique quotidienne était considérée comme la plus apte pour préserver la santé et conserver un poids souhaitable. Heureusement, des découvertes majeures ont été faites dans le domaine de la nutrition et le point de vue des spécialistes a changé.

En 2002, l'Institut national de la santé (NIH américain) américain, a publié ses recommandations nutritionnelles, qui laissent une large flexibilité à la part respective des différents nutriments alimentaires :

Glucides : 45 à 65 % de l'apport énergétique.
Lipides : 25 à 35 % de l'apport énergétique.
Protéines : 15 à 35 % de l'apport énergétique.

Pour déterminer ces fourchettes, les chercheurs ont pris en compte nombre de paramètres, ce qui nous permet d'affirmer qu'elles sont parfaitement fiables. Selon l'Association américaine de cardiologie (AHA), un régime à 40 % de glucides n'est pas dangereux pour le système cardio-vasculaire dès lors que le choix des graisses et des protéines que vous consommez est adéquat.

Ainsi, si dans votre alimentation spontanée vous vous situez dans les fourchettes ci-dessus, il n'y a pas de raison majeure d'en changer. Si maintenant vous décidez, pour une raison ou pour une autre, de manger plus de protéines et de graisses, vous pouvez également le faire à condition de bien les choisir. Ces recommandations permettent une grande flexibilité et un large choix d'aliments.

Il est possible qu'on vous ait conseillé, jusqu'ici, un régime pauvre en glucides (*low carb diet* des Anglo-Saxons) qui peut ne renfermer que 20 % de glucides. Nous pensons que ce type de régime n'est pas à conseiller car il n'est pas favorable pour la santé sur le long terme. Nous vous recommandons de consommer, au minimum, 130 g de glucides par jour, quel que soit le régime amaigrissant : cela est nécessaire pour maintenir une activité physique suffisante.

Et c'est là qu'intervient l'IG.

Les sept règles d'or de notre régime à IG bas

Consommer des aliments à IG bas est *l'une des* décisions les plus importantes que vous ayez à prendre en matière de régime alimentaire. Si savoir identifier les « bons » glucides est primordial, respecter les sept règles d'or suivantes vous aidera à vivre longtemps en bonne santé :

1. Mangez au minimum 7 portions de fruits et de légumes par jour.

2. Mangez du pain et des céréales à IG bas.

3. Augmentez votre consommation de légumineuses (légumes secs), y compris de pois chiches, lentilles et soja.

4. Mangez régulièrement des fruits à écale (noix, noisettes, etc.). Cette recommandation est rarement proposée en France.

5. Augmentez votre consommation de poissons et de fruits de mer.

6. Consommez de la viande rouge maigre, de la volaille (si possible sans la peau) et des œufs.

7. Mangez des produits laitiers allégés.

IG bas : inférieur ou égal à 55.
IG moyen : compris entre 56 et 69.
IG élevé : supérieur à 70.

1. Mangez au minimum 7 portions de fruits et de légumes par jour

Pourquoi ?

Les fruits et les légumes jouent un rôle majeur dans le régime à IG bas que nous préconisons. Ils sont riches en fibres, pauvres en graisses (hormis les olives et les avocats qui, néanmoins, contiennent de « bonnes » graisses) et calment bien la faim. Ils préservent de nombre de maladies (de l'hypertension artérielle aux cancers) et apportent à l'organisme une multitude de nutriments indispensables pour vivre longtemps en bonne santé :

• **du bêta-carotène.** Précurseur végétal de la vitamine A, il protège la peau et les yeux. Une alimentation riche en bêta-carotène peut même réparer les lésions cutanées causées par les rayons ultraviolets. Les abricots, les pêches, les mangues, les carottes, les brocolis et les patates douces notamment en contiennent de grandes quantités ;

• **de la vitamine C.** Antioxydant naturel hydrosoluble. Les antioxydants sont en quelque sorte les gardes du corps de l'organisme. Ils protègent les cellules des attaques des radicaux libres et des agents nocifs présents dans l'environnement comme les polluants. Sont très riches en vitamine C : les goyaves, les poivrons, les oranges, les kiwis et les cantaloups ;
• **des anthocyanes.** Pigments pourpres et rouges qui donnent leur couleur aux myrtilles, poivrons, betteraves rouges et aubergines. Ils agissent comme des antioxydants, diminuant les dommages des membranes cellulaires dus au vieillissement.

Combien ?

Essayez de manger au minimum 2 portions de fruits et 5 portions de légumes par jour, si possible de trois couleurs différentes. On entend par portion 1 fruit de grosseur moyenne, environ 125 g de légumes cuits ou 80 g de légumes crus.

QUELS LÉGUMES ONT UN IG BAS ?

La plupart des légumes ont une teneur en glucides si faible qu'il est impossible de déterminer leur IG. Avec un IG élevé, la pomme de terre est l'exception qui confirme la règle. Si vous êtes un(e) gros(se) mangeur(se) de pommes de terre, essayez de temps à autre de les remplacer par l'un ou l'autre de leurs substituts à IG bas.

Carottes, **betteraves** (dont l'IG est haut mais la teneur en glucides est si basse que la CG l'est aussi), **topinambours**, **pâtissons**, mais également **maïs doux**.

D'autres légumes, peu consommés en France, mais que l'on peut trouver dans les épiceries asiatiques, sont très intéressants.

Maïs doux (valeur de l'IG : 46–48)

Le maïs doux contient de l'acide folique, du potassium, des vitamines antioxydantes A et C et des fibres alimentaires. Mettez des grains de maïs en conserve dans vos soupes, ragoûts, assaisonnements, sauces piquantes et salades composées et régalez-vous avec des épis de maïs cuits à la vapeur. Achetez des épis de maïs avec une enveloppe intacte. En effet, lorsque celle-ci est abîmée ou retirée, le sucre contenu dans les grains se transforme en amidon.

Le maïs est très couramment utilisé comme ingrédient de base dans les produits sans gluten. Toutefois, nombre d'aliments fabriqués à partir de grains de maïs comme les corn-flakes, la maïzena et les pâtes à base de farine de maïs n'ont pas un IG bas. Pour plus d'informations, reportez-vous aux tableaux pages 389 à 420.

Patates douces (valeur de l'IG : 46)

Remplacez de temps à autre les pommes de terre par des patates douces riches en bêta-carotène, en vitamine C et en fibres alimentaires. Épluchez-les ou brossez-les et faites-les cuire à la vapeur, à l'eau bouillante, au four ou au micro-ondes. Écrasez-les en purée et ajoutez un petit peu d'huile de graines de moutarde ou enveloppez-les entières dans une feuille de papier aluminium et faites-les cuire au barbecue. Elles accompagnent merveilleusement les ragoûts, les sautés et les salades composées.

Taro (valeur de l'IG : 54)

Ce tubercule, dont seule la racine se mange, est largement consommé dans toutes les îles du Pacifique. Il se cuisine de la même manière que la patate douce, dont il se rapproche par la texture et la saveur. Épluchez la peau après avoir enfilé une paire de gants (le jus cause parfois des irritations cutanées) puis coupez-le en morceaux et faites-le cuire à la vapeur, à l'eau ou au four.

Igname (valeur de l'IG : 37)

L'igname a une épaisse peau brunâtre et une chair couleur crème. Le rhizome est riche en fibres et en nutriments, notamment en vitamine C et en potassium. Par sa texture, elle rappelle le taro et la patate douce, même si son goût est plus prononcé. Coupez-la en morceaux et faites-la cuire à la vapeur, au micro-ondes ou à l'eau. Mariez-la avec d'autres ingrédients dans une salade composée.

LES FRUITS

La plupart des fruits ont un IG bas du fait de leur teneur en fructose (molécule de sucre) à IG bas, en fibres solubles et non solubles et en acides (qui ralentissent la vidange gastrique).

Les fruits ayant l'IG le plus bas – pommes, poires, tous les agrumes (oranges, pamplemousses et mandarines) et les fruits à noyau (pêches, nectarines, prunes et abricots) sont cultivés sous les climats tempérés. La pastèque a un IG élevé mais une charge glycémique très basse et peut donc être consommée largement. En général, plus un fruit est acide, plus l'IG est bas. Les fruits exotiques comme l'ananas et la papaye ont un IG moyen mais sont particulièrement riches en antioxydants. La charge glycémique d'une portion moyenne est basse.

La majorité des baies renferme si peu de glucides que déterminer leur IG est impossible. Des tests ont toutefois permis de découvrir que l'IG des fraises était faible. Mangez-en à volonté !

2. Mangez du pain et des céréales à IG bas

Pourquoi ?

Qu'est-ce qui modifie le plus l'IG d'un repas ? Le pain et les céréales que vous consommez. Les pains aux céréales, le pain au levain, les flocons d'avoine roulée, le blé concassé, l'orge perlé, les pâtes alimentaires et certains types de riz comptent parmi les aliments à base de céréales à IG bas. Lentement digérés et assimilés par l'organisme, ils ont un grand pouvoir de satiété et sont une excellente source de carburant.

Combien ?

En règle générale, comptez au minimum 4 portions de graines et de céréales complètes par jour (plus pour les personnes très actives). Une portion représente environ deux tranches de pain ou 100 g de riz ou de pâtes alimentaires crus.

LE PAIN

Pour nombre d'individus, le pain est l'un des éléments de base de l'alimentation. Pour diminuer l'IG d'un repas, remplacez celui que vous consommez habituellement par du pain à IG bas, aux céréales, au levain, à base de farine de pois chiches (besan) et autres légumes secs commercialisés dans les grandes surfaces et nombre d'artisans boulangers. Voici quelques-uns des pains à IG bas que nous vous recommandons vivement.

Pains aux céréales

Ces pains qui contiennent une *grande quantité* de petits morceaux de céréales doivent être soigneusement mastiqués. Ils sont particulièrement riches en nutriments : fibres, vitamines, minéraux, oligoéléments et phytœstrogènes.

Privilégiez les pains à base de céréales complètes – orge, seigle, triticale (céréale obtenue à partir d'un croisement de blé et de seigle), avoine, blé concassé – ou de soja mélangé à des graines (tournesol, lin, sésame).

Pain pumpernickel

Ce pain noir (allemand) contient 80 à 90 % de grains de seigle entiers et concassés. Particulièrement dense et compact, il est généralement vendu coupé en tranches fines. La valeur de l'IG est basse du fait de la teneur élevée en céréales complètes.

Pain au levain

Le levain est obtenu par fermentation volontairement ralentie de la farine mélangée à de la levure de boulanger. Lors de la fermentation, les bactéries se nourrissent de l'amidon qui est alors dégradé en maltose. Le pain au levain a un IG bas. Savoureux et compact, il est apprécié dans les sandwiches ou en tartines grillées au petit déjeuner, même par celles et ceux qui ne jurent que par le pain blanc. Ce pain au goût neutre peut être consommé avec n'importe quel autre aliment au cours du repas : soupe, salade composée, viande, poisson et légumes ou en-cas.

Pain à la farine de blé grosse mouture ou pain au blé complet

La farine complète est une farine obtenue à partir de la graine de blé entière (le germe, l'endosperme qui renferme l'amidon et le son). Les grains sont lentement écrasés avec des broyeurs aux rainures plus ou moins profondes et non avec un moulin à marteaux à grande vitesse de rotation, l'huile étant alors plus également répartie. Grâce à ce procédé de fabrication, aucun des éléments du grain de blé n'est perdu. C'est pourquoi ce pain est particulièrement riche en vitamine B, fer, zinc et fibres alimentaires. La législation française n'édicte pas de règles strictes pour la fabrication de ce pain.

Pain aux fruits

L'IG de ce type de pain est relativement bas, la farine de blé (IG élevé) étant remplacée par des fruits secs (IG bas). La présence du sucre dans la pâte limite par ailleurs la gélatinisation de l'amidon. (Ce type de pain n'est pas très consommé en France, hormis le pain blanc aux raisins.)

Chapatti et pain besan

Galettes de pain dont la pâte n'est pas ou peu levée, ce qui leur donne l'aspect du pain libanais ou pain pita. Les pains pita (couramment consommés au Moyen-Orient et que l'on trouve facilement en France) ont un IG moyen mais sont pris en plus petites quantités.

Moins courants en France, les *chapatti* accompagnent la plupart des repas en Inde et sont servis dans les restaurants indiens. Généralement à base de farine de blé, ils sont parfois fabriqués avec du besan, ou farine de pois chiches. Le pain besan a un IG de 63, soit un IG nettement inférieur au *chapatti* à la farine de blé, car l'amidon, comme celui de toutes les légumineuses (légumes secs), est plus riche en amylose.

IG des pains français

Baguette courante française	78 ± 17
Baguette de tradition française	57 ± 9
Boule de pain français à la levure	81 ± 35
Boule de pain français au levain	80 ± 18
Boule de pain français complet	85 ± 27
Pain de seigle	40

LES CÉRÉALES POUR LE PETIT DÉJEUNER

Les flocons d'avoine se comportent comme une céréale complète. En effet, même si nombre de produits commercialisés portent la mention « céréales complètes », la plupart des nutriments ont été éliminés au cours de la fabrication. Certains produits finis ont, toutefois, un IG bas, soit parce que le procédé de fabrication utilisé vise à garder le maximum de nutriments, soit du fait de la teneur élevée en protéines ou en fibres alimentaires qui ralentissent la digestion.

La liste de céréales pour le petit déjeuner ayant l'IG le plus bas est présentée ci-après. Si possible, préparez vous-même votre müesli le matin avec des flocons d'avoine et un mélange de fruits secs, de noix, de noisettes et de graines.

IG des céréales recommandables
pour le petit déjeuner

Flocons d'avoine	42
All-Bran	30 à 50
Special K (Kellogg's®, France)	84
Müeslis	43 à 56
Alpen Muesli (Wheetabix®, France)	55
Chocapic (Nestlé®, France)	84

AUTRES CÉRÉALES À IG BAS

L'orge (valeur de l'IG : 25)

L'orge (graine complète), l'une des premières céréales culti-vées, est particulièrement riche en nutriments. Sa teneur élevée en fibres solubles, d'une part limite la glycémie post-prandiale et, d'autre part, explique la valeur relativement basse de l'IG. L'orge perlé, céréale raffinée, est fait de la graine débarrassée de ses enveloppes ; cela reste néanmoins un ali-ment conseillé à ajouter à vos soupes, ragoûts et riz pilaf ; il peut être également adjoint aux plats cuits au four et aux farces.

Le boulgour (valeur de l'IG : 48)

Le boulgour est obtenu à partir de grains de blé qui ont été décortiqués et cuits à la vapeur avant d'être concassés. Les grains ne sont pas écrasés. Le germe de blé et le son n'étant pas éliminés, le boulgour est riche en nutriments et a un IG bas. C'est l'ingrédient de base du taboulé libanais (mais pas du taboulé industriel des supermarchés). Utilisez-le dans les ragoûts, les burgers pour végétariens, les farces, les salades composées et les soupes, ou mangez-le tel quel, comme n'importe quelle autre céréale.

Les nouilles asiatiques

La plupart des nouilles asiatiques, notamment les nouilles hokkien, udon et le vermicelle de riz, ont des IG bas à moyen en fonction de leur texture qui varie selon qu'elles sont à base de farine de blé ou de farine de riz. Les nouilles de haricot mungo (valeur de l'IG : 33), nouilles transparentes qui absorbent quantité d'eau à la cuisson, font partie des « bons » glucides. Les nouilles asiatiques enveloppées dans de la Cellophane sont commercialisées dans toutes les boutiques asiatiques ou au rayon des produits exotiques de la plupart des supermarchés. Faites-les tremper 10 minutes dans de l'eau très chaude puis mélangez-les à de la viande, du poisson ou des légumes sautés à la poêle ou incorporez-les dans une salade composée. Elles ont tendance à prendre le goût des aliments avec lesquels elles sont cuites. L'IG bas est en partie dû à la farine utilisée (le haricot mungo est une légumineuse), mais aussi à leur texture dense et compacte.

Les pâtes alimentaires

Toutes les pâtes, quelles que soient leur grosseur et leur forme, ont un IG relativement bas. Rapides et faciles à préparer, elles se consomment nature, seules ou avec des légumes, chaudes avec de la sauce tomate ou froides avec un filet d'huile d'olive. Servez-les en accompagnement avec du poisson, de la viande maigre, des légumes et un peu de fromage qui garantissent à l'organisme un apport protéines/lipides/glucides équilibré. Elles se mangent *al dente*, c'est-à-dire un peu fermes, vous sentez alors une petite résistance lorsque vous les mâchez. Elles sont meilleures au goût et ont un IG plus bas que les pâtes plus cuites. En effet, plus les pâtes sont cuites, plus l'IG est élevé. Même si elles ont un IG bas, il ne faut pas en manger en trop grande quantité sous peine de voir augmenter rapidement et fortement le taux de glucose dans le sang. Une portion de pâtes cuites correspond à 125 g, quantité probablement moindre que votre consommation habituelle.

La plupart des pâtes alimentaires sont à base de semoule de blé (blé finement concassé) obtenue à partir de blé dur riche en protéines. Il est prouvé que les pâtes les plus épaisses ont un IG plus bas que les pâtes fines car elles sont plus denses, cuisent plus lentement et vous avez moins de risques de les laisser cuire trop longtemps. Ajouter un œuf à des pâtes fraîches diminue l'IG mais augmente la teneur en protéines.

Le riz

Le riz a soit un IG élevé (entre 80 et 109), soit un IG bas (entre 50 et 55) selon la variété et, en particulier, la teneur en amylose.

• *Le riz basmati* (valeur de l'IG : 58) et le *riz doongara* (valeur de l'IG : 56). Ils sont particulièrement riches en amylose (type d'amidon qui se digère lentement) et entraînent une réponse glycémique plus faible. L'amidon se gélatinise moins vite et la digestion est plus lente. Le riz kohshi-hikari, largement consommé au Japon, est un riz à grains ronds à faible IG (48).

• *Le riz gluant ou glutineux*. Utilisé notamment pour les desserts, il devient collant lorsqu'il est cuit. L'IG du riz glutineux est élevé. Le riz arborio est un riz blanc rond que les Italiens utilisent pour le *risotto*. Il libère son amidon au cours de la cuisson, d'où un IG élevé. Consommez avec modération les riz à IG élevé.

• *Les sushis* (valeur de l'IG : 48). Petits morceaux de poissons crus ou fumés avec du tofu et/ou des légumes dans de la saumure, des légumes cuits ou crus, le tout enveloppé dans une algue et consommé avec du riz assaisonné avec du vinaigre, du sel et du sucre. Si vous avez un petit creux ou que vous voulez manger léger, les sushis sont une bonne option. Pour augmenter l'apport en acides gras essentiels oméga 3, privilégiez ceux au thon et au saumon.

Le seigle (valeur de l'IG : 34)

Les grains de seigle sont utilisés pour la fabrication de certains pains, y compris le pain pumpernickel et le pain scandinave. Les flocons de seigle peuvent être consommés de la même manière que les flocons d'avoine roulée, à savoir cuits au petit déjeuner ou saupoudrés sur du pain passé quelques minutes au four.

Les grains de blé complet (valeur de l'IG : 41)

Le blé constitue la base de l'alimentation d'une grande partie de l'humanité. Faites tremper les grains de blé une nuit entière. Laissez-les cuire à feu doux environ une heure puis mélangez-les à des légumes. Certaines personnes mangent du son de blé au petit déjeuner. La semoule de blé peut être cuite sous forme de bouillie, assaisonnée ou sucrée et consommée telle quelle, par exemple au petit déjeuner, ou incorporée dans un pudding, de la crème anglaise, un soufflé ou une soupe.

3. Augmentez votre consommation de légumineuses (légumes secs), c'est-à-dire de haricots (dont il existe de multiples variétés, blancs, rouges ou noirs), y compris pois chiches, pois cassés, lentilles et fèves de soja

Piège à éviter : en France, lorsque l'on mange des légumineuses, leur mode de cuisson et leur accompagnement nécessitent, pour avoir tous les avantages décrits, y compris leur faible teneur en calories, de les consommer au naturel, en salade ou en plat, sans graisse d'oie ni saucisse grasse.

Pourquoi ?

Les légumineuses présentent de nombreux avantages. En effet, ces aliments à IG bas, peu coûteux, pouvant être accommodés de diverses manières, ont un grand pouvoir de satiété, sont très riches en nutriments et pauvres en calories. Elles ont une teneur élevée en fibres – solubles et non solubles – et fournissent à l'organisme des protéines, des glucides, de la vitamine B, du folate, du fer, du zinc et du magnésium. Que vous les achetiez secs, en paquets ou déjà cuisinés (en conserve), les valeurs d'IG restent parmi les plus basses.

Les légumineuses ont, outre de multiples effets bénéfiques sur la santé, deux atouts majeurs :

1) elles renferment des composés phyto-chimiques – produits chimiques naturellement présents dans les végétaux – aux propriétés antivirales, antifongiques, antibactériennes et anticancéreuses ;

2) elles sont des prébiotiques. Elles stimulent la croissance ou l'activité de ces « bonnes » bactéries, naturellement présentes dans le côlon, qui constituent la flore intestinale et protègent le système digestif.

Les légumineuses qui ne sont pas, comme nombre de personnes le croient, réservées aux végétariens, se substituent parfaitement aux céréales et aux pommes de terre. Des haricots écrasés en purée avec une sauce à base de tomates, de poivrons et de piments accompagnent merveilleusement les poissons. De temps à autre, il est préférable de consommer des haricots blancs plutôt que des pommes de terre.

Même si elles se conservent fort longtemps, consommez-les dans l'année qui suit l'achat.

Combien ?

Mangez des légumineuses au minimum 2 fois par semaine : soupe de haricots, curry aux pois chiches et petits pâtés de lentilles. Les légumes secs sont à privilégier si vous voulez faire un repas léger : purée de haricots sur une tartine de pain grillé, salade composée (haricots verts, haricots blancs) ou soupe aux pois et au jambon.

Les haricots

Les haricots font baisser l'IG d'un repas et peuvent jouer un rôle important dans la protection du capital santé. Ils sont commercialisés secs ou en conserve. Pour avoir une idée des équivalences, sachez qu'une boîte de 400 g de haricots correspond à peu près à 210 g de haricots secs. Les haricots en conserve ont un IG bas, toutefois plus élevé que celui des haricots secs. Ils sont plus pratiques et plus rapides à cuisiner, ce qui est appréciable si vous manquez de temps.

Haricots blancs à la sauce tomate : IG 49
Haricots noirs : IG 42
Haricots mungo : IG 39
Haricots rouges : IG 36
Flageolets : IG 33
Haricots de Lima : IG 32
Haricots blancs : IG 31

PRÉPARATION DES LÉGUMINEUSES (LÉGUMES SECS)

• **Le trempage.** Versez les légumes secs dans une casserole et ajoutez deux à trois fois leur volume d'eau froide. Laissez-les tremper plusieurs heures ou, mieux, une nuit entière.
Pour gagner du temps : ajoutez trois fois leur volume d'eau pour les rincer, portez à ébullition quelques minutes puis retirez-les du feu et laissez-les tremper une heure supplémentaire. Égouttez-les, recouvrez-les d'eau froide et faites-les cuire.
• **La cuisson.** Égouttez-les puis ajoutez deux à trois fois leur volume d'eau froide. Portez à ébullition puis laissez cuire à feu doux jusqu'à ce que les légumes secs soient tendres. Respectez les indications portées sur l'emballage ou lisez ce qui suit.
Ne salez pas l'eau de cuisson – l'absorption de l'eau est plus longue et le temps de cuisson augmente.
Ne faites pas cuire les légumes secs dans l'eau de trempage. En effet, les substances responsables des flatulences sont éliminées dans les eaux de trempage et de cuisson.

Pour gagner du temps : les produits en conserve étant précuits, le temps de cuisson est considérablement réduit. Cuisiner des haricots avec des légumes est beaucoup plus rapide que cuisiner des haricots avec de la viande.

Achetez des légumes secs, faites-les précuire. Répartissez-les dans plusieurs sacs ou récipients que vous conserverez au congélateur.

Les légumes secs rincés ou cuits se gardent plusieurs jours dans un récipient hermétique placé au réfrigérateur.

Les pois chiches (valeur de l'IG : 28)

Ces gros légumes secs sont les ingrédients de base de nombreux mets au Moyen-Orient et dans les pays du Bassin méditerranéen. Ils sont commercialisés secs ou en conserve. Préparation des pois chiches : versez-les dans un saladier, recouvrez-les d'eau et laissez-les tremper une nuit entière. Égouttez-les, versez-les dans une casserole, et recouvrez-les d'eau froide. Portez-les à ébullition une dizaine de minutes puis laissez-les cuire à feu doux 1 h 30, jusqu'à ce qu'ils soient tendres. Des pois chiches cuits au four et légèrement salés calment les petites faims. La farine de pois chiches, ou besan, est utilisée pour la fabrication des *chapatti*, pains indiens plats.

Les lentilles (valeur de l'IG : 26)

Les lentilles sont riches en protéines, en fibres et en vitamine B. Toutes les lentilles – quelles que soient la variété et la couleur – ont un IG bas. L'IG des lentilles en conserve que vous ajoutez à un plat en fin de cuisson est, toutefois, légèrement plus élevé. Ce sont des aliments fortement recommandés aux personnes diabétiques. En effet, nombre d'études ont prouvé que, même mangées en grande quantité, elles n'ont qu'un petit effet sur la glycémie. Pour relever leur goût plutôt neutre, ajoutez des oignons, de l'ail et des épices. Régalez-vous avec de la viande ou du poisson grillé sur un lit de lentilles. Jetez une poignée de lentilles dans vos soupes et ragoûts.

Les fèves de soja (valeur de l'IG : 14)

Depuis plusieurs millénaires, le soja et les produits dérivés sont les ingrédients de base de l'alimentation asiatique. Source de protéines, le soja est également riche en fibres, fer, zinc et vitamine B. Il est plus pauvre en glucides et plus riche en graisses que les autres légumineuses, ce qui ne pose aucun problème dans la mesure où il s'agit de graisses polyinsaturées. Il a une teneur élevée en composés phytochimiques, notamment en phytœstrogènes, substances végétales ayant la même structure que les œstrogènes sécrétés par les ovaires chez la femme. Les phytœstrogènes auraient des effets bénéfiques tant sur l'hypertension artérielle que sur certaines formes de cancer et diminueraient les symptômes liés à la ménopause.

Les pois cassés (valeur de l'IG : 32)

On appelle pois cassés une variété potagère de pois décortiqué. Ils sont jaunes ou verts. Faites-les tremper puis laissez cuire environ une heure. Ils sont principalement utilisés dans la soupe de pois cassés et le *dhal* indien.

4. Mangez régulièrement des fruits à écale (noix, noisettes, etc.)

Pourquoi ?

Les fruits à écale sont très riches en lipides. Or, ces graisses sont polyinsaturées et mono-insaturées, c'est-à-dire bonnes. Lorsque vous avez un petit creux, consommez des fruits à écale plutôt que des chips, des biscuits ou du chocolat riches en graisses saturées.

Ils comptent parmi les aliments les plus riches en vitamine E et en sélénium, deux puissants antioxydants. Le sélénium protège contre les effets néfastes des rayons ultraviolets et retarde le vieillissement prématuré de la peau.

Combien ?

Plusieurs fois par semaine, mangez une poignée de fruits à écale (une poignée correspondant à environ 30 grammes).

Voici quelques conseils pour augmenter votre consommation de fruits à écale :

• Incorporez des fruits à écale et des graines dans les plats traditionnels. Par exemple, ajoutez une poignée de noix de cajou ou de graines de sésame grillées dans du poulet **sauté** à la poêle avec des légumes. Saupoudrez des noix ou des pignons sur vos salades composées, et mettez des amandes sur une crème anglaise ou une salade de fruits.

• Étalez une fine couche de beurre de noisettes ou de beurre de cacahuètes, d'amandes ou de noix de cajou sur une tartine de pain grillée, au lieu d'utiliser du beurre ou de la margarine.

• Saupoudrez des fruits à écale grossièrement concassés et des graines de lin sur vos céréales, salades composées et muffins.

5. Augmentez votre consommation de poissons et de fruits de mer

Pourquoi ?

Le poisson renferme des protéines mais pas de glucides. Il est donc impossible de calculer l'IG. Consommer régulièrement du poisson diminue les risques de développer une maladie coronarienne, produit un effet bénéfique sur l'humeur, diminue les symptômes liés à la dépression, augmente le taux de bonnes graisses dans le sang et stimule le système immunitaire. Une seule portion de poisson par semaine réduit de 40 % les risques de crise cardiaque entraînant la mort. Les constituants les plus bénéfiques contenus dans le poisson sont les acides gras essentiels oméga 3, qui ne sont pas fabriqués par l'organisme et qui, par conséquent, doivent être puisés dans les aliments (poissons et crustacés).

Combien ?

1 à 3 fois par semaine.

Quels poissons privilégier ?

• Les poissons gras à la chair plus foncée, au goût plus prononcé et plus riches en acides gras essentiels oméga 3.

• Le saumon, les sardines, les maquereaux en boîte et, dans une moindre mesure, le thon, sont très riches en acides gras essentiels oméga 3. Privilégiez les poissons au naturel, conditionnés dans de l'huile d'olive, de la sauce tomate ou de la saumure. Égouttez avant de servir.

• Les poissons frais ayant la teneur la plus élevée en oméga 3 sont les huîtres et les calamars.

6. Consommez de la viande rouge maigre, de la volaille et des œufs

Pourquoi ?

Ces aliments protéiques n'ont pas d'IG puisque ne contenant pas de quantités notables de glucides. La viande rouge est la meilleure source de fer, oligoélément nécessaire à la constitution de l'hémoglobine des globules rouges et au transport de l'oxygène dans le sang.

Le fer augmente l'énergie physique et la tolérance à l'effort. Nombre de fruits et de légumes étant riches en fer, il n'y a aucune raison que les végétariens souffrent de carence. Toutefois, les femmes doivent être particulièrement vigilantes afin d'avoir un apport en fer suffisant. Une carence chronique en fer entraîne une anémie facilement identifiable : pâleur de la peau, grande fatigue, souffle court, irritabilité et troubles de la concentration.

Combien ?

Nous vous recommandons de manger de la viande maigre 2 à 3 fois par semaine avec une salade composée ou des légumes. 100 g de viande maigre garantissent l'apport nutritionnel indispensable au bon fonctionnement de l'organisme chez l'adulte. 1 à 2 fois par semaine, consommez 2 œufs ou 120 g de blanc de poulet sans peau.

7. Mangez des produits laitiers allégés
Pourquoi ?

Le lait, le fromage, les crèmes glacées, les yaourts, le babeurre sont les principales sources de calcium, nutriment indispensable à nombre de fonctions vitales. Une carence en calcium oblige l'organisme à puiser dans les réserves stockées dans les os. Or, au fil des ans, une diminution du capital osseux se traduit par de l'ostéoporose, un tassement des vertèbres, une cyphose et une maladie péri-odontale (détérioration des os supportant les dents). Remplacer les produits laitiers entiers par des produits demi-écrémés ou écrémés, allégés ou à 0 % de matières grasses (MG) permet de diminuer l'apport en graisses saturées tout en conservant un apport en calcium et en protéines de très bonne qualité. Par ailleurs, selon plusieurs études récentes, le calcium et autres nutriments contenus dans les produits laitiers jouent un rôle essentiel dans l'élimination des graisses.

Combien ?

Pour couvrir les besoins en calcium, les professionnels de la santé recommandent aux adultes de manger 2 à 3 portions de produits laitiers par jour, en privilégiant les produits écrémés, allégés ou à 0 % de matières grasses. On entend par portion 200 ml de lait, 40 g de fromage ou 200 g de yaourt.

Même si vous souffrez d'intolérance au lactose, vous pouvez manger des yaourts et du fromage. Pour ne pas avoir de carence en calcium, augmentez votre consommation de lait pauvre en lactose, de lait de soja, de tofu, de céréales pour le petit déjeuner, enrichies en calcium, et de figues séchées.

Le lait (valeur de l'IG : 27)

Le lait est riche en protéines et en vitamine B2 (riboflavine). Le lait entier ayant une teneur élevée en graisses saturées, privilégiez le lait et les produits laitiers demi-écrémés ou écrémés. L'IG étonnamment bas du lait est dû à l'IG moyen du lactose (sucre contenu dans le lait) et à la protéine du lait qui caille dans l'estomac et ralentit la vidange gastrique.

Les yaourts (valeur de l'IG : 19-50)

Les yaourts sont riches en calcium, riboflavine et protéines. Les yaourts nature maigres ont la teneur la plus élevée en calcium et la plus faible en calories. L'acidité des yaourts associée à la teneur en protéines explique la valeur de l'IG particulièrement basse. Les yaourts aux fruits (frais ou au sirop) ont un IG égal à 33, contre un IG égal à 14 pour ceux contenant des édulcorants.

La crème glacée allégée (valeur de l'IG : 37-49)

La crème glacée allégée contient tous les bons nutriments présents dans le lait. Privilégiez les produits allégés (soit moins de 3 g de matières grasses pour 100 g) afin de diminuer l'apport en graisses saturées. Vous pouvez néanmoins vous faire plaisir et manger de temps à autre une glace au lait entier. Les crèmes glacées ont un IG légèrement supérieur à celui du lait du fait de la présence – en plus du lactose – du saccharose et du glucose.

CHAPITRE 3

ET L'EXERCICE PHYSIQUE DANS TOUT ÇA ?

Les bienfaits de l'exercice physique

L'équation de la dépense musculaire est la suivante :

Bilan énergétique = entrée (ce que l'on mange) – sortie (ce que l'on dépense)

Soyons clairs ! Si vous ne pratiquez aucune activité physique, vous aurez peu de chances de remodeler votre silhouette. Vous pouvez, certes, maigrir en diminuant votre alimentation mais, dès que vous arrêterez votre régime, vous risquez de reprendre tous vos kilos – voire plus.

Les personnes qui ont le plus de chances
de se débarrasser de leurs kilos superflus sont celles qui
se dépensent physiquement, de façon régulière.

Comment l'exercice physique peut-il rompre le cercle vicieux des alternances de régimes et de rechutes ?

Pratiquer une activité physique alors que vous suivez un régime alimentaire vous permet de perdre de la graisse sans qu'il y ait une diminution de la masse musculaire. Vous **devenez plus mince plus vite**.

Dans la mesure où la masse musculaire est stabilisée, voire augmentée, la dépense métabolique s'accroît. Vous consommez même plus d'énergie à chaque minute de la journée, ce qui est une excellente chose !

Ce n'est pas tout ! Les personnes en bonne santé *brûlent plus de graisses*. Par conséquent, une fois que vous aurez perdu du poids, continuez à pratiquer une activité physique afin que votre organisme puise dans les réserves de graisses, ce qui vous évitera de reprendre vos kilos. De plus, les exercices physiques et la masse musculaire ont une incidence sur la réponse insulinique. En effet, les personnes en bonne condition physique ont moins besoin d'insuline pour stabiliser leur glycémie car les muscles réagissent rapidement et efficacement dès que du carburant est fourni à l'organisme. Une alimentation saine et équilibrée ainsi qu'une activité physique régulière sont les secrets pour maigrir, stabiliser son poids et se sentir bien dans son corps.

Le cercle vicieux des régimes trop restrictifs

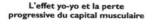

**L'effet yo-yo et la perte
progressive du capital musculaire**

Mise en route d'un régime très
restrictif pour perdre rapidement
du poids

Un amaigrissement rapide
est observé ; le sujet est encouragé
à le poursuivre pour aller plus loin

Certes, la masse graisseuse
s'amoindrit mais la masse
musculaire aussi. Le métabolisme
de base diminue

Les kilos réapparaissent rapidement
d'autant que les besoins sont
maintenant réduits ; la masse grasse
se reconstitue, mais pas
le capital musculaire

La situation devient de plus en plus
monotone, la faim est présente
en permanence, la motivation
s'évanouit : retour à un régime
« normal »

Maigrir est de plus en plus difficile
car l'organisme consomme
moins d'énergie et brûle
moins de calories

Voilà ce que l'on a finalement gagné !

Ce que vous devez savoir avant de commencer notre Plan d'action

Nous ne le répéterons jamais assez : le régime que nous vous proposons n'est pas un régime farfelu de plus. C'est un régime sérieux, basé sur une alimentation tant saine qu'équilibrée et des exercices physiques qui vous aideront à *vous débarrasser à tout jamais de vos kilos superflus*. Arriver au terme de notre Plan d'action est la première étape pour recouvrer la santé et perdre du poids. S'ensuivra « Un régime pour la vie » qui met à votre disposition toutes les *stratégies* pour modifier votre mode de vie, vos habitudes alimentaires et comportementales afin que vous stabilisiez votre poids. L'IG n'est qu'un outil parmi tant d'autres, mais d'une importance capitale pour ne pas reprendre vos kilos.

L'histoire de Paul

« J'ai suivi une multitude de régimes... j'ai lu tous les livres et articles livrant des recettes miracles pour perdre des kilos. Rien n'a marché. Les quelques fois où j'ai réussi à maigrir, les kilos sont revenus dès que j'ai recommencé à avoir une alimentation normale. Lorsque j'ai atteint 168 kg, j'étais totalement désespéré. C'est alors que ma femme a entendu parler de **L'Index glycémique : un allié pour mieux manger** *(Marabout), et soudain tout est devenu clair pour moi. Pour la première fois, j'avais à portée de la main un régime qui tenait la route. Pas un de ces régimes qui promet tout mais ne donne rien, mais un régime basé sur le bon sens, que j'allais pouvoir suivre sans contrainte. Douze mois plus tard, grâce à la consommation d'aliments à IG bas et à une activité physique régulière, j'avais perdu 64 kg contre 23 kg pour ma femme. Ce régime a révolutionné notre vie et, depuis que je le suis, je n'ai jamais repris le moindre gramme. Je ne me suis jamais senti aussi bien et, ce qui est primordial pour moi, je n'ai absolument pas le senti-ment de me priver de quoi que ce soit. Pour moi, manger des aliments à IG bas est la seule solution pour maigrir et stabiliser son poids. C'est ce régime qui a sauvé ma vie ! »*

Paul Jeffreys, *Diary of a Fat Man*
(Journal d'un homme trop gros), 2003.

PARTIE II
Un Plan d'action de 12 semaines

CHAPITRE 4

CE QUE NOUS ENTENDONS PAR PLAN D'ACTION

Notre Plan d'action, qui se déroule sur 12 semaines, est le chemin qui vous mènera vers la liberté. D'une part, vous serez libéré(e) de ce cauchemar que représente pour vous un régime alimentaire et, d'autre part, vous serez délesté(e) de ce fardeau qui vous accable dès que vous pensez à votre poids.

Semaine après semaine, étape après étape, nous vous aiderons afin que vous preniez de bonnes habitudes qui, peu à peu, feront partie intégrante de votre vie. Chaque semaine, nous vous demanderons de vous focaliser sur trois objectifs précis : alimentation, exercices physiques et activité. Au fil du temps, vous prendrez conscience de vos habitudes alimentaires et comportementales et identifierez les domaines dans lesquels des changements s'imposent. Nous vous indiquerons des techniques pour que vous puissiez mettre en pratique les **sept règles d'or** sur lesquelles repose notre régime à IG bas afin que manger sainement devienne une habitude.

Parallèlement, vous mettrez en place un programme basé sur des exercices physiques dont vous pourrez être fier(e), chaque séance comprenant des exercices aérobies et des exercices de résistance qui, d'une part, brûlent les graisses et, d'autre part, tonifient les muscles.

Vous êtes prêt(e) ? Oui ! Alors, sans plus attendre, passons à la première étape.

Le régime alimentaire

Le Plan d'action se déroule sur douze semaines. Pour chaque semaine, nous avons concocté des menus types qui vous donneront une idée des aliments que vous devez consommer pour être en meilleure santé. Vous n'êtes absolument pas obligé(e) de suivre ces propositions à la lettre, mais si cela vous facilite la vie... Les menus sont si variés qu'il y en a pour tous les goûts. Au cas où vous ne seriez pas satisfait(e), reportez-vous aux pages 78 à 97 afin de savoir quels aliments privilégier pour des menus à IG bas équilibrés.

Quelle quantité de nourriture consommer dans votre cas ?

Nous sommes tous différents. Il est donc impossible de définir un régime valable pour tous. Les besoins énergétiques varient selon le degré d'activité des uns et des autres, la taille, la corpulence et même la masse musculaire. C'est pourquoi les régimes qui fixent un apport énergétique sans tenir compte de ces différences ne sont bons pour personne. Si vous ne mangez pas suffisamment, vous aurez du mal à suivre votre régime sur le long terme et vous risquez de voir diminuer votre masse musculaire. Vous ferez alors partie des victimes des régimes yo-yo qui, dès qu'elles arrêtent leur régime, reprennent les kilos perdus, voire plus. Le but est d'être légèrement au-dessous de ce que réclame votre organisme, afin de l'obliger à puiser dans les réserves en graisses pour combler le déficit.

Pour cette raison, les menus proposés semaine après semaine ne mentionnent pas la quantité d'aliments que vous devez consommer. Ils sont là à titre d'exemples, afin que vous sachiez quels aliments choisir pour avoir une alimentation à IG bas équilibrée. Pour avoir une idée des quantités de nourriture que vous pouvez consommer tout en espérant perdre le maximum de graisses, reportez-vous au tableau suivant.

Étape n° 1 : Identifiez la catégorie dans laquelle vous vous situez en fonction de votre poids et de votre sexe.

Catégorie en fonction du poids et du sexe

Femmes		Hommes	
Poids (kg)	*Catégorie*	*Poids (kg)*	*Catégorie*
< 70	1	< 90	6
71-80	2	91-100	7
81-90	3	101-110	8
91-100	4	111-120	9
> 100	5	> 120	10

Étape n° 2 : Surlignez la ligne correspondant à votre catégorie. Vous aurez ainsi, pour chaque type d'aliment, une idée du nombre de portions recommandées au quotidien.

Nombre de portions quotidiennes recommandées

Catégorie (cf. tableau précédent)	Aliments glucidiques	Aliments protéiques	Aliments lipidiques
1	3	3	2
2	4	4	2
3	5	5	3

Catégorie (cf. tableau précédent)	Aliments glucidiques	Aliments protéiques	Aliments lipidiques
4	6	6	3
5	7	7	3
6	8	8	4
7	9	9	4
8	10	10	4
9	11	11	5
10	12	12	5

En plus des portions recommandées, mangez au minimum 5 portions de légumes et 2 portions de fruits par jour.

UNE PORTION, QU'EST-CE QUE C'EST ?

- **1 portion de légumes**

75 g de légumes cuits (autres que des pommes de terre, des patates douces et du maïs).

100 g de légumes crus ou en salade.

250 ml de soupe ou de jus de légumes.

- **1 portion de fruits**

1 fruit de grosseur moyenne ou deux petits fruits, soit 150 g de fruits frais.

$1^{1}/_{2}$ cuillerée à soupe de raisins blonds, 4-5 abricots secs, figues ou pruneaux, soit environ 30 g de fruits secs.

125 ml de jus de fruits.

150 g de fruits coupés en morceaux ou de fruits au sirop.

- **Les aliments riches en glucides : teneur en glucides dans une portion = 20 à 30 g**

2 tranches de pain.

100 g de céréales pour le petit déjeuner.

75 g de flocons d'avoine ou de müesli.

75 g de riz cuit ou autres céréales, par exemple du boulgour.

75 g de pâtes, de nouilles ou de semoule cuites.

2 petites pommes de terre ou la moitié d'une patate douce de grosseur moyenne (100 g).

100 g de maïs, de haricots secs ou de pois chiches (aliments également sources de protéines).

1 épi de maïs.

• **Les aliments riches en protéines : teneur en protéines dans une portion = 10 à 15 g**

50 g de viande dégraissée crue, de volaille, de poisson ou de fruits de mer.

3 tranches (60 g) de jambon, de pastrami, de viande séchée.

50 g de poisson en conserve.

250 ml de lait écrémé.

200 g de yaourt nature ou à 0 % de MG.

100 g de haricots secs ou de pois chiches (aliments également sources de glucides).

100 g de tofu.

2 œufs.

• **Les aliments riches en lipides : teneur en lipides dans une portion = 10 g**

2 cuillerées à café (10 ml) d'huile.

1 cuillerée à soupe de vinaigrette.

2 cuillerées à café (10 g) de beurre ou de margarine.

3 cuillerées à café (15 g) de pâte à tartiner allégée.

3 cuillerées à café de beurre de cacahuètes*.

30 g de fruits à écale ou de graines*.

2 cuillerées à soupe (40 g) de fromage frais à 20 % de MG*.

40 g (2 tranches) de fromage à pâte cuite à 20 % de MG*.

30 g de fromage à pâte cuite à 40 %*.

* Ces aliments sont également sources de protéines mais ont une teneur élevée en lipides.

Exemple n° 1

Menus types correspondant aux besoins d'Hélène

Hélène pèse 76 kg. Elle espère, grâce à notre Plan d'action, perdre 6 kg en douze semaines. En se reportant aux tableaux page 107, elle a noté que sa morphologie correspondait à la catégorie n° 2 et qu'elle devait consommer chaque jour 4 portions d'aliments riches en glucides, 4 portions d'aliments riches en protéines et 2 portions d'aliments riches en lipides, en plus de 5 portions minimum de légumes et de 2 portions minimum de fruits.

Voici un aperçu de ce que doit manger Hélène en une journée pour atteindre son objectif :

	Légumes	Fruits	Aliments riches en glucides	Aliments riches en protéines	Aliments riches en lipides
Petit déjeuner :					
75 g de müesli avec 125 ml de lait écrémé et une poignée de fraises coupées en fines lamelles		1	1		$^{1}/_{2}$
Déjeuner :					
250 ml de soupe à la tomate avec 1 sandwich (2 tranches de pain complet et 1 tranche de jambon), 100 g de légumes en salade assaisonnés de moutarde	2			1	1

	Légumes	Fruits	Aliments riches en glucides	Aliments riches en protéines	Aliments riches en lipides
Collation (pour pouvoir attendre patiemment le dîner) : 30 g d'amandes et 250 ml de jus de légumes.	1	1		$^1/_2$	1
Dîner :					
100 g de saumon grillé avec 80 g de maïs doux (en conserve ou surgelé, tiède), 50 g de mélange haricots rouges/haricots blancs à la tomate 1 grande salade verte avec 1 cuillerée à soupe de vinaigrette à l'huile d'olive 1/2 yaourt (1/2 portion) au dessert	2		2	2	1
TOTAL	5	2	4	4	2

Les 4 portions de glucides sont fournies par :
- 75 g de müesli (1 portion) au petit déjeuner ;
- 2 tranches de pain (1 portion) au déjeuner ;
- 80 g de maïs doux (1 portion) et 50 g de légumes secs (1 portion) au dîner.

Les 4 portions de protéines sont fournies par :
- 125 ml de lait écrémé (1/2 portion) au petit déjeuner ;
- 1 tranche de jambon (1 portion) au déjeuner ;
- 100 g de saumon (2 portions) au dîner ;
- 1/2 yaourt (1/2 portion) au dessert.

Les 2 portions de lipides sont fournies par :
- 1 cuillerée à soupe de vinaigrette (1 portion) au dîner ;
- 30 g de fruits à écale (1 portion) en collation.

L'apport énergétique total qu'apportent ces repas à Hélène est donc d'environ 5 400 kJ, soit 1 300 kcal, 79 g de protéines, 150 g de glucides, 40 g de lipides et 30 g de fibres.

ÉNERGIE FOURNIE À HÉLÈNE

PAR LES MACRONUTRIMENTS (EN %)

Protéines : 25 %.
Lipides : 27 %.
Glucides : 48 %.

Exemple n° 2

Menus types correspondant aux besoins de Julien

Lorsqu'il a décidé de suivre notre régime à IG bas, Julien, le mari d'Hélène, pesait 115 kg. S'il avait consommé exactement la même quantité de nourriture que sa femme, il n'aurait pas pu suivre notre régime bien longtemps ou il serait mort de faim. En se référant au tableau page 107, il a pu constater qu'il était classé dans la catégorie n° 9, soit celle comportant 11 portions de glucides, 11 portions de protéines et 5 portions de lipides, venant s'ajouter à 5 portions minimum de légumes et 2 portions minimum de fruits.

Julien et Hélène ont voulu continuer à prendre leur repas ensemble, ce qui est, bien sûr, tout à fait possible avec notre Plan d'action. Julien mange exactement comme sa femme, seules les quantités sont plus importantes du fait de sa corpulence et de ses besoins énergétiques.

Voici un aperçu de ce que doit manger Julien en une journée pour perdre ses kilos superflus :

	Légumes	Fruits	Aliments riches en glucides	Aliments riches en protéines	Aliments riches en lipides
Petit déjeuner :					
150 mg de müesli avec 250 ml de lait écrémé et une poignée de fraises coupées en lamelles		1	2	1	
2 œufs à la coque avec 2 tranches de pain aux céréales grillées et 2 cuillerées à soupe de beurre ou de margarine			1	1	1
Déjeuner :					
250 ml de soupe à la tomate avec 2 sandwiches (4 tranches de pain complet et 2 tranches de jambon), 200 g de légumes en salade assaisonnés de moutarde	3		2	2	
Collation (pour pouvoir attendre patiemment le dîner) : 4 galettes croustillantes et 2 tranches de fromage à 20 % de MG					
60 g d'amandes	3				1
1 yaourt maigre					2

	Légumes	Fruits	Aliments riches en glucides	Aliments riches en protéines	Aliments riches en lipides
Dîner :	3		4	4	2
200 g de saumon grillé accompagné de 80 g de maïs doux (en conserve ou surgelé, tiède), 100 g de purée de patates douces, 100 g de mélange haricots rouges, haricots blancs à la tomate, 1 grande salade verte avec 2 cuillerées à soupe de vinaigrette à l'huile d'olive 300 g de fromage blanc à 0 % de MG 250 g de salade de fruits (qui n'est pas prise en compte dans le nombre de portions de glucides allouées) mélangée à du yaourt (éventuellement édulcoré)					

Ces menus types fournissent à Julien pratiquement les mêmes proportions en glucides, protéines et lipides que celles proposées à Hélène, seules les quantités diffèrent. Le nombre total de calories est égal à 12 800 kJ, soit 3 000 kcal, 190 g de protéines, 100 g de lipides, 350 g de glucides et 70 g de fibres.

ÉNERGIE FOURNIE À JULIEN
PAR LES MACRONUTRIMENTS (EN %)

Protéines : 25 %.
Lipides : 28 %.
Glucides : 47 %.

Bien évidemment, au fur et à mesure que vous maigrissez, vous devez adapter votre apport énergétique puisque, ayant moins de kilos à déplacer, vos besoins diminuent. Chaque mois, réévaluez la quantité de nourriture que vous devez consommer afin d'avoir toutes les chances d'atteindre votre objectif.

Si nous pensons que, dans un premier temps, il vaut mieux peser ses aliments afin d'être sûr de respecter les portions indiquées pages 107-108, certaines personnes préfèrent une approche moins contraignante. Si tel est votre cas, fiez-vous à votre appétit qui reste le meilleur indicateur qui soit lorsqu'il s'agit d'évaluer vos besoins. Afin que vos repas soient parfaitement équilibrés, respectez les trois points suivants :

1. *En premier lieu*, consommez des glucides à IG bas.
2. *Puis*, mangez une portion importante de fruits et de légumes.
3. *Enfin*, pour faire bonne mesure, consommez des protéines avec quelques bonnes graisses si vous le souhaitez.

Les exercices physiques

Afin de tirer le meilleur avantage de nos exercices physiques, ils ne doivent être ni trop ni insuffisamment intenses. S'ils vous semblent trop légers, la dépense énergétique et la perte de graisses seront trop faibles ; s'ils sont exténuants, vous ne pourrez pas tenir le rythme sur le long terme.

Pour mesurer l'intensité des exercices, inutile d'investir dans des accessoires sophistiqués, par exemple un moniteur cardiaque. Fiez-vous à ce que vous ressentez. Pour guider leurs élèves au cours d'une séance, les entraîneurs sportifs utilisent une échelle de perception subjective à l'effort (PSE), ou échelle de Borg, permettant de mesurer l'intensité des efforts fournis par chacun.

Pour une perte de la masse graisseuse et une dépense énergétique maximales, nous vous proposons d'avoir recours, durant chaque séance, à une version modifiée de cette échelle PSE. Lorsque vous faites un exercice, demandez-vous comment vous vous sentez en vous référant à l'échelle ci-dessous :

ÉCHELLE PSE

Pour être en bonne santé

1. Au repos.

2. Effort minimum.

3. Effort tout à fait supportable. Exercice pouvant être prolongé.

4. Vous commencez à vous sentir essoufflé(e), ce qui ne vous empêche pas de continuer.

Pour être en bonne condition physique

5. Vous êtes un peu essoufflé(e) et votre rythme cardiaque s'accélère.

6. Vous êtes de plus en plus essoufflé(e), votre rythme cardiaque est élevé mais vous pouvez parler en faisant vos exercices.

7. Vous êtes encore plus essoufflé(e), vous avez de plus en plus de mal à faire vos exercices et vous êtes sur le point de vous arrêter.

Pour se surpasser

8. Les exercices sont encore plus intenses et vous semblent de plus en plus difficiles. Vous savez que vous n'allez pas tenir longtemps à ce rythme.

---

9. Les exercices sont extrêmement intenses. Parler est de plus en plus difficile et vous avez du mal à garder votre souffle.

10. Intensité maximale. Vous ne pouvez garder ce rythme que durant quelques secondes.

La bonne nouvelle est que, durant les 12 semaines que dure notre Plan d'action, vous ne dépasserez jamais le niveau 5 sur l'échelle ci-dessus. En un mot, vous n'aurez jamais à faire des exercices intenses vous obligeant à vous surpasser. Les niveaux 6 à 10 sont utiles aux athlètes qui cherchent sans cesse à améliorer leur condition physique afin d'obtenir de meilleures performances dans leur discipline.

Heureusement, si vous recherchez les effets bénéfiques des exercices physiques pour la santé et espérez perdre de la graisse, travailler à des niveaux plus bas et plus agréables ne vous empêchera pas d'atteindre vos objectifs. Les premiers jours, essayez de rester entre les niveaux 3 et 4 afin d'améliorer votre condition physique et brûler des graisses. Au fur et à mesure que vous progresserez et serez en meilleure condition physique, nous inclurons dans votre programme de courtes séances de niveau 5. Votre organisme brûlant de plus en plus de graisses, il vous aidera à stabiliser votre poids.

Les exercices proposés dans notre Plan d'action sont, d'une part, des exercices aérobies et, d'autre part, des exercices de résistance.

• **Les exercices aérobies** : tous les mouvements qui vous font haleter. Par définition, ce sont des exercices qui « consomment de l'oxygène ». Ils sollicitent fortement tant le cœur que les poumons et absorbent de l'énergie. Votre dépense énergétique au quotidien augmente et vous brûlez plus de graisses. La marche est l'exercice aérobie pour lequel nous avons opté dans nos programmes, mais la bicyclette, la course à pied, la natation, l'*aérobic*, l'aviron et le *step* sont également de bons exercices aérobies.

- **Les exercices de résistance** : tous les exercices qui font que vos muscles sont opposés à une résistance des poids et des haltères, ou des élastiques, ou encore le poids de votre propre corps. Ils sont essentiels dès lors qu'il s'agit de renforcer la musculature, corriger et améliorer le maintien et tonifier le corps. De plus, en développant votre masse musculaire, vous augmentez votre métabolisme basal. Dans la mesure où le muscle est métaboliquement plus actif que la graisse, plus vous avez de masse musculaire, plus vous consommez d'énergie. Les exercices de résistance sont particulièrement bénéfiques à celles et ceux qui désirent maigrir et surtout stabiliser leur poids, d'où leur place dans notre Plan d'action.

Au début de chaque semaine, bloquez dans votre agenda les plages horaires que vous avez l'intention de consacrer à la marche et autres exercices physiques. Si vous vous contentez d'attendre que l'envie de faire du sport vous vienne spontanément, la semaine sera terminée et vous n'aurez rien fait. Une fois le créneau horaire bloqué, agissez comme pour n'importe quel rendez-vous. Si, pour une raison ou une autre, vous êtes obligé(e) d'annuler une séance, reprogrammez-la sans attendre. Si vous manquez de temps pour marcher, au lieu de faire une grande promenade faites-en 2 plus courtes, marchez par exemple, 10 minutes le matin au lever et 10 minutes ou plus le soir.

Inutile d'investir dans un équipement sophistiqué. Optez pour des vêtements amples et confortables et de bonnes chaussures de marche : tennis ou toutes autres chaussures maintenant parfaitement les chevilles.

Si on pense souvent que, plus les mouvements sont rapides, plus l'exercice est difficile, alors les exercices de résistance sont plus aisés à réaliser. Pour qu'ils soient le plus bénéfiques possible, exécutez chaque mouvement lentement et concentrez-vous jusqu'à ce que votre technique soit irréprochable. Pendant toute leur durée, comptez les secondes : 2 secondes pour effectuer un mouvement, et 2 secondes pour revenir à la position de départ.

Dites-vous que *tout* ce que vous ferez en plus de ce que vous faites actuellement est un pas dans la bonne direction. Suivez le programme que nous vous proposons et faites ce que vous pouvez. Si vous trouvez que la progression est trop rapide, répétez les mêmes exercices deux semaines consécutives, voire plus, jusqu'au moment où vous vous sentirez capable de franchir une nouvelle étape.

Nous déconseillons les exercices de résistance aux personnes souffrant de légères blessures ou de certaines maladies telles que l'arthrose. Dès que vous ressentez une douleur, arrêtez-vous. Pour un programme personnalisé, adressez-vous à un professeur.

SEMAINE 1

Vous êtes prêt(e) à commencer ? Parfait ! Pour cette première semaine, nous vous demandons de vous concentrer sur les objectifs suivants :

ALIMENTATION

Quels aliments mangez-vous et pourquoi ?

EXERCICES PHYSIQUES

Marchez à une allure vive et régulière, durant 20 minutes, 4 jours sur 7.
En plus, faites les 2 exercices de résistance que nous vous proposons 3 fois dans la semaine.

ACTIVITÉ

Montez les escaliers et marchez plutôt que d'emprunter les escaliers mécaniques et les tapis roulants.

SUJET DE RÉFLEXION

Quel est l'IG de vos repas ?

Alimentation

Quels aliments mangez-vous et pourquoi ?

Durant toute cette semaine, notez précisément dans un journal les aliments que vous consommez le plus fréquemment et demandez-vous ce qui dicte vos choix. Peut-être pensez-vous que cette étape est inutile dans la mesure où vous savez parfaitement ce que vous consommez. Mais écrire noir sur blanc tout ce qui se trouve dans votre assiette et sur la table est souvent la seule manière de vous faire prendre conscience de la quantité de nourriture et de boisson que vous consommez au quotidien.

À la fin de la semaine, comparez ce que vous avez effectivement consommé avec ce qui vous a été recommandé (voir pages 107-108) et les portions conseillées (voir pages 108 à 109) ; identifiez ce que vous devez diminuer, substituer ou supprimer. Vous découvrirez que ce que vous mangez est souvent lié à l'humeur, l'environnement ou une situation donnée. La manière dont vous pouvez gérer ces situations sera abordée en *semaine 2*.

• Notez précisément ce que vous mangez durant une semaine, ou plus si vous en avez le courage. Toutefois, il vaut mieux consacrer sérieusement une semaine que de prendre des notes de façon intermittente pendant plusieurs semaines.

• Choisissez une semaine qui vous paraît représentative de la vie que vous menez en général (ne choisissez pas une semaine où vous êtes en vacances).

• Optez pour un petit carnet que vous emporterez partout avec vous afin de noter tout ce que vous mangez et buvez (si possible dès que vous avez terminé de manger ou, mieux, pendant que vous mangez). Indiquez l'endroit où vous vous trouvez, ce que vous faites et ce que vous ressentez à ce moment précis.

Vous pouvez également procéder de cette façon pour ce qui est de votre activité physique. Pour vous aider, reportez-vous au modèle page 126.

Objectifs de vos exercices physiques

Marchez à une allure vive et régulière, durant 20 minutes, 4 jours sur 7. *En plus*, faites les 2 exercices de résistance que nous vous proposons 3 fois dans la semaine.

La marche

En vous reportant à l'échelle PSE (perception subjective de l'effort), adoptez un rythme afin que les efforts fournis soient de niveau 3 (cf. page 116) : à aucun moment vous ne ressentez de douleur ou de gêne et vous pouvez tenir une conversation tout en marchant. Vous avez de plus en plus chaud au fur et à mesure que la circulation sanguine est stimulée pour fournir aux muscles le carburant dont ils ont besoin pour fonctionner correctement. Cela signifie que vous brûlez plus de graisses et que votre dépense énergétique est accrue.

Exercices de résistance

Exercices stimulant le bas du corps	Exercices stimulant le haut du corps	Exercices stimulant la ceinture abdominale et dorso-lombaire
Accroupissements : 2 séries de 10		Extensions des jambes : 10 de chaque côté

Nouveaux exercices

Accroupissements

Incontestablement, les accroupissements sont les exercices les plus bénéfiques pour tonifier le bas du corps. Les muscles des cuisses et des fesses étant les plus grands groupes de muscles du corps, ce sont eux qui utilisent le plus d'énergie. C'est le but recherché pour éliminer la graisse stockée.

Parties du corps concernées : les cuisses et les fesses.
Comment procéder :
1. Vous êtes debout, les pieds parallèles et légèrement écartés. Tendez les bras devant vous à la hauteur de la poitrine et joignez les mains.
2. Faites un exercice d'extension sur la pointe des pieds en rentrant le ventre. Étirez-vous.
3. Imaginez qu'une chaise est posée derrière vous. Fléchissez les genoux jusqu'à ce que vos fesses « touchent » le siège de cette chaise imaginaire. Les bras sont parallèles au sol, le dos est droit et la poitrine ouverte.
4. Contractez les muscles fessiers et poussez sur les talons pour revenir à la position initiale.

Ce que vous devez garder à l'esprit : tout au long de l'exercice, le poids du corps repose sur les talons et le milieu des pieds. Les orteils bougent librement. Autre chose : n'oubliez pas de respirer normalement.

Combien : 2 séries de 10, avec une courte pause entre les deux.

Extensions des jambes

Il est primordial que vous fassiez travailler les muscles qui garantissent un bon maintien, en dessous des « tablettes de chocolat », fierté des hommes sveltes et musclés qui font la publicité des machines destinées à développer les abdominaux et jouent le rôle d'une ceinture de soutien.

Lorsque vous sollicitez ces muscles, ceux de la ceinture abdomino-lombaire sont tonifiés, votre maintien s'améliore (vous paraissez alors plus mince) et les risques de ressentir des douleurs au niveau du dos sont diminués.

Parties du corps concernées : les abdominaux.
Comment procéder :
1. Vous êtes à plat dos sur le sol, les genoux fléchis sont ramenés sur la poitrine, les bras sont le long du corps et les mains sont posées à plat sur le sol.
2. Contractez les abdominaux comme si vous vouliez rapprocher votre nombril de votre colonne vertébrale. Vous sentez la paroi abdominale qui se rétracte. Tendez une jambe afin qu'elle soit parallèle au sol, sans relâcher les abdominaux.
3. Ramenez la jambe, puis faites l'exercice avec l'autre jambe.
Ce que vous devez garder à l'esprit : respirez normalement (nombre de personnes ont tendance à bloquer leur respiration sans même s'en rendre compte).
Combien : 20 extensions (10 de chaque côté).

Exemple d'activités pour la semaine

Lundi	Mardi	Mercredi	Jeudi	Vendredi	Samedi	Dimanche
	Marche 20 minutes		Marche 20 minutes		Marche 20 minutes	Marche 20 minutes
	+ exercices de résistance		+ exercices de résistance		+ exercices de résistance	+ exercices de résistance
	25 minutes		*25 minutes*		*25 minutes*	*25 minutes*

Sujet de réflexion

Quel est l'IG de vos repas ?

En vous référant aux aliments que vous consommez le plus fréquemment, faites le quiz ci-dessous pour avoir une idée plus claire de ce que vous devez changer afin de diminuer l'IG de vos repas.

Pour nourrir votre réflexion, répondez aux questions suivantes.

Quel est l'IG de vos repas ?

Entourez la lettre qui, selon vous, correspond le mieux à votre mode d'alimentation.

1. Le type de pain que je mange le plus communément :
   a) du pain aux céréales complètes à IG bas (voir les différentes variétés pages 83 à 85) ;
   b) du pain au levain ;
   c) du pain blanc ou du pain complet.

2. Le type de céréales pour le petit déjeuner que je mange le plus fréquemment :
   a) des flocons d'avoine, du müesli ou des céréales à IG bas du commerce ;
   b) des céréales enrichies en fibres vendues dans le commerce (biscuits ou corn-flakes) ;
   c) des céréales soufflées ou des pétales.

3. Je mange au minimum 2 fruits :
   a) pratiquement tous les jours ;
   b) 3 à 4 fois par semaine ;
   c) 1 à 2 fois par semaine.

4. Je mange des légumes (y compris des haricots à la sauce tomate, des lentilles, des pois chiches, des haricots rouges, des flageolets en salade, etc.) ou de l'orge :
   a) au minimum 2 fois par semaine ;
   b) 1 fois par semaine ;

    c) rarement, voire jamais.

5. Je mange des pâtes :

    a) au minimum 2 fois par semaine ;

    b) 1 fois par semaine ;

    c) rarement, voire jamais.

6. Je mange des patates douces et/ou du maïs plutôt que des pommes de terre :

    a) au minimum 2 fois par semaine ;

    b) 1 fois par semaine ;

    c) rarement, voire jamais.

7. Parmi les aliments suivants, je consomme :

    a) 250 ml de lait (entier, demi-écrémé ou écrémé) ;

    b) 200 g de yaourt (entier, nature ou à 0 % de MG) ;

    c) 125 ml de crème anglaise ;

    d) 2 grosses cuillerées de crème glacée allégée.

8. J'aimerais manger au moins 2 portions de fromage :

    a) plusieurs fois par semaine ;

    b) 3 à 4 fois par semaine ;

    c) 1 à 2 fois par semaine, voire moins.

Nombre de points :

Chaque réponse **(a)** compte 1 point.

Chaque réponse **(b)** compte 2 points.

Chaque réponse **(c)** ou **(d)** compte 3 points.

Vous totalisez :

• *Entre 8 et 10 points*. Bravo ! Vous privilégiez une alimentation à IG bas. Les glucides que vous dites consommer le plus souvent ont un IG bas. Pour perdre du poids, envisagez de revoir le volume des portions. Ne vous dites pas que, vos réponses étant satisfaisantes, il est inutile d'aller plus loin. Continuez votre lecture, car le régime que nous préconisons met l'accent sur bien d'autres choses que l'index glycémique.

• *Entre 11 et 17 points.* Vous semblez avoir une alimentation à IG moyens, ce qui correspond à la majorité des régimes alimentaires des populations occidentales. Vous indiquez que vous consommez des aliments à IG bas et moyen avec, parfois, des glucides à IG élevé. Si manger des produits variés est recommandé, la consommation de glucides à IG élevé peu annihiler les efforts que vous faites pour perdre du poids. Privilégier les aliments correspondant à l'option (a) diminuerait l'IG de votre alimentation.

• *Entre 18 et 24 points.* Vous avez une alimentation à IG élevé. En effet, la plupart des glucides que vous consommez ont un index glycémique important, ce qui favorise la sécrétion d'insuline et le stockage des graisses. Pour maigrir, il serait bon que vous remplaciez au moins la moitié des aliments à IG élevé que vous mangez par des aliments à IG bas. Référez-vous à la liste d'aliments de l'option (a) pour diminuer l'IG de votre alimentation.

Semaine 1 Idées de menus

	Petit déjeuner	Collation
LUNDI	1 tartine de pain complet grillée avec 1 cuillerée à café de Nutella (pas de beurre) et 1 verre de jus de fruits	Des fruits au sirop
MARDI	1 tranche de pain complet grillée avec du fromage allégé	1 banane
MERCREDI	Café ou chocolat, lait écrémé et 1 tartine de pain aux raisins secs	Des fruits secs et des fruits à écale

	Petit déjeuner	Collation
JEUDI	Müesli avec du lait écrémé, fruits coupés en morceaux et 1 yaourt à 0 %	1 banane
VENDREDI	Des céréales riches en fibres avec du lait écrémé et 1 fruit	1 pomme
SAMEDI	Flocons d'avoine, 1 tranche de pain allemand et 1 œuf coque	1 clémentine
DIMANCHE	1 œuf coque, bacon maigre, tomate, champignons 1 tranche de pain complet 1 verre de jus de légumes	1 petit milk-shake aux fruits

Déjeuner	Collation	Dîner
Pain de campagne, jambon ou viande froide, cornichons, tomates, haricots verts	1 petite portion de fromage à 20 %, 1 galette croustillante 1 pomme	Filet de poisson au four ou au micro-ondes, avec herbes fines et citron Épinards nature, carottes, courgettes et 2 petites pommes de terre nouvelles 1 yaourt à 0 %
Salade composée : salade verte, thon, céleri, oignon, tomate et olives, assaisonnée au vinaigre balsamique, crackers à la farine complète	1 pomme au four et crème anglaise allégée	Frittata aux légumes (page 348) et salade

Déjeuner	Collation	Dîner
Avocat, poulet, salade non assaisonnée	I fruit frais	Viande maigre, champignons, purée de patates douces, haricots verts et courgette
Salade composée : tomates vertes, céleri, pomme, noix, mayonnaise et thon	Cornet de glace allégée	Fonds d'artichaut, quelques olives, courgettes vapeur, pâtes avec du concentré de tomate
I soupe chinoise	I yaourt à 0 %	Du porc et des légumes (brocoli, carotte, poivron et oignon) sautés avec des noix de cajou et du riz doongara
Pain aux céréales complètes, salade verte, I fine tranche de fromage, jambon	Des biscuits aux flocons d'avoine	Rôti d'agneau avec I boîte de petits pois fins printaniers (avec carottes et oignons), I pomme de terre I salade de fruits frais
Salade thaïlandaise : bœuf maigre coupé en fines lanières, légumes verts en salade, sauce piments, ail, jus de citron vert, cassonade et sauce de poisson thaïlandaise, avec des nouilles de riz	I petite poignée d'amandes	I minestrone I yaourt à 0 % et I fruit

SEMAINE 2

Avoir un problème de surpoids *ne* veut *pas* dire manquer de volonté. Si vous avez déjà suivi un régime, vous savez exactement de quoi nous parlons. Changer des habitudes fermement ancrées dans la vie de tous les jours est extrêmement difficile et prend du temps (environ un an !). Le but de la *semaine 1* consistait à vous faire prendre conscience de tout ce que vous mangez et buvez au quotidien et de vous pousser à augmenter votre consommation d'aliments à IG bas. Cette semaine, nous allons vous aider à mettre le doigt sur vos mauvaises habitudes et à vous fixer des objectifs qui vous permettront de mener une vie plus saine. Cette semaine, concentrez-vous sur les points suivants :

ALIMENTATION

Pointez vos erreurs et fixez-vous 3 buts *réalisables*.

EXERCICES PHYSIQUES

Marchez à une allure vive et régulière, durant 20 minutes, 4 jours sur sept.
En plus, faites les 3 exercices de résistance que nous vous proposons 3 fois dans la semaine.

ACTIVITÉ

Pour tous les trajets qui vous prennent moins de 5 minutes en voiture, marchez.

SUJET DE RÉFLEXION

Changer ses habitudes demande du temps.

Alimentation

Pointez vos erreurs et fixez-vous 3 buts *réalisables*.

La semaine dernière, vous avez fait l'effort d'identifier vos mauvaises habitudes alimentaires. Passez maintenant à l'étape suivante, et voyez quelles sont celles que vous pouvez changer. Dans un premier temps, fixez-vous des objectifs : **précis**, **quantifiables**, **réalisables** et **étalés dans le temps**.

Par exemple, dire : « J'arrête de manger du chocolat » ou « À partir d'aujourd'hui, je prépare mon déjeuner et je l'emporte au travail » sont deux résolutions vouées à l'échec, qui ne servent strictement à rien sinon à vous démoraliser. En revanche, les exemples ci-dessous ont de grandes chances d'aboutir.

• Je m'accorde le droit de manger 1 tablette de chocolat par mois.

• À partir d'aujourd'hui, je prépare de quoi déjeuner au travail le lundi et le mardi.

Certaines habitudes que vous voulez changer ont peut-être trait à votre alimentation. La check-list ci-dessous devrait vous aider à identifier les habitudes alimentaires sources de problèmes. Si besoin est, référez-vous à ce que vous avez noté précédemment dans votre carnet et, parmi les suggestions ci-dessous, cochez celles qui reviennent le plus souvent :

• trop de collations inutiles au cours de la journée ;

- heures de repas irrégulières ;
- grignotages ;
- manger en regardant la télévision ;
- manger en préparant les repas ;
- se servir des portions trop grandes et continuer à manger, même quand on n'a plus faim ;
- acheter sans réfléchir des aliments dont vous vous passeriez parfaitement ;
- manger non pas par faim mais parce que vous vous ennuyez, que vous êtes fatigué(e), déprimé(e) ou irrité(e) ;
- manger trop souvent hors de chez vous ;
- manger quand vous conduisez ou que vous faites un trajet ;
- manger trop rapidement ;
- rester très longtemps à table et manger même lorsque vous êtes rassasié(e) ;
- revenir prendre quelque chose à manger toutes les minutes ;
- après le dîner, grignoter jusqu'au moment d'aller au lit ;
- boire trop d'alcool ;
- acheter des aliments pour les autres membres de la famille en vous disant que vous n'en mangerez pas, mais toujours succomber à la tentation.

Maintenant, en vous appuyant sur la liste ci-dessus et ce que vous avez noté dans votre carnet, choisissez 3 aliments et 3 mauvaises habitudes dont vous aimeriez vous débarrasser, puis réfléchissez à la manière d'y parvenir.

Fixez-vous 3 objectifs concernant ce que vous mangez et la façon dont vous vous nourrissez. Une fois encore, ces objectifs doivent être précis, quantifiables, réalisables et étalés dans le temps. Dans la mesure du possible, essayez de ne pas vous détourner du droit chemin et, à la fin de la semaine, faites le point. Avez-vous atteint votre but ? Êtes-vous prêt(e) à continuer ? Si la réponse est non, essayez de vous fixer un nouvel objectif et définissez une autre stratégie jusqu'à ce que vous trouviez le changement qui marche pour vous.

Exercices physiques

Marchez à une allure vive et régulière, durant 20 minutes, 4 jours sur 7. *En plus*, faites les 3 exercices de résistance que nous vous proposons 3 fois dans la semaine.

Exercices de résistance

Exercices stimulant le bas du corps	Exercices stimulant le haut du corps	Exercices stimulant la ceinture abdominale et dorso-lombaire
Accroupissements : 2 séries de 10	Pompes (version simplifiée) : 2 séries de 10	Extensions des jambes : 10 de chaque côté

Nouvel exercice

Pompes (version simplifiée)

Incontestablement, les pompes comptent parmi les exercices qui stimulent le plus le haut du corps, notamment les pectoraux, les épaules et les bras. Effectuer régulièrement des pompes tonifie le haut du corps.

Mais alors, pourquoi la plupart des individus rechignent-ils autant à en faire ? Tout simplement parce que c'est un exercice difficile ! Et plus on a des kilos en trop, plus c'est dur ! En effet, il faut arriver à soulever son corps et lutter contre l'attraction terrestre. L'exercice que nous vous proposons est moins difficile, mais tout aussi bénéfique que les pompes traditionnelles, à condition, bien évidemment, de le faire correctement. Vous avez besoin d'une table basse mais, si vous n'en avez pas, travaillez sur la deuxième ou la troisième marche d'un escalier.

Parties du corps concernées : la poitrine, les épaules et les bras.
Comment procéder :
1. Vous êtes à quatre pattes, les mains légèrement écartées par rapport aux épaules, en appui sur le bord d'une table basse ou d'une marche. Décollez les genoux du sol jusqu'à ce que votre corps dessine une ligne diagonale parfaitement droite, allant de la tête aux genoux.
2. Rapprochez lentement la poitrine du bord de la table ou de la marche. Le dos reste plat et les fessiers sont contractés. Les fesses ne pointent pas vers le haut.
3. Revenez à la position initiale.
Combien : 2 séries de 10, avec une courte pause entre les deux.

Exemple d'activités pour la semaine

Lundi	Mardi	Mercredi	Jeudi	Vendredi	Samedi	Dimanche
	Marche 20 minutes		Marche 20 minutes		Marche 20 minutes	Marche 20 minutes
	+ exercices physiques de résistance		+ exercices physiques de résistance		+ exercices physiques de résistance	
	25 minutes		*25 minutes*		*25 minutes*	*20 minutes*

Sujet de réflexion
Changer ses habitudes demande du temps
Arriver à cette page prouve que vous *vous demandez* encore comme vous allez procéder pour changer la manière dont vous vous nourrissez. N'espérez pas vous débarrasser de vos habitudes en un jour. Tout changement prend du temps, et passer par différentes étapes bien définies est obligatoire. Pour ce qui est de vos habitudes alimentaires, lisez ce qui suit :

Ne pas être encore prêt(e)

Vous n'envisagez pas encore de modifier vos habitudes alimentaires. Elles sont ce qu'elles sont et, à l'instant T, elles correspondent parfaitement à *votre* mode de vie. Après avoir lu ce livre, vous le mettrez de côté et ne le ressortirez que lorsque vous en éprouverez le besoin.

Prendre conscience de ce qui ne va pas

Vous envisagez de modifier vos habitudes alimentaires, mais vous n'avez mis au point aucune stratégie. Pesez le pour et le contre. Si vous pensez que le jeu en vaut la chandelle, passez à l'étape suivante.

Se préparer

Vous avez décidé de changer vos habitudes et vous vous préparez à agir. Vous lancer dans l'aventure sans avoir défini une stratégie est on ne peut plus aléatoire. Définissez précisément les points sur lesquels vous pensez pouvoir agir.

Agir

Vous êtes désormais prêt(e) à passer à l'attaque. Vos objectifs sont précis, quantifiables, réalisables et étalés dans le temps. Voici quelques exemples :

Tous les 2 jours, achetez 4 beaux fruits frais.

Pendant 1 mois, essayez de ne boire que du lait écrémé.

Les objectifs que vous vous êtes fixés doivent vous permettre de vous débarrasser d'habitudes qui vous sont particulièrement néfastes. Pour vous aider à y voir plus clair, reprenez le carnet sur lequel vous avez noté tout ce que vous consommez.

Ne pas abandonner

Vous faites votre maximum pour tenir vos résolutions et ne pas tout laisser tomber au risque de revenir à la case départ. Certains moments sont plus difficiles que d'autres, mais vous tenez bon et, peu à peu, les bonnes habitudes prennent le dessus.

Faire le point est indispensable pour franchir une nouvelle étape.

Où vous situez-vous ?

Entourez la réponse qui correspond le mieux à votre situation, et identifiez le stade où vous vous trouvez en vous référant aux codes ci-après.

Essayez-vous ou avez-vous déjà essayé de perdre du poids ?

a) Oui, j'essaie de perdre du poids depuis au moins 3 mois.

b) Oui, au cours des 3 derniers mois, j'ai essayé de perdre du poids.

c) Non, mais j'ai l'intention de m'y mettre.

d) Non et je n'en ai aucunement l'intention pour le moment.

Codes correspondant aux différents stades

Réponse (a)	Ne pas abandonner.
Réponse (b)	Agir.
Réponse (c)	Prendre conscience de ce qui ne va pas/Se préparer.
Réponse (d)	Ne pas être prêt(e).

Attention ! Tout changement est difficile, y compris le fait de modifier ses habitudes alimentaires. Même avec la meilleure volonté qui soit, il est difficile de résister à un repas de famille, à un dîner au restaurant avec des amis, à un gâteau d'anniversaire, à des friandises ou un morceau de chocolat proposés par un collègue. Afin de ne ressentir ni frustration ni culpabilité, dites-vous que vous devez vivre normalement et que vous avez, de temps à autre, le droit de « craquer » et de vous faire plaisir.

PETITS CONSEILS POUR QUE CHANGER VOS HABITUDES ALIMENTAIRES NE SOIT PAS UN CAUCHEMAR

1. N'espérez pas franchir toutes les étapes en une seule fois. Prenez le temps de passer de l'une à l'autre.

2. Commencez par changer les habitudes qui vous coûtent le moins. Rien n'est plus motivant que d'atteindre l'objectif que l'on s'est fixé !

3. Ne vous polarisez pas sur un seul but difficile à atteindre, mais sur plusieurs petits objectifs.

4. Dites-vous que craquer de temps à autre est humain, et surtout ne culpabilisez pas.

Si vous sentez que vous n'arriverez pas tout(e) seul(e) à changer vos habitudes alimentaires, demandez de l'aide à un médecin, un diététicien ou un nutritionniste (voir pages 329-330).

Semaine 2 Idées de menus

	Petit déjeuner	**Collation**
LUNDI	De la ricotta et du jambon sur 1 tranche de pain complet aux céréales	1 pomme et quelques amandes
MARDI	1 muffin anglais aux céréales avec 1 œuf brouillé 1 jus de tomate	2 kiwis
MERCREDI	1 tranche de pain au Nutella, 1 pomme	1 petite poignée de fruits à écale sans sel ajouté
JEUDI	Müesli, yaourt à la vanille à 0 % de MG, fruits frais en dés	Biscuit aux abricots et aux amandes (voir page 377)

	Petit déjeuner	Collation
VENDREDI	Des céréales à IG bas avec 1 poire coupée en fines tranches et du lait écrémé 1 jus d'orange fraîchement pressé	2 biscuits au gingembre
SAMEDI	Du bacon grillé sans gras avec des rondelles de tomate sur 1 tartine de pain complet grillée	1 yaourt nature aux fruits
DIMANCHE	Flocons d'avoine, fruits rouges surgelés ou frais, yaourt nature à 0 % de MG et 1 pincée de cassonade	1 tranche de pain aux raisins secs

Déjeuner	Collation	Dîner
1 petit pain complet rond avec du jambon et de la salade 1 boule de sorbet 1 café	1 tranche de melon	Taboulé avec 1 petite poêlée de légumes
Salade grecque : feta allégée et olives 1 petit pain rond à la farine complète	Un peu de glace allégée	Du poulet tandoori avec du riz basmati, salade de lentilles vertes, concombre émincé croque au sel 1 yaourt à 0 % de MG
1 tartine de pain au levain, grillée avec 1 avocat, des rondelles de tomate, du bacon sans gras grillé ou du jambon fumé	1 orange moyenne	1 steak haché maigre, tomates concassées et ail

Déjeuner	Collation	Dîner
1 salade du jardin avec 1 blanc de poulet	1 poire	Des cannelloni aux épinards et à la ricotta avec des pignons et de la sauce tomate. Servir avec un mélange de salade verte et de la vinaigrette
1 pain pita complet avec 1 fine tranche de jambon, 1 carotte râpée, de la chiffonnade de salade verte, des rondelles de tomate, du fromage allégé râpé et de la mayonnaise	1 salade de fruits	Poisson en papillote, patates douces au four
1 pain rond complet avec du thon, 1 oignon, de la salade de fruits à écale et du fromage	Mélange de fruits secs	Salade de crevettes et de mangue avec sauce au piment et au citron vert (voir page 364). 1 tranche de melon avec 1 boule de glace allégée
Chili con carne, tomate, fromage râpé, salade	1 pomme	Steak avec poêlée de légumes, salade

SEMAINE 3

Sauf si vous avez du diabète et êtes obligé(e) de mesurer régulièrement votre glycémie, vous n'avez probablement aucune idée des fluctuations de votre taux de glucose sanguin au cours de la journée. Or, celles-ci peuvent vous pousser à consommer tel ou tel aliment et augmenter votre appétit, selon les heures. Par ailleurs, les variations du taux de glucose dans le sang font que vous brûlez ou stockez plus ou moins de graisses. Cette troisième semaine doit vous permettre de vous focaliser sur les points suivants :

ALIMENTATION

Limitez les hausses et les baisses fortes et rapides du taux de glucose sanguin, et consommez des glucides à IG bas.

EXERCICES PHYSIQUES

Marchez à une allure vive et régulière (niveau 3 sur l'échelle PSE), durant 20 minutes 5 jours sur 7.
En plus, faites les 4 exercices de résistance que nous vous proposons 3 fois par semaine.

ACTIVITÉ

Dimanche, retrouvez vos amis non pas autour d'une table, mais dans un jardin, à la campagne, dans un parc, et dépensez-vous.

SUJET DE RÉFLEXION

Pourquoi le taux de glucose sanguin a-t-il une telle importance ?

Alimentation

Limitez les hausses et les baisses fortes et rapides du taux de glucose sanguin, et consommez des glucides à IG bas.

Vous voulez que votre organisme fonctionne sans à-coups tout au long de la journée ? Dans ce cas, privilégiez les glucides à IG bas qui sont *lentement digérés et assimilés*. Le carburant fourni par ces glucides alimente progressivement votre organisme, diminuant le taux d'insuline et minimisant les fluctuations du glucose sanguin. À long terme, ce petit changement peut avoir une grande influence sur votre tour de taille. Parmi les produits de base, ce sont les glucides contenant de l'amidon qui ont l'impact le plus grand sur l'organisme. Reportez-vous au tableau ci-dessous afin de faire les bons choix.

Aliments de base riches en amidon	Glucides à IG élevé à consommer avec modération	Substituts à IG bas à privilégier
Le pain	Pain à la farine blanche Pain complet, ou à la farine blanche, à la texture moelleuse et spongieuse Petits pains, crêpes et galettes	Pain au levain Pain complet à la texture dense Pain aux fruits secs (raisins)
Les céréales	Céréales raffinées de fabrication industrielle	Flocons d'avoine et céréales à base d'orge

Aliments de base riches en amidon	Glucides à IG élevé à consommer avec modération	Substituts à IG bas à privilégier
Au déjeuner et au dîner	Patates douces, maïs doux, chips et frites	Pomme de terre : purée Pâtes alimentaires, nouilles asiatiques, haricots blancs, lentilles et pois chiches
	Riz jasmin, riz brun et riz blanc rond (arborio)	Riz basmati, doongara et koshi-hikari (sushis)
Pour les collations	Crackers, beignets, galettes et bretzels	Fruits frais ou secs, yaourt nature et fruits à écale

Cette semaine, fixez-vous comme objectif de consommer des glucides à IG bas, riches en amidon.

Exercices physiques

Marchez à une allure vive et régulière (niveau 3 sur l'échelle PSE) durant 20 minutes 5 jours sur 7. *En plus*, **faites les 4 exercices de résistance que nous vous proposons 3 fois dans la semaine.**

Exercices de résistance

Exercices stimulant le bas du corps	Exercices stimulant le haut du corps	Exercices stimulant la ceinture abdominale et dorso-lombaire
Accroupissements : 2 séries de 10 génuflexions* : 10 → jambe droite 10 → jambe gauche	Pompes (version simplifiée) : 2 séries de 10	Extensions des jambes : 10 de chaque côté

* Voir description ci-après.

Nouvel exercice

Génuflexions avant

Cette semaine, nous ajoutons un exercice afin de stimuler plus fortement les muscles du bas du corps. L'exercice de génu-flexion que nous vous proposons est plus difficile à réaliser, l'un des membres inférieurs étant plus sollicité que l'autre qui, néanmoins, travaille aussi. Il stimule les muscles des cuisses et les fessiers. L'erreur à ne pas commettre est de ne pas rejeter suffisamment l'une des deux jambes en arrière et, de ce fait, de répartir le poids du corps toujours sur les deux jambes au lieu de le faire sur la jambe avant. L'exercice à réaliser ressemble à ce mouvement d'escrime où le fleurettiste, prenant appui sur une jambe, jette son corps en avant sur l'autre jambe fléchie (il se fend).

Parties du corps concernées : les fesses et les jambes.
Comment procéder :
1. Vous êtes debout, les pieds à l'écartement des hanches. Reculez l'une des deux jambes d'au moins cinquante centi-mètres, plus si vous pouvez, la jambe avant restant bien à plat sur le sol. Les deux pieds doivent être suffisamment écartés et non alignés pour vous permettre de garder votre équilibre et ne pas avoir l'impression d'être sur une corde raide.
2. Faites porter le poids de votre corps sur la jambe avant, buste bien droit, poitrine bombée, en fléchissant lentement la cuisse jus-qu'à ce qu'elle soit parallèle au sol.
3. Redressez-vous lentement, toujours en prenant appui sur la jambe avant.
Ce que vous devez garder à l'esprit : veillez à ce que l'appui sur votre jambe arrière se fasse uniquement sur la partie avant du pied, sans que le talon touche le sol. Si vous avez du mal à maintenir votre équilibre, prenez appui sur le dossier d'une chaise ou d'un meuble quelconque.
Combien de fois réaliser ce mouvement : 10 génuflexions avant sur une jambe et 10 génuflexions avant sur l'autre.

Exemple d'activités pour la semaine

Lundi	Mardi	Mercredi	Jeudi	Vendredi	Samedi	Dimanche
Marche 20 minutes	Marche 20 minutes		Marche 20 minutes		Marche 20 minutes	Marche 20 minutes
	+ exercices de résistance		+ exercices de résistance		+ exercices de résistance	
20 minutes	*30 minutes*		*30 minutes*		*30 minutes*	*20 minutes*

Sujet de réflexion

Pourquoi le taux de glucose sanguin a-t-il une telle importance ?

Le taux de glucose dans le sang (glycémie) est un paramètre essentiel à l'équilibre vital de l'organisme. Si ce taux est trop bas, il y a hypoglycémie. Le cerveau dysfonctionne, pouvant, lors des chutes extrêmes du taux, entraîner un coma, c'est-à-dire une perte de connaissance, voire des convulsions (mais, contrairement à ce que l'on pense, cette complication est rarement mortelle). Lorsque ce taux est très élevé, non pas de façon exceptionnelle mais répétitive, chronique, on dit qu'il y a alors diabète sucré. Cette hyperglycémie chronique peut, lorsqu'elle dépasse par exemple 2,5-3 g/l de taux de glucose dans le sang, s'accompagner de symptômes (soif, urine abondante) ; les conséquences se voient surtout à long terme (10 ou 15 ans), pouvant entraîner perte de la vue, urémie, accidents vasculaires.

Hormis ces cas extrêmes, hypo et hyperglycémies, qui ne s'observent qu'en cas de maladie, le taux de glucose sanguin est finement régulé dans des fourchettes étroites, c'est-à-dire entre 0,7 et 0,9 g/l à jeun et entre les repas, et de 0,9 à 1,2-1,4 g/l après les repas, parfois un peu plus. Si vous sautez un repas ou ne mangez aucun glucide, et compte tenu des besoins de notre cerveau en glucose pour fonctionner, c'est le foie qui assure cette continuité en libérant les réserves de glucose qu'il contient (sous forme de glycogène). Lorsque ces réserves sont épuisées, c'est-à-dire en quelques heures, le foie, toujours lui, se met à fabriquer du glucose à partir des réserves musculaires en protéines ; simultanément, les réserves de graisses libèrent leur énergie pour être utilisées par les muscles (dont le cœur), réservant le glucose au cerveau.

La situation n'est pas toujours aussi clairement et idéalement contrôlée : c'est le cas, en particulier, chez nombre de nos concitoyens atteints de ce qu'il est convenu d'appeler un « syndrome métabolique ». Les sujets victimes d'un tel syndrome sont nombreux, près de 25 à 30 % de la population dans nos pays. Ils présentent une obésité abdominale (tour de taille supérieur à 90 ou 100 cm selon qu'ils sont hommes ou femmes) et une kyrielle de « petites » anomalies dont aucune n'est en soi inquiétante mais elles le deviennent en raison de leur coexistence simultanée : tension artérielle légèrement élevée, au-dessus de 13 pour le seuil haut, au-dessus de 8 $^1/_2$ pour le seuil bas.

La glycémie est un peu trop haute sans être pour autant dans la zone du diabète, le taux d'insuline un peu trop haut, et on observe un peu de cholestérol ou de triglycérides dans le sang. Rien de plus « normal » en apparence, et pourtant ces fluctuations « un peu trop élevées » s'accompagnent d'un dysfonctionnement de l'ensemble des cellules endothéliales qui tapissent la totalité des vaisseaux sanguins, artères et veines, permettant la circulation en douceur du sang qui « n'accroche pas à leurs parois » (un peu comme le revêtement de Téflon qui empêche l'aliment d'adhérer à la poêle).

Le glucose qui augmente trop brutalement à l'intérieur des cellules provoque ce que l'on appelle un stress oxydatif, la libération de radicaux libres toxiques. L'endothélium s'épaissit, des dépôts de cholestérol apparaissent en son sein, la lumière du vaisseau se rétrécit, des micro-caillots de plaquettes sanguines s'y accrochent, pouvant entraîner une obturation soit incomplète, soit complète. La première se manifeste au niveau du cœur par une angine de poitrine, au niveau des jambes par des crampes à la marche, au niveau des reins par de l'hypertension artérielle et une insuffisance rénale. La seconde est cause d'accident vasculaire cérébral, d'infarctus du myocarde, de mort subite, de gangrène des orteils.

Finalement, la somme de ces petites anomalies, au premier rang desquelles la « modeste » élévation de la glycémie, surtout quand elle atteint le niveau de l'intolérance au glucose, constitue un profil à haut risque vasculaire, mais également un risque augmenté de cancers (côlon, sein, utérus, prostate, pancréas).

Les personnes souffrant d'hyperglycémie ont également du mal à contrôler leur poids, car une quantité plus importante d'insuline est sécrétée afin de diminuer le taux de glucose. Or, un taux élevé d'insuline favorise une insulinorésistance ou résistance à l'action de l'insuline qui, à son tour, facilite la sécrétion d'insuline – un cercle vicieux difficile à briser. L'insuline permet au glucose de pénétrer la cellule et d'activer une succession de réactions enzymatiques. Cet hyperinsulinisme relatif oriente le fonctionnement des cellules de l'organisme vers la consommation de glucose, aux dépens de celle des graisses qui s'accumulent ainsi dans tout l'organisme – dans le sang (taux élevé de triglycérides), dans le foie (stéatose hépatique) et dans l'abdomen (réserves de graisses mettant en danger le capital santé).

Par ailleurs, des fluctuations fortes et rapides du taux de glucose sanguin accroissent l'appétit. Lorsque la glycémie chute, des hormones du stress – notamment du cortisol – sont libérées. Ces hormones stimulent la faim. À peine avez-vous fini de manger que vous pensez déjà au repas suivant. Des études ont montré que les glucides à IG bas, qui sont lentement digérés et assimilés par l'organisme, encouragent la satiété et permettent d'espacer les repas, mais incitent également à préparer des repas moins copieux que lorsque des glucides à IG élevé sont consommés.

Semaine 3 Idées de menus

	Petit déjeuner	**Collation**
LUNDI	Du müesli, 1 yaourt maigre et 1 fruit frais	Des crackers au blé complet et des tranches de fromage allégé
MARDI	2 galettes croustillantes complètes avec fromage maigre ou à 20 % et 1 fruit	2 kiwis ou 2 clémentines
MERCREDI	Du beurre de noisettes (ou autre fruit à écale) sur 1 tartine (pain complet grillé) de tomate et 1 portion de fromage allégé 1 fruit frais	1 jus de fraises, quelques fraises
JEUDI	1 barre aux fruits secs et fruits à écale 1 cappuccino (lait écrémé)	1 tranche de jambon maigre et 1 pomme
VENDREDI	1 bol de lait demi-écrémé 1 œuf coque 1 fruit entier	1 fruit
SAMEDI	1 bol de flocons d'avoine, lait demi-écrémé 1 portion de fromage allégé	1 fruit
DIMANCHE	2 tranches de pain complet aux céréales grillées 1 œuf au plat (poêle siliconée) 1 yaourt vanille sans sucre	1 petite banane

Déjeuner	Collation	Dîner
Salade de pâtes et maïs	1 petite poignée d'amandes	1 steak Quelques pommes de terre nouvelles Des brocolis vapeur
1 mozarella	1 banane 1 yaourt maigre	Filets de poisson (frais ou congelés) Salade mixte 1 cuillerée à café de margarine, jus d'1 orange et d'1 citron Mettre les filets dans la poêle, couvrir et laisser pocher, retourner au cours de la cuisson. Servir avec des légumes cuits à la vapeur
Thon au naturel Salade verte, tomate, fruit, concombre, feta, olives et sauce au vinaigre balsamique 1 petit pain complet rond	1 fruit	Pilaf aux aubergines et courgettes avec de l'agneau (voir page 363) 1 yaourt maigre
Salade de patates douces : 1 poivron grillé avec 1 patate douce et des légumes verts cuits à la vapeur, assaisonnés avec une vinaigrette (vinaigre balsamique et huile d'olive)	De la pâte à tartiner Nutella	Omelette à la tomate et aux oignons sur 1 tartine de pain Légumes verts en salade Tranches d'ananas et crème glacée allégée

Déjeuner	Collation	Dîner
1 sandwich au pain complet : fromage, tomate, salade verte, betterave rouge et carotte râpée 1 yaourt maigre	1 clémentine	Salade de poulet et de riz (voir page 356) 1 fruit grosseur moyenne
2 tranches de pain grillé aux céréales 1 cuillerée à café de mayonnaise allégée 1 tranche de jambon maigre 1 rondelle de tomates 1 rondelle d'oignon	1 fruit grosseur moyenne	De l'agneau au romarin avec de la purée de patates douces, des haricots verts et des tomates cuites au four 1 mousse au chocolat allégée
1 tranche de saumon fumé 1 portion de fromage à tartiner allégé 1 tartine de pain au levain	1 fruit avec 1 boule de crème glacée allégée	Chips de maïs pauvres en sodium et cuites au four, servis avec de la sauce à l'avocat pimentée Spaghettis frais avec 1 cuillerée d'huile d'olive, coulis de tomate allégé, saupoudré de parmesan 1 fruit grosseur moyenne

SEMAINE 4

Vous voici arrivés à la quatrième semaine de notre Plan d'action, et il est temps de revoir les quantités de nourriture que vous pouvez consommer en fonction de votre poids (voir page 107).

Cette semaine, concentrez-vous sur les objectifs ci-après :

ALIMENTATION

Diminuez l'IG de vos repas en réduisant votre consommation d'aliments transformés.

EXERCICES PHYSIQUES

Marchez à une allure légèrement plus vive mais toujours régulière (niveau 4 sur l'échelle PSE), durant 20 minutes, 5 jours sur 7.

En plus, faites les exercices de résistance que nous vous proposons deux fois cette semaine, en vous concentrant sur le bas, puis sur le haut du corps.

ACTIVITÉ

Lorsque vous êtes au téléphone, ne vous asseyez pas, mais faites les cent pas, puis étirez-vous.

SUJET DE RÉFLEXION

Comment et pourquoi l'IG des aliments varie-t-il ?

Alimentation

Diminuez l'IG de vos repas en réduisant votre consommation d'aliments transformés.

Nos grands-parents consommaient quantité de flocons d'avoine, d'orge, de pois cassés, de haricots blancs et de lentilles. Nous savons aujourd'hui que ces produits comptent parmi les aliments ayant l'IG le plus faible. Riches en fibres et en nutriments, il est dommage que ces céréales et légumes secs, qui ont un grand pouvoir de satiété, soient passés de mode. Autrefois, un bol de flocons d'avoine permettait à une personne de tenir toute la matinée. Aujourd'hui, nombreux sont les individus qui avalent un bol de céréales allégées avant de vaquer à leurs occupations. Or, les céréales qui sont aujourd'hui commercialisées sont si rapidement digérées que les taux de glucose sanguin et d'insuline fluctuent fortement et rapidement, ce qui explique que la faim se fasse ressentir dès le milieu de la matinée.

Cette semaine, dressez la liste des produits transformés que vous consommez régulièrement, et trouvez des substituts. Voici quelques conseils pour diminuer l'IG d'un repas :

• choisissez les produits à base d'amidon les moins raffinés : avoine roulée, orge perlé, lentilles, haricots blancs, pois cassés et pois chiches. Limitez votre consommation de biscuits salés, biscuits sucrés et gâteaux de fabrication industrielle ;

• privilégiez les en-cas à IG bas : yaourts maigres, fruits frais, lait écrémé et mélanges de fruits secs et de fruits à écale ;

• consommez des aliments à IG élevé avec des aliments à IG bas, afin d'avoir un repas à IG moyen : lentilles et riz, taboulé et pain, mélange pommes de terre et patates douces ;
• ajoutez un peu d'acidité à vos aliments : de la vinaigrette dans les salades, un yaourt dans les céréales, du jus de citron sur les légumes, du pain au levain. L'acidité de ces aliments ralentit la vidange gastrique et diminue la réponse glycémique.

Consommez au minimum un glucide à IG bas
à chaque repas.

Exercices physiques

Marchez à une allure légèrement plus vive mais toujours régulière (niveau 4 sur l'échelle PSE), durant 20 minutes, 5 jours sur 7. *En plus*, faites les exercices de résistance que nous vous proposons 2 fois cette semaine, en vous concentrant sur le bas, puis sur le haut du corps.

Nous avons séparé les exercices de résistance en 2 séances distinctes, la première sollicitant tout particulièrement le bas du corps, et la seconde le haut du corps. Les muscles de la « ceinture abdomino-lombaire » sont sollicités dans chacune des séances. Nous vous rappelons que, plus ces muscles sont toniques, meilleur est votre maintien.

Exercices de résistance

	Exercices stimulant le bas du corps	**Exercices stimulant la ceinture abdomino-lombaire**
Séance 1		
	Accroupissements : 2 séries de 10 Génuflexions : 10 → jambe droite 10 → jambe gauche	Planche (trois quarts)* : 2 fois 20 secondes
Séance 2		
	Exercices stimulant le haut du corps	**Exercices stimulant la ceinture abdomino-lombaire**
	Pompes (version simplifiée) : 2 séries de 10 Raffermissement des bras* : 12 séries de 10	Extensions des jambes : 10 de chaque côté

* Voir description ci-après.

Nouveaux exercices

Planche (trois quarts)

Cet exercice est particulièrement efficace pour développer les muscles de la ceinture abdomino-lombaire et affiner la taille. Même si les débuts sont difficiles, persistez. Vos efforts seront vite récompensés.

Parties du corps concernées : la taille.
Comment procéder :

1. Vous êtes allongé(e) à plat ventre sur le sol ; prenez appui sur vos coudes et sur les avant-pieds.

2. Soulevez le corps en restant bien rectiligne, fesses rentrées, de façon à ne plus prendre appui que sur les coudes et les avant-pieds.

3. Contractez les abdominaux, et respirez normalement.

Maintenez la position pendant 20 secondes. Répétez l'exercice 2 fois.

Raffermissez vos bras, renforcez vos triceps

De la graisse a en effet tendance à s'accumuler et à remplacer les muscles dans cette partie du corps, notamment chez les femmes. Pour cet exercice, utilisez, si possible, un haltère, que vous pouvez acquérir dans un magasin d'articles de sport ; une boîte de conserve de 400 g fera également l'affaire.

Parties du corps concernées : la face postérieure des bras.

Comment procéder :

1. Tenez-vous debout, le dos bien droit. Prenez le poids à deux mains, élevez-le à l'horizontale devant vous, en regardant bien droit devant.

2. Élevez maintenant les bras au-dessus de votre tête, les biceps couvrant vos oreilles, puis placez l'objet lourd (poids ou haltère) au niveau de votre nuque.

3. Tout en gardant les biceps contre vos oreilles, ramenez le poids à la verticale, puis revenez à l'horizontale.

Combien de fois exécuter ce mouvement : 2 séries de 10 avec une courte pause entre les 2.

Exemple d'activités pour la semaine

Lundi	Mardi	Mercredi	Jeudi	Vendredi	Samedi	Dimanche
Marche 20 minutes	Marche 20 minutes		Marche 20 minutes		Marche 20 minutes	Marche 20 minutes
+	+		+		+	
séance 1	séance 2		séance 1		séance 2	
25 minutes	*25 minutes*		*25 minutes*		*25 minutes*	*20 minutes*

Sujet de réflexion

Comment et pourquoi l'IG des aliments varie-t-il ?

Plus le temps d'assimilation dans l'intestin est long, plus les hausses et les baisses du taux de glucose dans le sang sont lentes et progressives, ce qui est préférable pour la perte de poids. Toutefois, il n'est pas nécessaire de ne consommer que des glucides à IG bas. En effet, il est prouvé scientifiquement que, lorsque vous mangez des glucides à IG bas avec des glucides à IG élevé (par exemple, des lentilles et du riz), l'IG du repas est moyen. Pour maintenir des taux de glucose sanguin et d'insuline bas tout au long de la journée, mangez au moins un glucide à IG bas à chaque repas.

• Qu'est-ce qui détermine la valeur de l'IG d'un aliment ?

La teneur en sucre et en fibres n'a pratiquement pas d'influence sur la vitesse à laquelle les glucides pénètrent dans le sang. En fait, à quantité de glucides égale, les aliments sucrés font moins monter la glycémie que beaucoup d'aliments à base de farine, même complète. Le déterminant principal de l'effet sur la glycémie est la structure de l'amidon. Si les granules dans lesquelles est stocké l'amidon gonflent et éclatent, l'aliment sera très rapidement digéré par l'organisme. En revanche, s'ils restent entiers, l'aliment sera digéré beaucoup plus lentement. Les techniques industrielles de fabrication des denrées ont profondément modifié en un siècle ce que nous mangeons et, en particulier, leur index glycémique. Malheureusement, et sauf indications contraires sur l'emballage, dans le mauvais sens.

• Comment savoir si un aliment a un IG bas ?

La seule manière de connaître l'IG d'un aliment est de le mesurer. La technique est simple... pour des professionnels ! et se pratique dans des laboratoires spécialisés. Des volontaires sains consomment, à deux occasions, aux mêmes heures, d'une part, un aliment testé et, d'autre part, un aliment standard, puis les glycémies sont comparées.

Environ 1 500 aliments ont pu être testés dans le cadre de cette procédure longue et laborieuse. Aujourd'hui encore, aux quatre coins du monde, des chercheurs font chaque jour ce travail méticuleux.

De plus en plus, l'étiquetage fait mention de la valeur de l'index glycémique du produit commercialisé ; ces valeurs sont le plus souvent fiables car engageant la responsabilité du fabricant, sans qu'aucune réglementation contraignante n'existe encore à ce propos. Dans certains pays, un label officiel existe comme, par exemple, celui diffusé en Australie.

LES ÉLÉMENTS AYANT UNE INFLUENCE SUR L'IG D'UN ALIMENT

Les glucides

Une fois encore, seuls les glucides ont un IG. Par conséquent, pour tous les aliments ayant une teneur élevée en glucides, il n'est pas possible de deviner l'index glycémique, il doit être mesuré. Si l'aliment est principalement à base de farine (pain, crêpes ou beignets), la valeur de l'IG a toute chance d'être élevée. En revanche, les amidons de légumineuses (légumes secs) ont un IG bas ou très bas.

Les lipides

Les lipides ont tendance à ralentir la vidange gastrique. Les aliments glucidiques riches en graisses ont généralement un IG bas, ce qui ne veut pas dire que ces produits soient bénéfiques pour la santé.

Exemple : les chips, les frites et le chocolat.

Les protéines

Si un aliment est à la fois riche en glucides et en protéines, l'IG sera probablement bas du fait d'une digestion plus lente et d'une réponse à l'insuline plus élevée.

Exemple : un repas important, une viande et un glucide à index glycémique élevé.

L'acidité

Tout comme les graisses, les produits acides ralentissent la vidange gastrique, et font baisser la valeur de l'IG des glucides avec lesquels ils sont consommés.

Exemple : de la vinaigrette sur une salade mangée avec du pain. Certains glucides sont eux-mêmes acides comme, par exemple, le pain au levain.

Les fibres solubles

Même si vous ne voyez pas les fibres solubles contenues dans un aliment, sachez qu'elles en augmentent la viscosité, ce qui ralentit la digestion des glucides et diminue leur IG.

Exemple : les flocons d'avoine, les fruits...

Les produits non transformés

Moins un produit est transformé, plus sa valeur d'IG est basse. Les céréales complètes dont l'enveloppe autour des grains est intacte ont un IG peu élevé.

Exemple : les légumineuses.

Le sucre

Ce n'est pas parce qu'un aliment est sucré que sa valeur d'IG est élevée. L'IG dépend du type de sucre et autres glucides contenus dans l'aliment. Le sucre de table ou saccharose a un IG moyen.

Semaine 4 Idées de menus

	Petit déjeuner	Collation
LUNDI	Flocons d'avoine et lait écrémé	1 poignée de cacahuètes non décortiquées
MARDI	1/2 pamplemousse 2 œufs à la coque et 1 tartine de pain grillée au levain	1 orange
MERCREDI	Müesli, lamelles de pomme, lait écrémé et 1 yaourt nature	1 poignée d'abricots secs

	Petit déjeuner	**Collation**
JEUDI	Salade de fruits avec 1 yaourt nature saupoudré de fruits à écale et de graines	Du lait aromatisé écrémé
VENDREDI	Flocons d'avoine avec des framboises fraîches ou surgelées 1 yaourt nature	1 yaourt nature aux fruits
SAMEDI	Œufs pochés ou coque 1 tranche de pain complet 1 fruit	1 petite briquette de soupe de légumes
DIMANCHE	1 tartine de pain aux fruits secs avec du fromage frais allégé 1 pomme ou 1 poire	1 fruit

Déjeuner	**Collation**	**Dîner**
1 bol de minestrone et du pain complet avec 1 cuillerée d'huile d'olive	1 poire	Des côtelettes d'agneau dégraissées accompagnées d'une purée de patates douces nappée de tzatziki (concombres à la grecque) Salade de fruits
Des sushis et 1 soupe au miso	1 petite poignée de fruits secs et de fruits à écale	1 filet de saumon grillé avec de la purée de céleris raves et de marrons, brocolis, haricots verts et carottes cuits à la vapeur 1 boule de glace

Déjeuner	Collation	Dîner
1 petite boîte de haricots à la sauce tomate 1 tartine de pain complet grillée	1 tranche de pain multicéréales avec 1 cuillerée à café de beurre ou de Nutella	Blanc de poulet sans la peau cuit 30 minutes nappé de sauce tomate fraîche en coulis, allégée Servir avec du maïs doux, des épinards et des champignons émincés revenus à la poêle 1 yaourt nature aromatisé
1 sandwich frais 1 fruit	1 fruit frais	Du chili con carne avec de la viande de bœuf premier choix et des haricots rouges Servir avec du riz doongara ou basmati cuit à la vapeur et 1 grosse salade verte 1 fruit
1 petit hamburger au pain multicéréales et viande hachée à 5 % de MG 1 fruit	Des bâtonnets de carottes et de céleri	Filet de poisson à chair blanche cuit 20 minutes du vin blanc, du jus de citron, du gingembre haché, de l'ail et de la coriandre Servir avec du riz koshi-hikari et 1 poêlée de légumes
1 soupe aux lentilles avec du pain complet et du fromage allégé	Des fraises nappées de yaourt nature et saupoudrées d'amandes grillées	2 tranches effilées moyennes de filet de porc grillées accompagnées de pâtes à la sauce tomate avec de la salade 1 fruit

Déjeuner	Collation	Dîner
Salade de thon avec de la roquette, des échalotes, des mini-betteraves, des olives, des tomates cerise, 1 concombre et des haricots verts blanchis Assaisonner avec un filet d'huile d'olive et de vinaigre balsamique	1 biscuit au müesli et au miel (voir page 378)	Des brochettes d'agneau marinées dans une sauce piquante puis grillées Servir avec 1 grosse salade composée et quelques petites pommes de terre 1 fruit

SEMAINE 5

Nous avons vu que les aliments à IG bas rassasient plus long-temps. Cette semaine, nous allons découvrir le rôle bénéfique des aliments riches en protéines. Concentrez-vous sur les objectifs ci-dessous :

ALIMENTATION

Mangez un aliment maigre riche en protéines à tous les repas.

EXERCICES PHYSIQUES

Marchez à la même allure que la semaine passée (niveau 4 sur l'échelle PSE), durant 20 minutes, 6 jours sur 7.
En plus, faites les exercices de résistance que nous vous proposons, en vous concentrant sur le haut du corps, puis sur le bas du corps, 3 fois dans la semaine.

ACTIVITÉ

Dès que vous avez le choix entre des escaliers, un ascenseur ou un escalier roulant, choisissez les escaliers, ne serait-ce que pour monter au premier étage. Si vous vous rendez au douzième, montez à pied jusqu'au premier, puis prenez l'ascenseur.

SUJET DE RÉFLEXION

Toute la vérité sur les protéines et le capital santé.

Alimentation

Mangez un aliment maigre riche en protéines à tous les repas.

Sans aucun doute, les aliments qui vous permettent le mieux de contrôler votre poids sont ceux qui ont le plus grand pouvoir de satiété et vous aident à « tenir » entre deux repas sans grignoter. Les aliments riches en protéines ont le plus grand pouvoir de satiété, suivis par les aliments riches en glucides et, en dernier lieu, les aliments riches en lipides. En pratique, consommez un aliment riche en protéines à chaque repas afin de ne pas avoir faim avant l'heure de la collation ou du repas suivant.

S'il y a peu de risques de ne pas manger suffisamment de protéines pour couvrir les besoins de votre organisme, il est possible que, en essayant de limiter votre consommation de lipides pour maigrir, vous ayez également réduit votre apport en protéines, oubliant que ces nutriments rassasient plus que n'importe quel autre. Il serait faux de penser que consommer un sandwich aux crudités ou une soupe aux légumes constitue un repas léger adéquat : la faim se fera bien vite de nouveau sentir, surtout si des glucides à IG élevé ont été consommés (par exemple, du pain à la farine blanche). Il suffit de manger un aliment riche en protéines et un glucide à IG bas en plus du sandwich ou de la soupe pour que votre repas soit plus équilibré et vous rassasie mieux. Par exemple :

- petit déjeuner : lait écrémé, yaourt, œufs, haricots à la sauce tomate, bacon maigre, saumon fumé, sardines, fromage blanc, ricotta, harengs, fruits à écale ;
- collation, déjeuner et dîner : viande maigre, volaille, poisson, fromage maigre, œufs, tofu et légumineuses (haricots ou lentilles).

Exercices physiques

Marchez à la même allure que la semaine passée (niveau 4 sur l'échelle PSE), durant 20 minutes, 6 jours sur 7.
***En plus*, faites les exercices de résistance que nous vous proposons, en vous concentrant sur le haut du corps, puis sur le bas du corps, 3 fois par semaine.**

Exercices de résistance

	Exercices stimulant le bas du corps	**Exercices stimulant la ceinture abdomino-lombaire**
Séance 1		
	Accroupissements : 2 séries de 10 Génuflexions : 10 → jambe droite 10 → jambe gauche Mouvements « Quatre pattes extensions »* 10 de chaque côté	Planche (trois quarts) 2 fois 20 secondes

	Exercices stimulant le haut du corps	**Exercices stimulant la ceinture abdomino-lombaire**
Séance 2		
	Pompes (version simplifiée) : 2 séries de 10 Raffermissement des bras* : 2 séries de 10	Extensions des jambes : 10 de chaque côté

* Voir description ci-après.

Nouvel exercice

Mouvements « Quatre pattes extensions »

Simple mais efficace, cet exercice tonifie les muscles du dos et de la ceinture abdomino–lombaire ainsi que les fessiers de ladite ceinture.

Parties du corps concernées : les muscles du dos, les fessiers et les abdominaux.

Comment procéder :

1. Vous êtes à quatre pattes, les mains à l'aplomb des épaules et les genoux à celui des hanches, le dos bien droit ; vous regardez le sol devant vos mains. Rentrez le ventre.

2. Levez simultanément le bras droit et la jambe gauche à l'horizontale, étirez le plus possible vos doigts vers l'avant et votre pied vers l'arrière. Maintenez la position pendant 4 secondes, ramenez lentement le mouvement à la position de départ.

3. Refaites l'exercice avec le bras gauche et la jambe droite.

Combien de fois exécuter ce mouvement : 10 extensions de chaque côté.

Exemple d'activités pour la semaine

Lundi	Mardi	Mercredi	Jeudi	Vendredi	Samedi	Dimanche
Marche 20 minutes	Marche 20 minutes	Marche 20 minutes	Marche 20 minutes		Marche 20 minutes	Marche 20 minutes
+	+	+	+		+	+
séance 1	séance 2	séance 1	séance 2		séance 1	séance 2
30 minutes	*30 minutes*	*30 minutes*	*30 minutes*		*30 minutes*	*30 minutes*

Sujet de réflexion

Toute la vérité sur les protéines et le capital santé.
Ajouter des protéines à votre alimentation ne peut que vous aider à maigrir et/ou stabiliser votre poids. Les protéines rassasient plus vite que les glucides et les lipides, et permettent de tenir jusqu'au repas suivant. De plus, les protéines augmentent l'efficacité métabolique pendant les trois heures qui suivent le repas. Nous consommons plus d'énergie en une minute lorsque nous mangeons des protéines plutôt que des glucides ou des lipides. Les aliments riches en protéines contiennent des nutriments indispensables au bon fonctionnement de l'organisme, notamment du fer, du zinc, de la vitamine B12 et des acides gras essentiels oméga 3.

Quels sont les aliments riches en protéines ?
Les aliments les plus riches en protéines sont la viande (bœuf, porc, agneau et poulet), le poisson et les crustacés. Vous pouvez en consommer autant que vous le désirez, à condition d'enlever la graisse et de ne pas les napper d'une sauce riche en matières grasses. Lorsque vous mangez des protéines maigres, au bout d'un moment, votre estomac dit « stop ». Soyez à l'écoute de votre corps, et tout ira bien. Achetez les produits les plus maigres qui soient, enlevez toutes les graisses visibles (par exemple, la couenne), et choisissez un mode de cuisson sans matières grasses : poêle, gril, four ou barbecue.
Les produits laitiers allégés, demi-écrémés ou écrémés sont à préférer du fait de leur teneur en protéines et en calcium – l'association protéines et calcium, qui fait la particularité des produits laitiers, favorise la perte et/ou la stabilisation du poids. Plus vous avez un apport en calcium élevé ou plus vous mangez de produits laitiers (séparer les deux est difficile), moins vous avez de kilos superflus, et plus votre masse graisseuse est basse. En effet, le calcium favorise l'élimination des graisses – et c'est ce que nous recherchons ! Privilégiez les produits écrémés ou maigres, qu'il s'agisse du lait, des yaourts

ou du fromage blanc. Si nous vous recommandons de limiter votre consommation de produits laitiers particulièrement riches en matières grasses, cheddar, feta, camembert et brie par exemple, il n'est pas question de les supprimer complètement. Mieux vaut manger une petite portion de fromage de qualité qu'une énorme quantité d'un fromage à 20 % de MG.

Les fruits à écale sont également sources de protéines et de micronutriments. Toutefois, du fait de leur densité énergétique élevée – beaucoup de calories dans une petite portion –, n'en abusez pas. Ils sont riches en bonnes graisses. Les personnes qui les consomment quotidiennement en petite quantité protègent ainsi leur système cardio-vasculaire. Nous vous conseillons d'en consommer une trentaine de grammes plusieurs fois par semaine. Pour limiter votre consommation, mettez-en une petite poignée dans une coupelle, et évitez de vous servir à même le paquet.

C'est bien à tort que les œufs sont déconseillés dans certains régimes du fait de leur teneur élevée en cholestérol. En effet, ils sont riches en protéines et contiennent plusieurs vitamines, minéraux et oligoéléments essentiels au bon fonctionnement de l'organisme. Par ailleurs, nous savons aujourd'hui qu'un taux élevé de cholestérol dans le sang est davantage dû à une consommation excessive en aliments riches en graisses saturées plutôt qu'en cholestérol. Achetez des œufs « enrichis en oméga 3 », afin d'augmenter l'apport en bonnes graisses et en protéines.

Peut-on consommer trop de protéines ?

Selon l'Institut américain de médecine (AIM), l'apport en protéines ne doit pas être supérieur à 35 % de l'apport énergétique total, ce qui correspond à 175 g de protéines pures pour une personne consommant 2 000 calories par jour. En pratique, rares sont les individus qui ont un apport supérieur.

On a longtemps cru que les aliments ayant une teneur élevée en protéines étaient, par définition, très riches en graisses saturées, ce qui est entièrement faux si vous consommez de la viande dégraissée et des produits laitiers écrémés ou maigres. Un apport élevé en protéines peut être dangereux pour les individus souffrant d'un dysfonctionnement rénal, notamment les sujets diabétiques, les personnes très âgées et les jeunes enfants.

Semaine 5 Idées de menus

	Petit déjeuner	Collation
LUNDI	Du müesli avec des fruits 1 yaourt nature	Nutella sur 1 cracker à la farine
MARDI	1 tartine de pain complet grillée avec 5 g de margarine anticholestérol 1/2 tranche de jambon 1 clémentine	1 pomme
MERCREDI	1 tasse de lait chaud ou froid légèrement chocolatée 2 galettes croustillantes aux graines de sésame	1 poignée de fruits secs
JEUDI	1 tranche de pain de seigle 1 cuillerée de miel 1 banane	1 yaourt nature
VENDREDI	Salade de fruits frais 1 yaourt nature 30 g de fruits à écale	1 tartine de pain aux raisins secs avec de la margarine
SAMEDI	Des haricots à la sauce tomate 1 œuf brouillé 1 tartine de pain à IG bas	1 poignée d'abricots

	Petit déjeuner	Collation
DIMANCHE	1 œuf coque 1 petite portion de fromage blanc à 20 % de MG 1 tartine de pain complet grillée	1 fruit

Déjeuner	Collation	Dîner
2 galettes 1 carotte râpée Fromage 1 pomme	1 mousse au chocolat allégée	Pâtes avec 1 yaourt au soja et du parmesan râpé 1 fruit
1 hamburger avec de la salade verte, 1 tomate, 1 ou 2 rondelles de betterave, 1 oignon	1 yaourt nature	Blancs de poulet farcis aux épinards et au fromage (voir page 366) avec 1 purée de patates douces 1 fruit
1 filet de poisson grillé 1 poêlée de légumes et du taboulé 1 yaourt aromatisé	1 poignée d'abricots secs	Du riz doongara pilaf fait maison 1 tranche de jambon blanc 1 salade verte 1 fruit
1 sandwich : pain complet, jambon et crudités	1 poire	Des spaghettis à la bolognaise. Compter par personne environ 120 g de bœuf maigre et 1 portion de spaghettis. Servir avec une grosse salade verte assaisonnée avec de la vinaigrette ou du vinaigre balsamique

Déjeuner	Collation	Dîner
Salade composée : pois chiches en conserve, champignons et oignon rouge émincés, 1 poivron, du persil, de la menthe et de la vinaigrette	1 pomme	Des filets de poisson poêlés à l'huile d'olive (2-3 minutes) Servir avec du jus de citron, du poivre noir, des petites pommes de terre nouvelles, des brocolis, des carottes et des pointes d'asperges cuits à la vapeur
De la bruschetta avec 1 tomate 1 cornet de glace au yaourt	1 pomme	Des nouilles thaïlandaises à préparation rapide au curry Faire revenir du tofu et 1 oignon coupés en morceaux, 1 poivron rouge coupé en lanières, 1 mini-maïs et des pois d'hiver (ou tout autre légume de votre choix) dans un wok ou une grande casserole Ajouter 1 cuillerée à soupe de curry rouge Faire cuire les nouilles en suivant les instructions du fabricant Égoutter les nouilles et garder du jus de cuisson pour la sauce Verser les nouilles cuites sur les légumes Agrémenter de gingembre frais ou de citronnelle râpé Faites chauffer et servir

Déjeuner	Collation	Dîner
Du minestrone et 1 petit pain rond à la farine complète	Mélange de fruits frais et de fruits à écale	1 steak grillé, du maïs doux, 1 tomate, des champignons 1 salade composée

SEMAINE 6

Cette semaine, débarrassez-vous de votre *a priori* sur les graisses et apprenez à faire la différence entre les bonnes et les mauvaises graisses. Concentrez-vous sur les objectifs suivants :

ALIMENTATION

Un bon régime n'est pas un régime « pauvre en graisses ».

EXERCICES PHYSIQUES

Marchez à la même allure que la semaine passée (niveau 4 sur l'échelle PSE), durant 20 minutes, 6 jours sur 7.
En plus, faites les exercices de résistance que nous vous proposons en vous concentrant sur le haut du corps, puis sur le bas du corps, 3 fois dans la semaine.

ACTIVITÉ

Dès que vous passez une heure assis(e) sur une chaise ou dans un fauteuil, levez-vous et faites des mouvements durant 5 minutes : étirez-vous, marchez jusqu'à l'imprimante, étendez le linge, faites une tâche ménagère ou rangez votre bureau.

Alimentation

Un bon régime n'est pas un régime « pauvre en graisses ».

Cette semaine, faites le point sur les graisses que vous consommez au quotidien. Cela ne veut pas dire que vous n'allez plus manger de graisses, mais que vous devez trouver un équilibre entre les bonnes et les mauvaises graisses. En incluant dans votre alimentation des graisses saines, vous apportez de la saveur à vos plats (les graisses donnent du goût), et vous bénéficiez des bienfaits à long terme des vitamines et des antioxydants liposolubles sur l'organisme. Vous trouverez ci-après quelques conseils que nous vous recommandons vivement de suivre.

Mangez moins de graisses saturées

Lorsque vous consommez moins de graisses, vous diminuez la densité énergétique de votre alimentation et, par conséquent, vous perdez du poids. Mais attention ! Votre priorité doit être de réduire votre consommation de graisses saturées. Celles-ci doivent être inférieures à 10 % de l'apport calorique quotidien, ce qui correspond à moins de 16 grammes de graisses saturées pour une personne consommant environ 1 500 calories par jour (voir tableau page 185).

Augmentez l'apport en oméga 3

Ces acides gras essentiels contenus dans les poissons et fruits de mer ont un effet bénéfique sur le système cardio-vasculaire et le taux de triglycérides circulants, outre d'autres bénéfices potentiels qui restent à confirmer. L'alimentation occidentale traditionnelle est, malheureusement, trop pauvre en acides gras poly-insaturés oméga 3. Un adulte devrait consommer en moyenne 650 milligrammes d'oméga 3 par jour, ce qui corres-pond à :

- 40 g de sardines en boîte ;
- 30 g de maquereaux en boîte ;
- 40 g de saumon fumé ;
- 110 g de saumon frais ;
- 180 g de thon en boîte ;
- 4 œufs enrichis en oméga 3.

Remplacez les mauvaises graisses par des bonnes graisses

- Remplacer les graisses saturées par des graisses mono-insatu-rées diminue le taux de « mauvais » cholestérol et augmente le taux de « bon » cholestérol. Pour ce faire :
- remplacez le beurre par des margarines et des pâtes à tartiner riches en oméga 3 ;
- ne cuisinez pas au beurre mais à l'huile d'olive ;
- achetez de l'huile d'olive pressée à froid, qui contient des antioxydants dont sont dépourvues les huiles raffinées ;
- vérifiez que les produits prêts à consommer que vous ache-tez contiennent de l'huile d'olive pressée à froid et non des lipides d'origine animale ou des huiles végétales raffinées ;
- remplacez le lait entier par du lait écrémé (ou du lait de soja) ;
- au lieu de manger des chips ou des crackers, riches en graisses saturées, prenez une poignée de fruits à écale.

Teneur en graisses saturées d'aliments couramment consommés (en grammes par portion)

1 pilon de poulet avec la peau	4 g
30 g de fromage frais	4 g
1 petite saucisse	4 g
30 g de chocolat au lait	5 g
30 g de chocolat noir	5 g
1 cuillerée à soupe de crème fraîche	6 g
1 côte première d'agneau grillée	6 g
250 ml de lait entier	6 g
100 g de gâteau au chocolat glacé et fourré	6 g
2 fines tranches de salami	6 g
40 g de cheddar	7 g
50 g de chips	7 g
1 hamburger de grosseur moyenne	7 g
3 sablés	7 g
1 cuillerée à soupe de beurre	10 g
1 croissant	10 g
1 beignet à la cannelle et au sucre	10 g
1 pâté en croûte	10 g
1 grosse part (120 g) de gâteau au fromage	12 g
1 petit friand	17 g
1 part moyenne de poulet frit prêt à emporter	25 g

Exercices physiques

**Marchez à la même allure que la semaine passée
(niveau 4 sur l'échelle PSE), durant 20 minutes,
6 jours sur 7. *En plus*, faites les exercices de résistance
que nous vous proposons en vous concentrant sur
le haut du corps, puis sur le bas du corps 3 fois par
semaine.**
Cette semaine, refaites les exercices de la semaine passée mais,
cette fois, sans marquer une pause entre 2 séries.

Exercices de résistance

	Exercices stimulant le bas du corps	**Exercices stimulant la ceinture abdomino-lombaire**
Séance 1		
	Accroupissements : 1 série de 20 Génuflexions : 10 → jambe droite 10 → jambe gauche	Planche (trois quarts) : 2 fois 30 secondes Mouvements « Quatre pattes extensions » : 10 de chaque côté

	Exercices stimulant le haut du corps	**Exercices stimulant la ceinture abdomino-lombaire**
Séance 2		
	Pompes (version simplifiée) : 1 série de 20 Raffermissement des bras : 1 série de 20	Extensions des jambes : 10 de chaque côté Travail des abdominaux* : 1 série de 20

* Voir description ci-après.

Nouvel exercice

Travail des abdominaux

Maintenant que vous avez pratiqué régulièrement des exercices pour tonifier les abdominaux profonds, qui soutiennent le bas du dos et contribuent à un bon maintien, il est temps de renforcer les abdominaux que vous utilisez pour passer de la position couchée à la position assise, ou pour pencher le buste en avant.

Il est toutefois primordial de continuer à faire travailler les muscles de la ceinture abdomino-lombaire, afin qu'ils se développent simultanément. Le travail des abdominaux que vous pratiquiez à l'école (passer de la position couchée à la position assise après avoir glissé les pieds sous une barre) est déconseillé car ce sont plutôt les muscles fléchisseurs des hanches qui sont sollicités que purement les abdominaux.

Parties du corps concernées : les 3 groupes de muscles abdominaux, droits et gauches.
Comment procéder :
1. Vous êtes allongé(e) à plat dos sur le sol, les genoux fléchis et les pieds à plat.
2. Appuyez légèrement le bout des doigts derrière les oreilles, les bras et les coudes dans le plan du dos.
3. Rentrez le ventre.
Ce que vous devez garder à l'esprit :
• le creux des reins est collé au sol ;
• élevez le buste à 45° sans ramener les coudes vers l'avant ni tirer sur la nuque ; ne ramenez pas le menton sur la poitrine, regardez devant vous à 45° environ, par exemple à l'endroit de jonction du mur et du plafond, en gardant le dos bien droit, puis revenez à la position initiale.
Combien de fois exécuter ce mouvement : 20 fois.
Remarque : si vous n'exécutez pas correctement l'exercice ci-dessus, vous risquez de ressentir des tensions dans le dos et la nuque.

Exemple d'activités pour la semaine

Lundi	Mardi	Mercredi	Jeudi	Vendredi	Samedi	Dimanche
Marche 20 minutes	Marche 20 minutes	Marche 20 minutes	Marche 20 minutes		Marche 20 minutes	Marche 20 minutes
+	+	+	+			+
séance 1	séance 2	séance 1	séance 2			séance 1
30 minutes	*30 minutes*	*30 minutes*	*30 minutes*		*20 minutes*	*30 minutes*

Sujet de réflexion

Les graisses : la question de la quantité et de la qualité.
Pour la majorité des individus, qui dit alimentation « pauvre en graisses » dit alimentation « saine » et « perte de poids ». Malheureusement, ce n'est pas aussi simple ! Cela était peut-être vrai autrefois, lorsque l'alimentation reposait principalement sur les fruits, les légumes, les aliments non transformés et les céréales complètes, mais ça ne l'est plus aujourd'hui. Depuis les années 1990, on sait que :

• les graisses saturées augmentent les risques de développer une maladie cardio-vasculaire ;

• on arrive rapidement à une surconsommation d'aliments riches en graisses du fait qu'ils ont souvent bon goût (confiseries, barres chocolatées, etc.), alors qu'ils ont une forte densité énergétique.

Cela reste vrai de nos jours. Pourtant, il ne s'agit pas là des seules considérations à prendre en compte. En effet, pendant des années, de nombreux produits allégés en graisses ont été commercialisés, avec une teneur totale en lipides certes diminuée, au détriment des graisses recommandables, mais au profit des graisses saturées, dont la quantité finale restait donc inchangée. On comprend, dans ces conditions, que, malgré la diffusion de ces produits, ni l'obésité ni les maladies métaboliques comme le diabète n'ont diminué.

Ce qui compte pour une alimentation saine, c'est autant et peut-être plus la nature des graisses consommées que leur quantité. En outre, la densité énergétique d'un aliment (le nombre de calories par gramme) est plus importante que la teneur en graisses lorsqu'il s'agit de maigrir et/ou de stabiliser son poids.

De plus, pour être en bonne santé, la plupart des individus doivent consommer plus de graisses (eh oui ! vous lisez bien), en particulier les acides gras oméga 3 présents dans le poisson, les crustacés, les noix et certaines huiles végétales. Consommer davantage d'oméga 3 et de graisses mono-insaturées (par exemple, de l'huile d'olive) diminue considérablement les risques de maladies cardio-vasculaires. L'une des études les plus importantes réalisées dans le domaine de la nutrition, celle de l'équipe lyonnaise dirigée par Serge Renaud, a démontré qu'un régime alimentaire riche en poisson, fruits, légumes et bonnes graisses diminuait deux fois plus les risques de développer une maladie cardio-vasculaire que celui préconisé par l'Association américaine de cardiologie (AHA) ou par la prescription de médicaments coûteux.

Autre raison d'augmenter votre consommation de graisses mono-insaturées aux dépens des graisses saturées : toutes les graisses ont le même nombre de calories par gramme, mais elles n'ont pas toutes la même incidence sur le poids. Même si nous ne pouvons pas encore vraiment l'expliquer, nous avons observé que les régimes alimentaires riches en poissons gras et en huile d'olive font beaucoup moins grossir que les autres types d'alimentation. Par ailleurs, les personnes ayant un apport élevé en acides gras oméga 3 ont un risque diminué de rhumatismes, psoriasis, colite ulcéreuse, dépression et cancers. Nous vous recommandons vivement de consommer ces bonnes graisses sous leur forme naturelle plutôt que sous la forme de pilules ou exclusivement d'huiles. En effet, les olives, par exemple, contiennent plus de nutriments que l'huile d'olive.

Où trouver les bonnes graisses ?

• dans les poissons gras : saumon, thon, harengs et sardines – frais ou en conserve ;

- dans les crustacés ;
- dans les noix, les amandes et les noix de cajou − de préférence sans sel ajouté ;
- dans l'avocat − à utiliser en purée sur du pain complet à la place du beurre ou de la margarine ;
- dans les olives − entières ou sous la forme de tapenade − que vous ajoutez à vos sauces, semoule et salades ;
- dans le müesli. Mélangez des graines de tournesol et de courge avec des amandes ou des noisettes pilées.

Un régime pauvre en graisses n'est pas synonyme de perte de poids et de régime santé.
Ce n'est pas parce qu'un aliment est « allégé »
ou « minceur » que vous pouvez en manger
plus que de raison.
Manger moins de graisses saturées et plus de graisses
mono-insaturées et d'acides gras essentiels oméga 3
est la meilleure solution pour protéger, à long terme,
son capital santé.

Semaine 6 Idées de menus

	Petit déjeuner	**Collation**
LUNDI	Des quartiers d'orange et pamplemousse avec des pruneaux 1 yaourt aromatisé au miel et saupoudré d'amandes effilées grillées	1 tartine de pain aux raisins secs grillée
MARDI	1 tartine de pain de seigle avec margarine anticholestérol 1 œuf à la coque et 1 café au lait demi-écrémé	1 banane

	Petit déjeuner	**Collation**
MERCREDI	Du müesli avec 1 poire coupée en lamelles, du lait écrémé saupoudré d'amandes et noisettes concassées	1 petit verre de jus de légumes et crackers à la farine complète
JEUDI	1 yaourt aromatisé à la vanille 2 galettes croustillantes aux graines de sésame 1/2 tranche de jambon	1 chocolat chaud (lait écrémé)
VENDREDI	1 tranche de pain aux céréales grillée 100 grammes de fromage blanc et 1 fruit	1 yaourt nature
SAMEDI	Des céréales riches en fibres et à IG bas avec du lait écrémé et des pêches au sirop coupées en morceaux	Des biscuits aux fruits secs
DIMANCHE	1 œuf coque, 2 galettes croustillantes riches en fibres, 1 compote de pommes	1 banane

Déjeuner	**Collation**	**Dîner**
De la soupe miso avec des sushis	1 pomme	Du bœuf avec de l'ail, 1 oignon, 1 poivron, 1 carotte, 1 courgette et des pois d'hiver nappés de sauce pimentée. Servir avec du riz doongara

Déjeuner	Collation	Dîner
Du poulet et du chou blanc sur 1 petit pain rond aux céréales Salade de fruits frais au sirop	1 chocolat au lait chaud (lait écrémé)	Du pesto ou du concentré de tomate sur du pain pita avec des rondelles de tomates, des champignons, 1 poivron grillé, des olives noires, de la ciboulette hachée et 1 pincée de parmesan Faire chauffer à four chaud
1 sandwich au pain complet avec du saumon et de la salade verte	2 kiwis	Du bœuf strogonoff avec des champignons à la crème (crème allégée), des pâtes fettucine, des brocolis et du chou-fleur cuits à la vapeur
Du jambon dégraissé 1 tranche d'ananas Du fromage allégé râpé sur 1 muffin multicéréales	1 orange	Du poisson cuit au four avec 1 julienne (pomme de terre, carottes et courgette)
1 minestrone avec 1 petit pain rond croustillant à la farine blanche	1 pomme	1 fine côte de porc poêlée avec des épinards, des mini-rondelles d'oignon rouge et des pommes de terre nouvelles cuites à la vapeur (coupées en 2 ou en 4)
Des macaronis au fromage (du lait écrémé et du fromage allégé) mélangés avec des légumes surgelés	1 barre chocolatée (25-30 g)	Du gigot d'agneau rôti avec 1 petite pomme de terre, 1 patate douce et du potiron grillés avec des haricots et des pois cuits à la vapeur

SEMAINE 7

Cette semaine, concentrez-vous sur les objectifs suivants :

ALIMENTATION

Le point sur les boissons que vous consommez.

EXERCICES PHYSIQUES

Marchez à la même allure que la semaine passée (niveau 4 sur l'échelle PSE), durant 25 minutes, 6 jours sur 7.
En plus, faites les exercices de résistance que nous vous proposons, en vous concentrant sur le haut du corps, puis sur le bas du corps, 3 fois dans la semaine.

ACTIVITÉ

Ne regardez pas la télévision plus de 2 heures par jour et 1 fois par semaine, mieux, ne la regardez pas du tout.

SUJET DE RÉFLEXION

Les céréales complètes – tout ce que vous devez savoir.

Alimentation

Le point sur les boissons que vous consommez.

Savez-vous que, lorsque vous essayez de perdre du poids, vous devez boire plus qu'à l'accoutumée ? En effet, une grande partie de l'apport en liquide provient de l'alimentation. Aussi, moins vous mangez, moins cet apport est important. Par ailleurs, le liquide permet d'éliminer les toxines libérées dans l'organisme. Toutefois, ce que vous buvez a une influence positive ou négative sur la perte de poids.

Si l'on s'en tient à l'apport calorique, nombre de boissons doivent être considérées comme des aliments à part entière. Commander un jus de fruits dans un café peut paraître raisonnable. Or, 1 verre de jus d'orange équivaut en calories à 10 oranges. Boire un grand verre d'une boisson gazeuse revient à avaler 15 cuillerées à café de sucre en une seule fois, alors qu'une tasse de café avec du lait entier fournit 10 g de lipides. Vous comprenez maintenant que les calories ont tôt fait de s'additionner, sans pour cela que vous ayez la sensation d'être rassasié(e).

Parmi toutes les boissons, l'alcool est celle qui fait le plus grossir – non seulement du fait de son apport calorique, mais aussi parce que cette boisson est utilisée en priorité comme source d'énergie par l'organisme. En un mot, tant qu'il y a de l'alcool dans l'organisme, celui-ci n'utilise rien d'autre, et tous les autres nutriments deviennent superflus. Par ailleurs, il suffit de boire une canette de bière pour reprendre le nombre de calories brûlées lorsque vous marchez à vive allure durant 20 minutes.

La meilleure des boissons qui soit est incontestablement l'eau. L'eau gazeuse, l'eau minérale pauvre en sodium, les infusions et les boissons décaféinées sont également à privilégier. Les boissons diététiques sont une bonne option – si elles ne contiennent pratiquement pas de calories, elles sont très acides (ce qui peut parfois fragiliser l'émail des dents). De plus, sachez que la teneur en caféine de ces boissons peut être très élevée.

Lorsque vous essayez de perdre du poids, réservez l'alcool pour les grandes occasions. S'il est agréable de boire un verre, l'alcool ne fournit à l'organisme aucun nutriment essentiel et il est extrêmement calorique. Limitez votre consommation autant que possible. Si vous essayez de stabiliser votre poids, ne buvez pas plus de 2 verres par jour si vous êtes un homme, et pas plus de 1 verre par jour si vous êtes une femme.

On entend par 1 verre :

- 10 cl de vin ;
- 28 cl de bière ;
- 3 cl d'un alcool fort ;
- 6 cl d'une boisson liquoreuse (sherry, porto, etc.).

Le saviez-vous ?

L'organisme réagit différemment selon que vous buvez ou mangez. Il est prouvé que le sucre contenu dans les boissons, notamment les boissons gazeuses et les jus de fruits, échappe aux signaux du système nerveux central. Lorsque nous mâchons, des signaux parviennent au cerveau afin de le prévenir que de la nourriture a été absorbée, et la sensation de faim disparaît avant même que les aliments parviennent dans l'estomac. Lorsque nous buvons, ces signaux ne sont pas émis et la sensation de faim n'est pas estompée, ce qui nous pousse à boire plus que nécessaire.

Exercices physiques

Marchez à la même allure que la semaine passée (niveau 4 sur l'échelle PSE), durant 25 minutes, 6 jours sur 7. *En plus*, faites les exercices de résistance que nous vous proposons, en vous concentrant sur le haut du corps, puis sur le bas du corps 3 fois dans la semaine.

Exercices de résistance

	Exercices stimulant le bas du corps	Exercices stimulant la ceinture abdomino-lombaire
Séance 1		
	Accroupissements : 1 série de 20 Génuflexions : 10 → jambe droite 10 → jambe gauche	Planche (trois quarts) : 2 fois 30 secondes Mouvements « Quatre pattes extensions » : 10 de chaque côté
Séance 2		
	Exercices stimulant le haut du corps	**Exercices stimulant la ceinture abdomino-lombaire**
	Pompes (version simplifiée) : 1 série de 20 Raffermissement des bras : 1 série de 20 Travail des biceps avec haltères* : 1 série de 20	Extension des jambes : 10 de chaque côté Travail des abdominaux : 1 série de 20

* Voir description, ci-dessous.

Nouvel exercice
Travail des biceps avec haltères

Lorsque vous sollicitez un muscle ou un groupe de muscles, vous devez toujours essayer de faire travailler le muscle ou le groupe de muscles opposé, afin que tous soient également toniques et que toutes les jointures soient aussi souples. Cela permet, d'une part, d'avoir un maintien correct et, d'autre part, d'éviter les blessures.

La semaine dernière, vous avez appris à solliciter la face postérieure des bras (les triceps). Cette semaine, vous allez apprendre à en faire travailler la face antérieure (les biceps). Pour ce faire, le travail des biceps avec haltères est l'exercice le plus simple et le plus efficace.

Parties du corps concernées : la face antérieure des bras.
Comment procéder :
1. Vous êtes debout, les bras le long du corps, avec un haltère ou une boîte de conserve dans chaque main. Les paumes sont tournées vers l'avant.
2. Vous êtes parfaitement en appui sur vos deux jambes, le dos est droit et la poitrine est ouverte.
3. Pliez les avant-bras afin d'amener les haltères à la hauteur des épaules. Les coudes restent collés à la cage thoracique. Enfin, revenez lentement à la position initiale.
Combien : effectuez 1 série de 20.

Exemple d'activités pour la semaine

Lundi	Mardi	Mercredi	Jeudi	Vendredi	Samedi	Dimanche
Marche 25 minutes	Marche 25 minutes	Marche 25 minutes	Marche 25 minutes		Marche 25 minutes	Marche 25 minutes
+	+	+	+		+	+
séance 1	séance 2	séance 1	séance 2		séance 1	séance 2
35 minutes	*35 minutes*	*35 minutes*	*35 minutes*		*35 minutes*	*35 minutes*

Le travail des biceps avec haltères est l'exercice
le plus simple et le plus efficace qui soit
pour tonifier ces muscles.

Sujet de réflexion

Les céréales complètes – tout ce que vous devez savoir.

S'il est prouvé que les céréales complètes et les fibres contenues dans les céréales sont bénéfiques à l'organisme, il existe
une multitude d'aliments relativement pauvres en fibres, mais
cependant riches en nutriments (par exemple, les oranges, les
produits laitiers, le poisson et la viande maigre). L'expérience
montre que rares sont les personnes prêtes à consommer des
céréales sous leur forme « naturelle ». En effet, les produits non
raffinés, comme le pain et les pâtes alimentaires à la farine
complète ou le riz brun ne sont pas au goût du jour.

Avant l'avènement de l'agriculture, soit jusqu'à très récemment à l'échelle de l'humanité, les hommes mangeaient peu
de céréales. Peu à peu, grâce aux progrès dans les domaines
agricole et industriel, les « petits morceaux brunâtres » ont été
retirés, rendant les produits finis plus agréables au goût – probablement trop goûteux, d'ailleurs, pour notre bonne santé.

Cela dit, les bienfaits des fibres – notamment si vous vous
battez contre les kilos superflus – sont incontestables. Une
étude portant sur près de 3 000 jeunes adultes a montré que
les personnes consommant plus de fibres, soit 25 grammes par
jour, prenaient moins de poids au fil des ans que celles ayant
un apport inférieur à 10 grammes par jour. De plus, l'apport
en fibres permettait de mieux contrôler la prise de poids que
l'apport en graisses (le suspect n° 1). Pourquoi ? Il y a plusieurs
raisons.

1. Il faut plus de temps pour manger des aliments riches en
fibres ceux-ci étant, par ailleurs, plus lourds et remplissant
davantage l'estomac que les aliments pauvres en fibres. Les
aliments riches en fibres rassasient plus rapidement. Pour
preuve, vous avez plus vite la sensation d'avoir l'estomac plein
après avoir mangé du pain complet que du pain à la farine
blanche.

2. Les céréales complètes et les fibres rendent l'organisme plus sensible à l'action de l'insuline et font baisser son taux. L'organisme puise alors dans les réserves de graisses – ce qui est primordial si vous voulez maigrir.

Une multitude d'autres raisons doit vous encourager à consommer des céréales complètes, si vous appréciez ces produits. Les personnes ayant un apport en fibres élevé – notamment en fibres provenant de céréales complètes – auraient moins de risques de développer un cancer du gros intestin, du sein, de l'estomac ou de la bouche. Comment expliquer cette relation ? Selon une étude récente, un taux d'insuline élevé accroîtrait la multiplication des cellules en mutation, entraînant la prolifération des cellules tumorales et cancéreuses. De plus, les fibres favoriseraient l'élimination des cellules cancérigènes, notamment par les selles.

Les substances les plus bénéfiques à l'organisme qui se trouvent juste sous l'enveloppe des céréales disparaissent avec les fibres lorsque les grains sont écrasés. Les vitamines, les minéraux, les oligoéléments, les antioxydants et autres nutriments, présents dans les céréales complètes, sont perdus. Or, la plupart de ces substances ne se retrouvent pas dans les compléments nutritionnels. Toutefois, toutes les céréales n'ont pas les mêmes propriétés. Certains blés sont meilleurs que d'autres. Lorsque les blés durs, comme le blé durum, sont écrasés pour donner de la farine ou de la semoule (utilisée pour la fabrication des pâtes alimentaires), il est plus facile de séparer le son. C'est pourquoi les produits finis sont plus riches en micronutriments.

Si vous ne devez retenir qu'un message, que ce soit celui-ci : consommez le moins possible de produits raffinés qui font grimper fortement et rapidement le taux de glucose sanguin et favorisent les grignotages entre les repas. Pour preuve, observez ce qui se passe lorsque vous mangez du pain à la farine blanche, des en-cas ou des biscuits pauvres en graisses mais aussi tous les pains complets (dont vous ne voyez pas les graines) et le riz brun de fabrication industrielle. Tous ces aliments sont rapidement digérés et absorbés par l'organisme, et la faim ne tarde pas à se faire ressentir. Nous vous recommandons vivement de remplacer ces produits à IG élevé par des aliments à IG bas, qui sont digérés et absorbés plus lentement par l'organisme, et ce, quelle que soit leur teneur en fibres. Les pâtes alimentaires, les nouilles asiatiques, certains riz et le pain au levain sont des aliments à IG bas, agréables au goût, que vous devez privilégier. Même si la teneur en fibres est faible, une partie de l'amidon se digère lentement, ce qui protège le gros intestin aussi bien que le feraient les fibres alimentaires. Si vous aimez les produits riches en fibres, ne vous en privez pas !

Si l'étiquette sur un aliment indique que sa teneur en fibres est supérieure ou égale à 3 grammes par portion, ce n'est pas si mal. Les professionnels de la santé publique recommandent un apport quotidien d'environ 30 grammes. N'augmentez que progressivement votre consommation de fibres, afin de ne pas perturber la flore intestinale.

Aliments à IG bas riches en fibres
(nombre de grammes dans une portion)

1 tranche de pain aux céréales (grains visibles)	2 g
125 g de flocons d'avoine	2 g
1 pomme de grosseur moyenne non épluchée	3 g
60 g d'orge cuite	3 g
100 g de maïs en conserve	3 g
60 g de lentilles cuites	3 g
5 pruneaux	3 g
1 patate douce de 120 g cuite à l'eau	3 g
1 tranche de 50 g de pain pumpernickel	4 g
6 oreillons d'abricots secs	5 g
80 g de pois cuits	5 g
60 g de All-Bran®	10 g
80 g de pois chiches cuits	10 g

Semaine 7 Idées de menus

	Petit déjeuner	**Collation**
LUNDI	De la ricotta fraîche et des myrtilles en conserve sur 1 tranche de pain complet	1 banane
MARDI	Petit déjeuner sur le pouce (voir page 346)	1 café au lait (lait écrémé)
MERCREDI	Des céréales à IG bas et riches en fibres avec du lait écrémé et des rondelles de banane	Des clémentines
JEUDI	Du müesli grillé pauvre en graisses avec 1 yaourt Des fruits au sirop	1 pomme
VENDREDI	Du fromage allégé sur 1 tranche de pain aux fruits secs avec des lamelles de pomme et 1 pincée de cannelle	1 poire
SAMEDI	1 omelette aux champignons, au fromage et aux épinards avec 1 tartine de pain grillé et 1 verre de jus de fruits	1 pomme
DIMANCHE	Galette croustillante au sésame ou flocons d'avoine et petite cuillerée de miel, du lait écrémé	1 banane coupée en morceaux

Déjeuner	Collation	Dîner
Des pâtes en salade avec du jambon dégraissé, du maïs, 1 poivron, des échalotes, de la mayonnaise et de la salade verte	1 yaourt nature	Du bœuf maigre poêlé avec du gingembre râpé et de l'ail écrasé. Ajouter des pois d'hiver, des brocolis, de la ciboulette hachée, du chou chinois coupé en morceaux et un piment haché finement. Mélanger avec la sauce soja. Verser sur la viande et les légumes et servir avec du riz doongara
Des nouilles asiatiques avec des légumes, quelques coques et moules au jus	Des pêches au sirop	1 blanc de poulet poêlé avec une sauce aux champignons (remplacer la crème par du lait en poudre), des haricots blancs en conserve, des carottes et des haricots verts
Du poulet, 1 avocat et de la salade sur 1 tranche de pain complet	1 yaourt nature aux fruits	Faire cuire à l'eau un paquet de tortellini aux épinards et au fromage (ou autre variété) en respectant les instructions du fabricant. Faire chauffer de la sauce tomate en conserve. Napper les pâtes et saupoudrer de parmesan. Servir avec 1 grosse salade composée et de la vinaigrette

Déjeuner	Collation	Dîner
Des crackers au pain complet, des rondelles de tomates, du céleri, des sardines et du fromage blanc	Des bâtonnets de carotte avec de l'houmous	Des légumes à la provençale avec des côtelettes d'agneau dégraissées
Soupe de potiron avec des croûtons de pain complet grillé 1 yaourt nature	Mousse à l'orange et au fruit de la passion (voir page 383)	Dans des tacos, mettre 2 à 3 cuillerées à soupe de haricots mexicains, de la chiffonnade de salade verte, du fromage allégé râpé et 1 à 2 cuillerées de crème allégée
1 steak grillé entre 2 tranches de pain complet multicéréales avec de la salade verte, 1 betterave, 1 carotte râpée, 1 tomate et de la moutarde	1 banane	Du poisson cuit au four avec 1 patate douce au romarin Couper la patate douce en morceaux Les enduire d'un peu d'huile d'olive Saupoudrer de romarin Laisser cuire au four 20 minutes à 180° Envelopper le poisson dans du papier d'aluminium avec 1 ou 2 rondelles de citron Poivrer et laisser cuire au four 10 à 15 minutes
Des sardines ou 1 truite fumée, du pain au levain et 1 salade verte assaisonnée avec du citron et un filet de vinaigre	1 banane cuite avec 1 fruit de la passion	Gratin au jambon et aux légumes (voir page 353) Servir avec 1 salade composée

SEMAINE 8

Pour nombre d'entre nous, les aliments sont répartis en deux catégories : les « bons » et les « mauvais », les aliments « qui font plaisir » entrant dans la seconde catégorie. Or, le fait de se faire plaisir en mangeant ou en buvant un produit que l'on apprécie vraiment peut diminuer le désir incontrôlable de dévorer n'importe quoi, n'importe quand. Cette semaine, concentrez-vous sur les points suivants :

ALIMENTATION

De temps à autre, faites-vous plaisir, et mangez et buvez ce que vous aimez.

EXERCICES PHYSIQUES

6 jours sur 7, marchez durant 25 minutes : les 5 premières minutes à l'allure de la semaine précédente, les 15 minutes suivantes à une allure plus soutenue (niveau 5 sur l'échelle PSE) et les 5 dernières minutes à l'allure de la semaine précédente.

En plus, faites les exercices de résistance que nous vous proposons, en vous concentrant sur le haut du corps, puis sur le bas du corps, 3 fois dans la semaine.

ACTIVITÉ

Allez faire vos commissions à pied, et portez vos paniers — tous le corps travaille !

Si le centre commercial est trop loin, et que vous êtes obligé(e) de prendre votre voiture, garez-vous le plus loin possible de l'entrée et marchez.

SUJET DE RÉFLEXION

Mangez un aliment ou buvez une boisson sucré(e).

Alimentation

De temps à autre, faites-vous plaisir, mangez et buvez ce que vous aimez.

Vous est-il déjà arrivé d'avoir envie de manger quelque chose de sucré, alors que vous veniez de terminer votre plat de résistance ? Avez-vous du mal à boire votre thé et votre café avec des édulcorants à la place de « vrai » sucre ? Avez-vous l'impression qu'un dessert sucré au déjeuner vous permet de mieux travailler l'après-midi ? Appréciez-vous d'aller boire un café et déguster un gâteau avec un(e) ami(e) 1 fois par semaine ? Oui. Mais vous culpabilisez et pensez qu'il faut vous débarrasser de ces mauvaises habitudes. Eh bien ! Pas nécessairement.

Ce n'est pas parce que vous avez décidé de modifier vos habitudes alimentaires que vous ne pouvez plus vous faire plaisir, ne serait-ce que 1 fois par semaine. Imaginez la scène suivante : vous êtes en compagnie d'amis ou de collègues et quelqu'un vous propose un morceau de gâteau au chocolat. Pourquoi ne pas vous accorder un petit plaisir et en manger une part comme tout le monde ? Quoi que vous fassiez, vous devez agir en toute connaissance de cause. Si vous prenez une part de gâteau alors que vous n'avez pas faim et que vous la mangez sans même y prêter attention, vous êtes en pleine consommation passive. En revanche, si vous acceptez un morceau de gâteau parce que vous avez un petit creux et que vous décidez que vous ne mangerez rien d'autre de très calorique le reste de la journée, vous n'avez aucune raison de culpabiliser. Cette semaine, nous voulons que vous ayez conscience de votre attitude face à certains aliments afin que vous puissiez prendre vos décisions en toute connaissance de cause, sans culpabiliser, et que vous réalisiez qu'il est possible de vous faire plaisir sans perdre de vue vos objectifs. Il est également temps de vérifier la quantité de nourriture que vous consommez au quotidien, afin de vous assurer que vous êtes toujours sur la bonne voie (voir pages 107-108).

Et si cela ne vous est pas arrivé depuis longtemps, choisissez un aliment que vous aimez tout particulièrement, et faites-vous plaisir !

FAITES-VOUS PLAISIR SANS CULPABILISER

3 tartelettes à la confiture
$^1/_2$ part de gâteau
2 biscuits fourrés
40 g de votre fromage préféré
1 barre chocolatée de 25 g
2 verres, soit 20 cl de vin
1 canette d'une boisson pétillante
2 cuillerées à soupe de crème
la moitié d'une petite portion de frites
37 cl de bière

Si vous avez un appareil photo numérique, photographiez-vous (en pied) 1 fois par semaine, toujours au même endroit, par exemple dans l'embrasure d'une porte, et voyez si votre silhouette change !

Exercices physiques

6 jours sur 7, marchez durant 25 minutes : les 5 premières minutes à l'allure de la semaine précédente, les 15 minutes suivantes à une allure plus soutenue (niveau 5 sur l'échelle PSE) et les 5 dernières minutes à l'allure de la semaine précédente. *En plus*, faites les exercices de résistance que nous vous proposons en vous concentrant sur le haut du corps, puis sur le bas du corps, 3 fois dans la semaine.

Exercices de résistance

	Exercices stimulant le bas du corps	Exercices stimulant la ceinture abdomino-lombaire
Séance 1		
	Accroupissements : 1 série de 20 Génuflexions : 10 → jambe droite 10 → jambe gauche Génuflexions (niveau avancé)* : 10 → jambe droite 10 → jambe gauche	Planche* : 2 fois 30 secondes Mouvements « Quatre pattes extensions » : 10 de chaque côté

	Exercices stimulant le haut du corps	Exercices stimulant la ceinture abdomino-lombaire
Séance 2		
	Pompes (version simplifiée) : 1 série de 20 Raffermissement des bras : 1 série de 20 Travail des biceps avec haltères : 1 série de 20 Travail des biceps avec haltères : 1 série de 20	Extensions des jambes : 10 de chaque côté Travail des abdominaux : 1 série de 20

* Voir description ci-après.

Nouveaux exercices

Génuflexions (niveau avancé)

Cet exercice exige une certaine maîtrise de l'exercice présenté page 149. Les mouvements qui viennent s'ajouter sollicitent les muscles stabilisateurs des jambes les plus petits, ainsi que les muscles posturaux et les principaux groupes de muscles des jambes et des fesses.

Cet exercice tonifie et renforce tout le bas du corps.

Parties du corps concernées : les jambes et les fesses.
Comment procéder :

1. Vous êtes debout, les pieds à l'écartement des hanches et les bras le long du corps. Essayez de ne pas regarder le sol, mais fixez un point devant vous.

2. Faites un grand pas en avant comme pour une génuflexion (niveau débutant), puis poussez sur le pied avant pour vous redresser.

3. Pour garder l'équilibre, tendez les bras sur le côté et faites des petits battements. Répétez l'exercice en inversant la position de jambes.

Remarque : pendant tout l'exercice, la poitrine est ouverte et le haut du corps est droit. Tous les muscles des jambes et des fesses sont sollicités.

Combien : effectuez 1 série de 20, en inversant à chaque fois la position des jambes.

La planche

Cet exercice s'adresse à celles et ceux qui ont une parfaite maîtrise de la planche trois quarts.

Parties du corps concernées : les muscles de la ceinture abdomino-lombaire. Cet exercice améliore le maintien et affine la taille.
Comment procéder :

1. Prenez la position de départ de la planche trois quarts (voir page 161), puis décollez les genoux du sol, en rentrant les fesses et en gardant le tronc bien rectiligne.

2. Rentrez le ventre tout en respirant normalement. Nombre de personnes ont tendance à bloquer leur respiration sans s'en apercevoir.

3. Le corps est parfaitement rectiligne.

Combien : effectuez 2 séries de 30 secondes en marquant une pause entre les deux.

Exemple d'activités pour la semaine

Lundi	Mardi	Mercredi	Jeudi	Vendredi	Samedi	Dimanche
Marche 25 minutes	Marche 25 minutes	Marche 25 minutes	Marche 25 minutes		Marche 25 minutes	Marche 25 minutes
+	+	+	+		+	+
séance 1	séance 2	séance 1	séance 2		séance 1	séance 2
35 minutes	*35 minutes*	*35 minutes*	*35 minutes*		*35 minutes*	*35 minutes*

Sujet de réflexion

Mangez un aliment ou buvez une boisson sucré(e).

La plupart des individus croient, souvent à tort, que le sucre est la première denrée à supprimer lorsqu'ils sont « au régime ». En effet, ils sont convaincus que ces calories « vides » sont responsables de tous leurs kilos superflus. Poussés par une vision simpliste de la réalité, nous croyons dur comme fer que tout ce qui est bon au goût ne peut qu'être mauvais pour la santé ! Or, avoir envie de manger quelque chose de sucré est instinctif et il est difficile de passer outre cette envie, notamment lorsque vous essayez de perdre du poids. Les chasseurs-cueilleurs, pendant la préhistoire, consommaient beaucoup de miel – plus riche en sucre que la plupart des produits sucrés commercialisés aujourd'hui.

En fait, le sucre ne fait pas plus grossir que les autres aliments. L'étude sur le vieillissement menée à Baltimore (États-Unis) a démontré que les personnes qui, au fil des ans, grossissaient le plus consommaient beaucoup de pain (notamment du pain à

IG élevé). Celles et ceux qui mangeaient régulièrement des bonbons ne prenaient pas plus de kilos que les personnes ayant une alimentation équilibrée (beaucoup de fruits, légumes, céréales complètes et protéines maigres).

Il est évident que les produits sans sucre ou « sans sucres ajoutés », qui envahissent les rayons des supermarchés n'ont, en rien, résolu la question du surpoids. On peut même dire qu'ils n'ont fait qu'exacerber le problème en nous faisant croire que les produits dans lesquels le sucre a été remplacé par un édulcorant étaient moins caloriques. Si seulement c'était vrai !

Attention, toutefois, à ne pas tout mélanger ! Si, par exemple, vous consommez 120 kcal sous la forme d'un aliment solide, l'apport calorique le reste de la journée sera plus faible. En revanche, si vous consommez 120 kcal sous la forme d'un jus de fruits, l'apport calorique le reste de la journée ne sera pas moins important. Or, ces 120 kcal, dont vous auriez pu vous passer, iront se stocker sur vos hanches ou autour de votre taille.

Selon une étude récente, les enfants ayant une surcharge pondérale sont tous de grands consommateurs de boissons pétillantes et de jus de fruits.

Dans cet ouvrage, nous vous encourageons vivement à consommer avec modération des sucres raffinés – soit environ 40 ou 50 grammes par jour, ce qui est très peu et que nous absorbons sans même y penser. Manger des produits sucrés riches en nutriments, et pas seulement en calories, des produits laitiers, des céréales pour le petit déjeuner, des flocons d'avoine avec de la cassonade ou de la confiture que vous étalez le matin sur des tartines de pain complet. Même l'Organisation mondiale de la santé affirme que « des aliments riches en sucre consommés modérément contribuent à une alimentation ayant du goût et riche en nutriments ». Nous voulons que vous cessiez de culpabiliser et que vous vous fassiez plaisir en mangeant des aliments sucrés. Laissez-vous guider et, dans le tableau ci-après, découvrez la teneur en sucre d'aliments que vous consommez au quotidien.

Teneur en sucre raffiné de quelques aliments

1 sablé	3 g
1 biscuit fourré	5 g
1 sucette	5 g
25 cl de jus de fruits sucré	5 g
1 cuillerée à café rase de sucre	6 g
1 beignet à la cannelle et au sucre	7 g
1 part de gâteau nature	7 g
1 cuillerée à soupe de confiture	8 g
1 barre de müesli (25-30 g)	8 g
1 part de gâteau au chocolat	11 g
3 cl de liqueur	18 g
5 carrés de chocolat	20 g
1 cuillerée à soupe de miel	20 g
1 tablette de chocolat (200 g)	35 g
1 canette d'une boisson pétillante (37 cl)	45 g

Semaine 8 Idées de menus

	Petit déjeuner	Collation
LUNDI	1 tasse de lait demi-écrémé 1 yaourt 1 tranche de jambon	1 petite poignée d'amandes
MARDI	1 œuf coque et 2 tartines croustillantes aux fibres	1 pomme et 1 morceau de cheddar allégé

	Petit déjeuner	Collation
MERCREDI	I tranche de pain grillée I petite barquette de fromage blanc	I grappillon de raisin
JEUDI	I bol de flocons d'avoine avec du lait écrémé et I cuillerée de confiture à la framboise	I chocolat chaud avec du lait demi-écrémé
VENDREDI	Du müesli fait maison (des flocons d'avoine roulée, des raisins secs, des fruits à écale et des graines) avec du lait écrémé et quelques rondelles de fraises	I yaourt nature aux fruits
SAMEDI	I œuf et du bacon avec I tartine de pain aux céréales	I pomme
DIMANCHE	I omelette aux épinards et aux champignons avec I tartine de pain au levain grillée	I café au lait (lait écrémé) avec I petit gâteau

Déjeuner	Collation	Dîner
I sandwich : du pain complet, du jambon dégraissé et des crudités rondelles de tomate et de betterave rouge, carotte râpée, chou-fleur De la moutarde ou un condiment aigre-doux (facultatif)	I fruit	Des spaghettis à la bolognaise (bœuf de premier choix) avec I grosse salade composée, I pincée de parmesan et I petit verre de vin rouge

Déjeuner	Collation	Dîner
1 omelette au saumon et à l'aneth, salade composée (voir page 349)	1 petite barre au chocolat (40 g)	Filets de poisson aux herbes avec des patates douces et de la salade de chou blanc (voir page 370)
Soupe à la tomate et à l'orge avec du pain complet et du fromage allégé	1 chocolat chaud (lait écrémé)	Du poulet et des noix de cajou poêlées avec 1 poivron, des champignons, 1 oignon, du gingembre, de l'ail, du piment, des légumes verts asiatiques et 1 cuillerée à café de miel Servir soit avec des nouilles asiatiques soit avec du riz basmati ou du riz doongara
1 filet de maquereau fumé avec 1 grosse salade composée et 1 tranche de pain au levain 1 fruit frais	1 glace (votre parfum préféré)	1 steak dégraissé grillé avec du maïs doux et 1 grosse salade composée avec un filet d'huile d'olive et du vinaigre
1 sandwich au pain complet avec 1 tranche de rosbif, des légumes et de la moutarde	Des pêches et de la crème anglaise	1 salade niçoise : salade verte, haricots verts blanchis, pommes de terre nouvelles cuites à l'eau, œuf dur, olives, ciboulette, piments, anchois et tomates cerises Ajouter du thon frais ou en conserve, un filet d'huile d'olive et du jus de citron

Déjeuner	Collation	Dîner
Salade de haricots et de roquette avec 1 tranche de pain complet	1 petite grappe de raisin	Des fettucine aux fruits nappées de sauce tomate et servies avec 1 grosse salade verte
Agneau au barbecue avec une salade de lentilles assaisonnée avec du citron et un yaourt (voir page 367)	1 salade de fruits et 1 yaourt nature	1 pizza au pain pita : sur du pain pita, mettre du concentré de tomate, des morceaux de courgette, 1 poivron, des rondelles de tomate, des herbes aromatiques et de la mozzarella. Faire cuire à four chaud 20 minutes et servir avec une salade verte

SEMAINE 9

Il y a déjà deux mois que vous avez commencé à modifier vos habitudes alimentaires et fait régulièrement des exercices. Aujourd'hui, vous devez vous sentir plus léger(ère) et mieux dans votre tête. Si vous avez l'impression de manquer d'énergie, peut-être avez-vous trop diminué l'apport en nutriments, notamment en glucides. Concentrez-vous sur les points suivants :

ALIMENTATION

Assurez-vous que vous consommez suffisamment de glucides (à IG bas) afin d'avoir l'énergie nécessaire pour augmenter l'intensité des exercices physiques et des activités que vous pratiquez.

EXERCICES PHYSIQUES

6 jours sur 7, marchez durant 30 minutes : les 5 premières et les 5 dernières minutes à une allure relativement vive (niveau 4 sur l'échelle PSE), et les 20 autres minutes à une allure plus soutenue (niveau 5 sur l'échelle PSE).
En plus, faites les exercices de résistance que nous vous proposons, en vous concentrant sur le haut du corps, puis sur le bas du corps 3 fois par semaine.

ACTIVITÉ

Plutôt que de vous rendre dans une station de lavage, lavez votre voiture à la main et, chez vous, faites un grand nettoyage de printemps.

SUJET DE RÉFLEXION

IG : vrai ou faux.

Alimentation

Assurez-vous que vous consommez suffisamment de glucides (à IG bas) afin d'avoir l'énergie nécessaire pour augmenter l'intensité des exercices physiques et des activités que vous pratiquez.

Si diminuer l'apport en glucides se traduit par une baisse de poids rapide, cela ne suffit pas pour stabiliser son poids à long terme. Pour fonctionner de manière optimale, l'organisme a besoin d'une certaine quantité de glucides, quantité d'autant plus importante que vous faites du sport ou que vous vous dépensez physiquement au quotidien.

Cette semaine, passez en revue tous les glucides que vous consommez, et vérifiez que vous mangez bien un glucide à IG bas à chaque repas. Le but recherché n'est pas d'avaler une quantité faramineuse de glucides en un seul repas, mais d'ingérer une quantité raisonnable de glucides à IG bas tout au long de la journée, afin que l'organisme ne manque jamais de carburant. Ceci se traduira par des variations modérées du taux de glucose dans le sang, accompagnées d'une sécrétion moins importante d'insuline. Cela vaut peut-être la peine de ressortir votre carnet, et de noter soigneusement tous les glucides que vous consommez durant plusieurs journées consécutives. Au cas où l'apport en glucides serait irrégulier selon les moments de la journée, reportez-vous au menu type que nous vous proposons comme modèle à suivre.

**MENU TYPE POUR UNE JOURNÉE
(LES ALIMENTS EN CARACTÈRES GRAS
ONT UN IG BAS)**

Petit déjeuner : **müesli naturel** avec du **lait écrémé** et de fines lamelles de **fruits rouges frais**.

En-cas : I **banane** et I **yaourt nature**.

Déjeuner : une soupe aux **lentilles** avec du **pain à IG bas** et du fromage allégé.

En-cas : un chocolat chaud avec du **lait écrémé** et I **biscuit aux flocons d'avoine**.

Dîner : un filet de saumon grillé avec I **patate douce** cuite au four et une salade verte.

Exercices physiques

6 jours sur 7, marchez durant 30 minutes : les 5 premières et les 5 dernières minutes à une allure relativement vive (niveau 4 sur l'échelle PSE), et les 20 autres minutes à une allure plus soutenue (niveau 5 sur l'échelle PSE). *En plus*, **faites les exercices de résistance que nous vous proposons, en vous concentrant sur le haut du corps, puis sur le bas du corps, 3 fois par semaine.**

La plupart des autorités sanitaires internationales sont unanimes et affirment que nous devrions marcher 30 minutes plusieurs fois par semaine. C'est ce que vous allez essayer de faire cette semaine. Vous êtes sur la bonne voie : vous avez perdu du poids, et vous avez plus d'énergie. Bravo !

Exercices de résistance

	Exercices stimulant le bas du corps	Exercices stimulant la ceinture abdomino-lombaire
Séance 1		
	Accroupissements : 1 série de 20 Génuflexions : 10 → jambe droite 10 → jambe gauche Génuflexions (niveau avancé) : 10 → jambe droite 10 → jambe gauche	Planche : 2 fois 30 secondes Mouvements « Quatre pattes extensions » : 10 de chaque côté

	Exercices stimulant le haut du corps	Exercices stimulant la ceinture abdomino-lombaire
Séance 2		
	Pompes (trois quarts)* : 1 série de 20 Raffermissement des bras : 1 série de 20 Travail des biceps avec haltères : 1 série de 20	Extensions des jambes : 10 de chaque côté Travail des abdominaux : 1 série de 20 Flexions obliques du tronc* : 1 série de 20 de chaque côté

* Voir description ci-après.

Nouveaux exercices

Pompes (trois quarts)

Pour cet exercice, la technique utilisée est la même que pour les pompes (version simplifiée) page 137, mais pour augmenter la difficulté de l'exercice, vous ne prenez plus appui sur une table basse ou une marche. Assurez-vous que vos mains sont bien espacées, et que vous ne sortez pas les fesses vers le plafond lorsque vous rapprochez la poitrine du sol.

Flexions obliques du tronc

Cet exercice est une variante du travail des abdominaux (voir pages 187-188).

Parties du corps concernées : la taille et le buste.

Comment procéder :

1. Vous êtes allongé(e) à plat dos sur le sol, les genoux fléchis et les pieds à plat. Rentrez le ventre.

2. Laissez tomber les genoux sur le côté droit.

3. Placez votre bras gauche sous votre corps en direction de votre talon gauche.

4. Redressez le buste jusqu'à ce que votre main gauche touche le talon. Maintenez les épaules bien droites dans le même plan tout en soutenant légèrement votre nuque de la main droite, sans fléchir le cou.

5. Répétez l'exercice en faisant tomber les genoux sur la gauche.

Combien : effectuez 1 série de 20 (10 sur la droite et 10 sur la gauche).

Exemple d'activités pour la semaine

Lundi	Mardi	Mercredi	Jeudi	Vendredi	Samedi	Dimanche
Marche 30 minutes	Marche 30 minutes	Marche 30 minutes	Marche 30 minutes		Marche 30 minutes	Marche 30 minutes
+	+	+	+		+	+
séance 2	séance 1	séance 2	séance 1		séance 2	séance 1
40 minutes	40 minutes	40 minutes	40 minutes		40 minutes	40 minutes

Sujet de réflexion

IG : vrai ou faux.

1. Les carottes ont un IG élevé

Faux ! Les carottes ont un IG de 41 et vous pouvez en manger autant que vous le souhaitez. Si nombre de personnes sont persuadées du contraire, c'est parce que la première valeur avancée par les chercheurs était de 92. Or, la mesure n'était pas fiable, les tests ayant été réalisés sur un nombre restreint d'individus. Du fait de cette erreur, le concept de l'IG fut, dans un premier temps, très controversé.

2. L'IG ne tient pas compte de la quantité de glucides dans une portion

Vrai ! L'IG est un outil utilisé pour mesurer la qualité des glucides, et non la quantité. Est-il indispensable de connaître la quantité de glucides que nous consommons ? En général, non. Si nous remplaçons le pain, les céréales pour le petit déjeuner et le riz à IG élevé par leurs équivalents à IG bas, le but que nous nous sommes fixés est atteint dans la mesure où nous privilégions les aliments qui sont lentement digérés et assimilés par l'organisme. Si, en revanche, nous préférons manger du chocolat plutôt qu'un morceau de pastèque (ce qui n'est pas vraiment une idée judicieuse), il est bon de considérer à la fois la qualité et la quantité (la charge glycémique) des glucides. Pour en savoir plus sur la charge glycémique, reportez-vous à la page 70.

3. Certains aliments ont un IG élevé tout en ayant une faible teneur en glucides

Vrai ! Quelques rares aliments sont si pauvres en glucides qu'il est pratiquement impossible de mesurer leur IG. C'est notamment le cas des pastèques, des cantaloups, de la citrouille, du panais et des fèves. Même si leur IG est élevé, inutile de vous en priver.

4. *Mieux vaut se préoccuper de la charge glycémique (CG) d'un aliment que de son index glycémique*

Faux ! L'IG peut être plus important que la CG. En effet, entre deux aliments ayant une CG identique, privilégiez celui qui a l'IG le plus bas, c'est-à-dire celui dont les glucides sont lentement digérés et assimilés par l'organisme. Vous serez rassasié(e) plus longtemps si vous mangez une portion moyenne de pâtes alimentaires (à IG bas) que si vous optez pour une petite portion de pommes de terre (à IG élevé). Notre premier objectif est de vous aider à choisir les bons glucides (remplacer les aliments à IG élevé par des aliments à IG bas), et non de vous pousser à diminuer votre consommation de glucides. Notre second objectif – à vous de décider si vous voulez ou non l'atteindre – est de vous apprendre à remplacer certains aliments à IG élevé par de bonnes graisses ou des protéines maigres.

5. *Réduire notre consommation de glucides est la meilleure façon de diminuer le taux d'insuline*

Faux ! S'il est vrai que les glucides à IG élevé stimulent la réponse insulinique, les glucides à IG bas favorisent la même sécrétion d'insuline que les aliments riches en protéines et sans glucides. Reportez-vous au diagramme page 54. De plus, les personnes qui ont une alimentation riche en glucides sont plus sensibles à l'action de l'insuline que celles qui ont une alimentation pauvre en glucides.

6. *Les aliments complets ont un IG bas*

Faux, la plupart du temps. Les produits à base de céréales complètes, notamment à base de blé, ont généralement un IG identique à celui des produits à base de céréales raffinées. Le pain à la farine blanche, par exemple, a un IG de 70, alors que le pain complet a un IG de 71. Gardez à l'esprit que si vous ne voyez pas les grains, l'IG du produit fini est probablement élevé, et ce malgré tout ce qui peut être inscrit sur l'emballage.

Lorsque le blé est raffiné, les enzymes à l'origine de la diges-tion travaillent rapidement. Attention, cela ne veut pas dire que les produits complets sont néfastes à la santé. Il est, en effet, prouvé que ces aliments rendent l'organisme plus sen-sible à l'action de l'insuline et diminuent les risques de déve-lopper nombre de maladies. Dans la mesure du possible, optez pour des aliments à IG bas et riches en fibres.

7. Lorsque plusieurs aliments sont consommés en même temps, l'IG n'a plus aucune valeur

Totalement faux ! Alors, pourquoi prétend-on le contraire ? Les premières études portant sur l'IG d'un repas ont été réali-sées par des chercheurs n'accordant aucun crédit au concept de l'IG. Les études qui s'ensuivirent – soit au minimum une douzaine réalisée aux quatre coins du monde – ont démontré que l'IG des aliments isolés permettait de prédire l'IG d'un repas. De plus, des études à long terme comparant les repas à IG bas et les repas à IG élevé ont révélé des différences sur les taux de glucose sanguin. Si l'IG d'aliments pris séparément n'était pas un élément probant pour nous aider à choisir quels aliments consommer, ces différences ne seraient pas aussi marquées.

8. Inutile de tenir compte de l'IG d'un aliment lorsque des protéines ou des lipides sont consommées avec des glucides

Faux. Lorsque vous mangez un aliment riche en protéines ou en lipides avec un aliment très riche en glucides (par exemple, du fromage avec du pain), la réponse glycémique baisse. Or, si vous remplacez les glucides par d'autres glucides, par exem-ple si vous mangez des pâtes alimentaires avec du fromage, la réponse glycémique sera encore plus faible. En tenant compte de l'IG d'un glucide, on peut présumer de la réponse glycé-mique, et ce même s'il y a un apport en protéines et en lipides. Comme toujours, il faut faire la part des choses. Si votre repas est extrêmement riche en protéines et en lipides et très pauvre en glucides, dans ce cas, l'IG n'entrera, bien évidemment, pas beaucoup en ligne de compte.

9. Trop de variables ont des répercussions sur la réponse glycémique à la suite d'un repas

Il est vrai que nombre de facteurs peuvent avoir une influence sur la réponse glycémique. Mais cela s'applique aussi bien au « calcul » des glucides qu'à l'IG. Or, il est fortement recommandé aux sujets diabétiques de calculer le nombre de glucides consommés. Les variations enregistrées seront influencées par plusieurs choses, y compris ce que vous avez fait la veille : la pratique d'exercices physiques, la consommation de graisses, de fibres ou d'alcool, et même le sommeil. Ce qui est bon à savoir, c'est qu'un dîner ou un petit déjeuner à IG bas a une répercussion favorable sur la réponse glycémique jusqu'au déjeuner du jour suivant, peu importe ce que vous mangez.

10. Le seul élément à prendre en compte avant de choisir un aliment est son IG

Bien sûr que non ! Penser que vous pouvez manger autant de chocolat que vous le souhaitez, sous prétexte que son IG est bas, est une grossière erreur. Vous préoccuper de l'IG des aliments ne doit pas vous faire tomber dans l'absurdité. L'IG n'est pas un élément à considérer isolément. Réduire votre apport en graisses saturées et en acides gras trans est très important. Mangez beaucoup de fruits et de légumes (hormis les pommes de terre) riches en vitamines, minéraux, oligoéléments, antioxydants et fibres sans vous préoccuper de leur IG (une fois encore, sauf pour les pommes de terre). Diminuez votre consommation de jus de fruits, de crèmes glacées, de gâteaux, de biscuits et de confiseries, et ce quel que soit leur IG. Attention ! Cela ne veut pas dire que vous devez vous priver de tout. De temps à autre, faites-vous plaisir ! Avec un peu de chances, l'IG de l'aliment dont vous raffolez est bas !

Semaine 9 Idées de menus

	Petit déjeuner	Collation
LUNDI	Du müesli naturel avec des rondelles de banane 1 yaourt	1 yaourt à boire allégé
MARDI	1 tartine de pain grillée complet avec un peu de pâte à tartiner à la noisette	Du lait aromatisé écrémé
MERCREDI	Des céréales à IG bas avec du lait écrémé et des fraises coupées en morceaux	1 poire
JEUDI	Du müesli avec des morceaux de pêche	1/4 de melon
VENDREDI	1 bol de flocons d'avoine avec du lait demi-écrémé	1 petite poignée d'amandes
SAMEDI	Tartine de pain complet grillée avec de la banane et de la ricotta (voir page 379)	1 poignée de pistaches à décortiquer
DIMANCHE	Des œufs brouillés avec 1 tartine de pain complet grillée	1/4 de cantaloup

Déjeuner	Collation	Dîner
Des sushis et 1 bol de soupe au miso	Des rondelles de pommes et un petit morceau de cheddar allégé	Du dhal aux lentilles avec du poulet tandoori, du riz basmati cuit à la vapeur et une salade de tomates

Déjeuner	Collation	Dîner
Rouleaux à la dinde et aux pêches (voir page 354)	1/4 de melon	Des pennes avec du saumon fumé, des olives, des épinards, des tomates cerises coupées en deux, de l'ail et un peu de vin blanc
1 salade composée : des pâtes, du maïs, de la ciboulette, des tomates cerises, des olives, 1 concombre, un peu de mayonnaise à l'huile d'olive et des fines tranches de viande dégraissée	1 yaourt nature aux fruits	Des fajitas avec du bœuf ou du poulet et 1 poivron Servir avec des tortillas, de la sauce piquante, du guacamole, de la chiffonnade de salade verte, du fromage allégé râpé 1 yaourt nature
1 omelette au fromage allégé, 1 salade mixte, 1 fruit	Des bâtonnets de carottes et de céleris avec du tzatziki (concombres à la grecque)	Crevettes poêlées avec des légumes et des nouilles asiatiques sauce soja
Soupe vermicelle blanc de poulet	1 poignée de cerises	1 steak haché 5 % de MG, carottes râpées, légumes vapeur, galette croustillante au sésame
1 sandwich : du pain pumpernickel grillé avec du jambon, du fromage frais allégé et des crudités	1/4 de melon	Des sardines grillées avec des haricots pimentés (1 boîte de haricots avec de la ciboulette, de la coriandre fraîche, du jus de citron, des olives, de l'huile d'olive et des tomates cerises coupées en deux) Servir avec une salade de roquette

Déjeuner	Collation	Dîner
De l'agneau ou du bœuf grillé avec du jus de viande dégraissé, 1 patate douce, de la purée de rave, 1 betterave rouge, 1 courgette et 1 carotte cuites au four	1 pomme	1 bol de soupe aux légumes et aux haricots secs avec du pain complet

SEMAINE 10

Le fait de consommer, chaque jour, un certain volume de nourriture est profondément ancré dans le comportement des humains. Nous avons tendance à toujours manger la même quantité de nourriture, et ce quel que soit l'apport calorique des aliments. Or, si nous optons pour un produit à forte densité énergétique – beaucoup de calories dans un petit volume, par exemple, un biscuit – nous avons tôt fait de manger plus que nécessaire. Pour cette raison, il est important de diminuer la densité énergétique de notre alimentation si nous souhaitons maigrir et/ou stabiliser notre poids.

ALIMENTATION

Diminuez la densité énergétique de votre alimentation.

EXERCICES PHYSIQUES

6 jours sur 7, marchez durant 30 minutes : les 5 premières et les 5 dernières minutes à une allure relativement vive (niveau 4 sur l'échelle PSE), et les 20 autres minutes à une allure plus soutenue (niveau 5 sur l'échelle PSE).
En plus, faites les exercices de résistance que nous vous proposons, en vous concentrant sur le haut du corps, puis sur le bas du corps 3 fois dans la semaine.

ACTIVITÉ

Essayez de pratiquer une activité physique en plus de la marche (ci-dessus). Inscrivez-vous, par exemple, à un cours de danse (salsa, danses de salon, etc.) ou dans une salle de gymnastique, faites du roller ou du vélo, inscrivez-vous à un cours de golf.

SUJET DE RÉFLEXION

Tirez les enseignements du passé.

Alimentation

Diminuez la densité énergétique de votre alimentation.
Diminuer la densité énergétique de votre alimentation permet de réduire l'apport calorique et, par conséquent, facilite la perte de poids. La densité énergétique correspond au nombre de calories contenu dans un aliment donné. Les aliments à forte densité énergétique contiennent un grand nombre de calories dans un très petit volume (nombre de kcal/g). Avec plus de 5 kcal/g, le chocolat illustre parfaitement ce qu'est un aliment à haute densité énergétique. *A contrario*, les produits qui renferment peu de calories dans un volume important ont une faible densité énergétique. C'est le cas des pommes, qui ont moins de 0,5 kcal/g.

Cette semaine, nous vous encourageons vivement à considérer la densité énergétique des aliments que vous consommez régulièrement, afin d'essayer de réduire la densité énergétique globale de votre alimentation. Si vous ne vous êtes pas encore préoccupé(e) de cet élément, penchez-vous sur la valeur nutritionnelle des aliments, puis déterminez leur densité énergétique. Pour ce faire, divisez le nombre de calories contenues dans 100 g de nourriture par 100. Dès lors que le résultat obtenu est supérieur à 1,2 kcal, considérez que l'aliment a une densité énergétique élevée.

Exemple de ce que vous pourriez trouver sur l'étiquette de l'emballage d'un aliment

Nutriments	Pour 100 g
Calories (kcal)	1 500 kJ/359 kcal
Protéines (g)	9,5
Lipides :	
total (g)	3,0
graisses saturées (g)	1,1
Glucides (g)	72,2
sucres (g)	5,4

Dans cet exemple, la densité énergétique est 1 500 kJ/359 kcal pour 100 g, soit 15 kJ/3,59 kcal par gramme. La densité énergétique est élevée.

Notez que, même si un aliment est pauvre en graisses, sa densité énergétique peut être élevée. Bien évidemment, plus les aliments sont gras, plus la densité énergétique est importante. Nombre d'aliments de fabrication industrielle pauvres en graisses ont, toutefois, une forte densité énergétique.

Densité énergétique (kcal/g) de quelques-uns des aliments les plus couramment consommés

Yaourt nature aux fruits	3
Banane	4
Pain blanc	10
Barre de céréales pour le petit déjeuner (blé)	14
Corn flakes	16
Bretzel	16
Biscuit salé à la farine de riz	17
Biscuit sucré nature	19

Comment réduire la densité énergétique de votre alimentation

- Mangez des petites portions d'aliments riches en nutriments et à forte densité énergétique (fruits à écale, fromage et huile d'olive), avec des portions plus grosses d'aliments à faible densité énergétique (fruits, légumes, pâtes alimentaires, riz et pain aux céréales).
- Consommez beaucoup de légumes et de légumineuses (légumes secs) avec un peu de viande et quelques fruits à écale.
- Utilisez des huiles (notamment de l'huile d'olive) pour rehausser le goût d'aliments à faible densité énergétique (notamment les aliments d'origine végétale et le poisson). Par exemple, mangez une salade composée assaisonnée à l'huile d'olive et au vinaigre balsamique, ou des légumes cuits au four avec du poisson frit à la poêle. L'huile favorise l'assimilation par l'organisme des nutriments et des substances phytochimiques liposolubles contenus dans les végétaux.
- Limitez votre consommation d'aliments contenant des graisses animales cachées (viande grasse, produits laitiers entiers, certains produits de fabrication industrielle) ou des graisses hydrogénées d'origine végétale (certains produits de fabrication industrielle, biscuits et gâteaux).
- Réduisez votre consommation d'aliments pauvres en graisses mais à haute densité énergétique, notamment les céréales et les biscuits de fabrication industrielle.
- Augmentez votre consommation de fruits et de légumes ayant une faible densité énergétique, notamment pour accompagner des produits à forte densité énergétique.
- mangez beaucoup de légumes frais ou surgelés avec de la viande, du poisson, des crevettes, du poulet et du tofu cuits à la poêle ;
- chaque jour, mangez une salade composée ;
- dans les sandwichs, mettez de la salade verte et des crudités ;
- accompagnez les viandes cuites au barbecue de légumes : courgettes, épis de maïs, poivrons, champignons, aubergines ou patates douces et oignons coupés en tranches épaisses et

étuvés (graissez la grille avec de l'huile d'olive afin que les aliments n'attachent pas) ;
— faites un repas sans viande et sans poisson au moins 1 fois par semaine ;
— pour les petites faims, ayez toujours à portée de main du céleri, du poivron, des mini-carottes, du concombre, des brocolis, du chou-fleur, des tomates cerises ou des tomates grappes.

Ne *surestimez* pas vos dépenses physiques et ne *sous-estimez* pas la quantité de nourriture que vous consommez.

Exercices physiques

6 jours sur 7, marchez durant 30 minutes : les 5 premières et les 5 dernières minutes à une allure relativement vive (niveau 4 sur l'échelle PSE), et les 20 autres minutes à une allure plus soutenue (niveau 5 sur l'échelle PSE). *En plus*, faites les exercices de résistance que nous vous proposons, en vous concentrant sur le haut du corps, puis sur le bas du corps, 3 fois par semaine.

Exercices de résistance

Exercices stimulant le bas du corps	Exercices stimulant la ceinture abdomino-lombaire
Séance 1	
Accroupissements : 1 série de 20 Accroupissements avec extensions des jambes* : 1 série de 20 Génuflexions : 10 → jambe droite 10 → jambe gauche Génuflexions (niveau avancé) : 1 série de 20 jambes alternées	Planche : 2 fois 30 secondes Mouvements « Quatre pattes extensions » : 10 de chaque côté

Exercices stimulant le haut du corps	Exercices stimulant la ceinture abdomino-lombaire
Séance 2	
Pompes (trois quarts) : 1 série de 20 Extensions des triceps station debout : 1 série de 20 Biceps (mouvements avec haltères) : 1 série de 20	Extensions des jambes : 10 de chaque côté Travail des abdominaux : 1 série de 20 Flexions obliques du tronc : 1 série de 20 de chaque côté

* Voir description ci-après.

Nouvel exercice

Accroupissements et extensions des jambes alternés

Cet exercice, de niveau avancé, sollicite fortement les muscles fessiers. Après l'accroupissement, relevez-vous et tendez une jambe. Si possible, travaillez devant un miroir afin de corriger votre maintien, notamment si vous avez des difficultés pour garder l'équilibre.

Parties du corps concernées : les jambes et les fesses.

Comment procéder :

1. Accroupissez-vous (voir page 125). Relevez-vous en tendant une jambe en arrière jusqu'à former un angle à 45°. Contractez les muscles fessiers.

2. Rentrez le ventre et bombez le torse. Évitez de bouger la jambe. Le mouvement doit être fluide. Ne cambrez pas le bas du dos.

3. Accroupissez-vous à nouveau, puis relevez-vous et tendez l'autre jambe.

Combien : effectuez 1 série de 20 en changeant de jambe après chaque accroupissement.

Exemple d'activités pour la semaine

Lundi	Mardi	Mercredi	Jeudi	Vendredi	Samedi	Dimanche
Marche 30 minutes	Marche 30 minutes	Marche 30 minutes	Marche 30 minutes		Marche 30 minutes	Marche 30 minutes
+	+	+	+		+	+
séance 1	séance 2	séance 1	séance 2		séance 1	séance 2
40 minutes	*40 minutes*	*40 minutes*	*40 minutes*		*40 minutes*	*40 minutes*

Sujet de réflexion

Tirez les enseignements du passé.

La vie que nous menons aujourd'hui sollicite plus notre tête que notre corps. Grâce aux progrès technologiques, les corvées que nos grands-parents accomplissaient au quotidien à la force de leurs bras ont été considérablement allégées, et prennent beaucoup moins de temps. Les machines à laver le linge, les lave-vaisselle, les stations de lavage pour les voitures, les centres commerciaux, et même Internet, facilitent la vie de tous les jours. Cependant, le résultat est que la vie moderne nous rend difficile le contrôle de notre poids. Imaginez que vous soyez – ne serait-ce qu'une seule journée – privés de tous ces appareils qui font partie de votre quotidien, et qu'il vous faille laver le linge, décaper le sol à la main, marcher jusqu'au centre commercial, revenir les bras chargés de provisions, casser du bois pour la cheminée, jardiner et élever des volailles et autres animaux pour nourrir votre famille.

Peut-être effectuez-vous encore certaines de ces tâches, mais imaginez que vous soyez obligé(e) de tout faire chaque jour. Si nos ancêtres étaient plus actifs, par ailleurs, ils n'avaient pas accès à toute la nourriture qui garnit aujourd'hui les rayons des magasins et nous pousse à manger plus que nécessaire. Vous voyez que notre environnement est en partie responsable des difficultés que nous avons à contrôler notre poids. S'il est hors de question de faire marche arrière, de laver notre linge à la main ou de couper du bois pour nous chauffer, tirons une leçon du passé et essayons, chaque jour, d'être un peu plus actifs.

Évaluez ce que vous pouvez changer dans votre mode de vie et votre environnement afin de vous dépenser un peu plus. S'il est inutile d'opter pour un changement radical, sachez que tous les petits mouvements que vous ferez viendront s'ajouter les uns aux autres. Au fil des semaines, des mois et des années, votre dépense énergétique augmentera.

Voici quelques suggestions pour être un peu plus actif(ve) chaque jour.

Chez vous
- Lavez votre voiture à la main.
- Faites votre repassage en regardant la télévision.
- Jardinez pendant une vingtaine de minutes.
- Tondez le gazon.
- Lavez les vitres.
- Emmenez votre chien en promenade.
- Marchez jusqu'aux magasins de votre quartier.
- Pendant un après-midi, faites du lèche-vitrine.
- Jouez avec vos enfants.
- Passez l'aspirateur.

Au travail
- Utilisez l'imprimante qui se trouve au bout du couloir ou, mieux, à l'étage supérieur.
- Marchez jusqu'au bureau d'un collègue au lieu de lui envoyer un e-mail.
- Lorsque vous êtes au téléphone, marchez et faites quelques étirements.
- À la pause déjeuner, allez faire une promenade ou vos courses.
- Utilisez les toilettes qui sont à l'étage supérieur ou à l'étage inférieur. Bien évidemment, ne prenez pas l'ascenseur !
- Portez-vous volontaire pour aller chercher les cafés au distributeur automatique.
- Trouvez une excuse pour aller porter un document à un collègue.
- Vous avez une réunion avec un collègue. Pourquoi ne pas marcher en parlant ?

Semaine 10 Idées de menus

	Petit déjeuner	**Collation**
LUNDI	1/2 pamplemousse, 1 tartine de pain à IG bas avec du fromage blanc et 1 fruit	1 poignée de cacahuètes à décortiquer
MARDI	Du müesli naturel avec des rondelles de pomme et du lait demi-écrémé	Des biscuits aux flocons d'avoine avec 1 tranche de fromage allégé
MERCREDI	12 cl de lait écrémé aromatisé aux fruits secs avec du fromage frais	1 tranche de pain aux raisins et 1 banane
JEUDI	1 barre aux fruits à écale 1 pomme 1 yaourt nature	Des galettes croustillantes au sésame et 1 cappuccino (lait demi-écrémé)
VENDREDI	1 tartine de pain complet grillée avec de la ricotta et de la confiture	1 grappillon de raisin
SAMEDI	1 œuf poché avec du saumon fumé 1 tartine de pain au levain grillée 1 yaourt nature	1 petit verre de jus d'orange
DIMANCHE	1 yaourt nature avec de la salade de fruits et quelques fruits à écale et graines	1 jus de légumes

Déjeuner	Collation	Dîner
Rouleaux au thon (voir page 355)	1 nectarine	Du curry avec des pois chiches, des légumes et du riz basmati cuit à la vapeur
1 bol de soupe aux légumes avec des crackers à la farine complète et du fromage frais allégé	1 pêche	Des légumes poêlés avec 1 blanc de poulet grillé et des lentilles aux épices
Salade composée : du thon en conserve, 1 poignée de haricots secs et un peu de sauce pimentée au yaourt	6 noix de pécan	Des tortillas avec des haricots secs, de la salade verte, de la sauce pimentée et du poulet coupé en lanières 1 yaourt nature
Du pain complet avec du fromage allégé fondu et 1 tomate	1 pomme	Des lasagnes aux épinards et à la ricotta avec une grosse salade verte
Burgers indiens au poulet (voir page 359) avec une sauce pimentée, du pain pita chaud et une chiffonnade de laitue	1 yaourt nature avec des myrtilles	1 steak (viande maigre) grillé avec une purée de patates douces, des légumes verts et des carottes, cuits à la vapeur
Des crackers à la farine complète avec du fromage blanc, 1 concombre, des rondelles de tomate et 1 tasse de soupe prête à consommer	1 poignée d'abricots secs	Des nouilles asiatiques et des fruits de mer poêlés avec un assortiment de légumes

Déjeuner	Collation	Dîner
1 sandwich au pain complet : 1 œuf dur, de la mayonnaise à l'huile d'olive et des crudités	Des parfaits aux fruits (voir page 380)	Du poulet rôti avec des légumes cuits au four : patate douce, betterave rouge, carotte, potiron et courge Ajouter un filet d'huile et de vinaigre balsamique et faire cuire au four 30 minutes

SEMAINE 11

Cette semaine, concentrez-vous sur les objectifs suivants :

ALIMENTATION

Apprenez à bien vous nourrir hors de chez vous.

EXERCICES PHYSIQUES

Cette semaine, nous vous proposons 2 exercices de marche :
30 minutes de marche à une allure soutenue, dont 20 minutes au
niveau 5 sur l'échelle PSE, et 40 minutes à une allure moins rapide,
au niveau 4 sur l'échelle PSE. Essayez de faire chacun de ces
2 exercices 3 fois dans la semaine.
En plus, faites les exercices de résistance que nous vous proposons, en vous concentrant sur le haut du corps, puis sur le bas du
corps, 3 fois par semaine.

ACTIVITÉ

Lorsque vous faites un court trajet en bus ou en train, ne
vous asseyez pas mais restez debout.

SUJET DE RÉFLEXION

Les plats à emporter sont-ils incompatibles avec une alimentation saine et équilibrée ?

Ce chapitre concerne un type d'alimentation plus rare en France que dans les pays anglo-saxons, à savoir un mode de restauration rapide *fast-food*, proposant de la cuisine asiatique, orientale, grecque, etc., ou un choix de pizzas par exemple, à consommer sur place ou à emporter. Ne sont pas abordés ici ce qui est plus fréquent sous nos climats les plats cuisinés emballés que l'on trouve dans les rayons conserves ou semi-frais des supermarchés : dans ce dernier cas, l'orientation est facile grâce à la lecture des étiquettes nutritionnelles portées sur l'enveloppe. Les produits minceur ou allégés sont préférables aux plats de référence.

Alimentation

Apprenez à bien vous nourrir hors de chez vous.

Qui a dit que les plats à emporter n'étaient pas bons pour vous ? À condition de ne pas en abuser, vous pouvez parfaitement trouver de quoi faire un repas correct en un minimum de temps. N'achetez pas n'importe quoi et, si besoin est, demandez conseil au vendeur afin de choisir les aliments les plus sains possibles. Il est, cependant, primordial que vous fassiez attention au nombre de fois par semaine où vous optez pour ce type d'alimentation pour vous et votre famille. Quelle fréquence vous semble raisonnable ? Certains répondront 1 fois par mois, d'autres 2 fois par semaine. Pour notre part, nous vous conseillons vivement de ne pas dépasser 1 voire 2 fois par semaine.

L'autre chose que vous devez prendre en considération est ce que vous commandez. Nous aimerions que, cette semaine, vous vous entraîniez à concocter un menu sain et équilibré, à partir de produits prêts à emporter. Pour vous aider, voici quelques suggestions :

Des plats à emporter sains et équilibrés

Glucides à IG bas	Fruits et légumes	Protéines et bonnes graisses
Du riz doongara fait maison	Des légumes poêlés	Du bœuf braisé et des noix de cajou
Du riz basmati et du dhal tandoori	Une salade verte maison	Du poulet aux lentilles
Des épis de maïs	De la salade de chou blanc faite maison avec de la mayonnaise à l'huile d'olive	Du poulet sans peau cuit au barbecue

Exercices physiques

Cette semaine, nous vous proposons 2 exercices de marche : 30 minutes de marche à une allure soutenue, dont 20 minutes au niveau 5 sur l'échelle PSE, et 40 minutes à une allure moins rapide, au niveau 4 sur l'échelle PSE. Essayez de faire chacun de ces 2 exercices 3 fois dans la semaine. *En plus*, faites les exercices de résistance que nous vous proposons, en vous concentrant sur le haut du corps, puis sur le bas du corps, 3 fois par semaine.

Cette semaine, les exercices de résistance sont inclus dans une séance à pratiquer si possible 3 fois. Nous vous recommandons de faire ces séances les jours où vous marchez 30 minutes, afin de vous laisser du temps pour faire des marches plus longues 3 autres jours. Organisez votre emploi du temps, afin de pouvoir vous dépenser et atteindre vos objectifs.

Exercices de résistance

Exercices stimulant le bas du corps

Accroupissements	I série de 20
Accroupissements et extensions des jambes alternées	I série de 20
Génuflexions	10 jambe droite et 10 jambe gauche
Génuflexions (niveau avancé)	I série de 20, jambes alternées

Exercices stimulant le haut du corps

Pompes trois quarts	I série de 20
Raffermissement des bras	I série de 20
Biceps : mouvements avec haltères	I série de 20

Exercices stimulant la ceinture abdomino-lombaire, les abdominaux et les muscles du dos

Planche	I fois 30 secondes
Mouvements « Quatre pattes extensions »	10 de chaque côté
Extensions des jambes	10 de chaque côté
Travail des abdominaux	I série de 20
Flexions obliques du tronc	20 de chaque côté

Exemple d'activités pour la semaine

Lundi	Mardi	Mercredi	Jeudi	Vendredi	Samedi	Dimanche
Marche 2 40 minutes	Marche 1 30 minutes	Marche 2 40 minutes	Marche 1 30 minutes		Marche 2 40 minutes	Marche 1 30 minutes
	+ séance exercices de résistance		+ séance exercices de résistance			+ séance exercices de résistance
40 minutes	*50 minutes*	*40 minutes*	*50 minutes*		*40 minutes*	*50 minutes*

Sujet de réflexion

Les plats à emporter sont-ils incompatibles avec une alimentation saine et équilibrée ?

La plupart des individus ne mangent qu'*occasionnellement* des plats à emporter. Ce qui ne pose aucun problème car, comme nous l'avons vu précédemment, tout est une question de fréquence. Or, les choses se gâtent pour les *quelques* personnes qui mangent des plats à emporter la *majorité* du temps. Mieux vaut résister aux repas pris dans les fast-foods qui fournissent en un seul repas la moitié de l'apport énergétique journalier dont l'organisme a besoin. Ne tombez pas dans le piège des slogans alléchants, du type « Un payé, un gratuit », « Menu géant à prix modique », « Frites à volonté » ou encore « Faites-vous livrer à domicile », et pesez le pour et le contre afin de trouver ce qui est le mieux pour votre santé et celle de votre famille.

Le pour
- Solution idéale si vous n'avez pas envie de cuisiner.
- Un menu géant peut nourrir deux personnes adultes ou tout au moins un adulte et un enfant.
- Le nombre de calories est, aujourd'hui, de plus en plus souvent indiqué sur les menus (en Australie !).
- Vous pouvez accompagner un repas livré chez vous d'une salade ou de légumes que vous aurez préparés vous-même.

Le contre
- Le choix des menus est souvent limité.
- Les aliments proposés sont généralement très caloriques, riches en sodium et en graisses saturées.
- Vous risquez de vous faire piéger par les repas géants pour un prix modique et manger plus que nécessaire.
- La différence entre une petite et une grosse portion peut, en terme de calories, aller du simple au double.

• Les repas à emporter ou consommés dans un fast-food sont généralement avalés sur le pouce (pas besoin de mâcher !). Vous avez encore faim alors que vous avez à peine fini de manger.

• 1 muffin et 1 café représentent 478 kcal, soit environ 1/3 des besoins énergétiques quotidiens d'un adulte de taille et de corpulence moyennes.

Pour savoir quels aliments commander en toute connaissance de cause, reportez-vous aux pages 292 à 297.

Voici quelques suggestions pour bien vous nourrir lorsque vous sortez, ou que vous n'avez que peu de temps pour cuisiner :

• un hamburger (portion moyenne) avec une salade – enlevez le bacon et le fromage, très caloriques ;

• des sandwichs aux crudités et des roulés au jambon, au saumon ou des œufs ;

• une pizza pour végétarien (pâte fine) – accompagnée d'une grosse salade composée ;

• des pâtes alimentaires – sans crème ;

• du poisson et des frites surgelés – à condition d'utiliser de l'huile d'olive pour la cuisson – avec des légumes et une salade composée ;

• des lasagnes aux légumes ;

• des nouilles asiatiques fraîches avec des légumes (frais ou surgelés) et des crevettes ;

• des haricots mexicains en conserve sur des chips de maïs pauvres en sodium avec une ou deux cuillerées de purée d'avocat ;

• des morceaux de poulet sans la peau cuits au barbecue avec de la soupe à base de nouilles asiatiques et de bouillon de volaille, du vermicelle de riz, de la purée de maïs en conserve, des mini-pois surgelés et des échalotes ;

• des kebabs pour végétariens.

Semaine 11 Idées de menus

	Petit déjeuner	Collation
LUNDI	Du bacon dégraissé grillé servi avec 1 tartine de pain au levain grillée et des rondelles de tomate	1 banane
MARDI	Des tranches de pain grillées avec du fromage à tartiner 1 yaourt aux fruits	1 grosse poignée de cerises
MERCREDI	1 tranche de pain complet grillée avec de la pâte à tartiner à la noisette et des rondelles de banane	1 pomme
JEUDI	1 salade de fruits nature et 1 petite poignée de fruits à écale variés	1 cappuccino (lait demi-écrémé) 1 biscuit aux flocons d'avoine
VENDREDI	Sur le pouce : 1 barre aux fruits à écale et aux pommes	1 yaourt nature aux fruits
SAMEDI	1 œuf brouillé avec du saumon fumé et des épinards sur 1 tranche de pain complet grillée	1 poire
DIMANCHE	1 bol de flocons d'avoine avec des fruits frais légèrement sucrés	1 pomme

Déjeuner	Collation	Dîner
1 tarte aux poireaux, 1 carotte râpée 1 fruit	1 nectarine	1 tranche de gigot d'agneau grillé Servir avec une poêlée de légumes variés, 1 part de fromage allégé
1 plateau de sushis et 1 soupe miso	1 petite poignée d'amandes	Du poulet avec des légumes asiatiques surgelés revenus à la poêle et servis avec du riz doongara maison
1 sandwich : pain multicéréales, fromage frais, saumon fumé et pois d'hiver avec une salade composée	1 yaourt nature aux fruits	Des morceaux de poulet sans peau cuits au barbecue, servis avec du bouillon de volaille, des nouilles asiatiques, de la purée de maïs et des échalotes
1 soupe de poisson	Du lait aromatisé demi-écrémé	Des buritos mexicains avec du riz basmati ou doongara cuit à la vapeur, de la sauce pimentée et une salade verte
1 sandwich : pain au levain, rosbif et crudités, cornichons	1 pêche	1 filet de poisson grillé avec 1 poignée de chips, un filet de vinaigre et 1 salade de roquette
Salade aux lentilles, betterave rouge et feta (voir page 357)	1 poignée de pistaches à décortiquer	Du bœuf et des légumes revenus à la poêle dans une sauce aux haricots noirs Servir avec des nouilles

Déjeuner	Collation	Dîner
1 escalope de dinde avec de la purée de patates douces et des petits pois, des carottes et des choux de Bruxelles cuits à la vapeur	Riz au lait avec de la rhubarbe et des fraises (voir page 382)	Soupe de légumes avec du fromage fondu sur 1 tartine de pain grillée

SEMAINE 12

Au cours de ces 3 derniers mois, vous avez considérablement modifié vos habitudes alimentaires et comportementales, et vos efforts sont, peu à peu, récompensés. Aujourd'hui, vous devez faire en sorte que ces changements fassent à tout jamais partie de votre quotidien, et veiller à ce que les mauvaises habitudes d'antan ne reprennent pas le dessus. Cette semaine, concentrez-vous sur les objectifs suivants :

ALIMENTATION

Manger sainement doit être un réflexe.

EXERCICES PHYSIQUES

Comme la semaine passée, faites 2 exercices de marche : 30 minutes de marche à une allure soutenue, dont 20 minutes au niveau 5 sur l'échelle PSE, et 40 minutes à une allure moins rapide au niveau 4 sur l'échelle PSE. Essayez de faire chacun de ces 2 exercices 3 fois dans la semaine.
En plus, faites les exercices de résistance que nous vous proposons, en vous concentrant sur le haut du corps, puis sur le bas du corps, 3 fois dans la semaine.

ACTIVITÉ

Saisissez toutes les occasions pour vous dépenser physiquement. En un mot, portez-vous volontaire dès qu'il y a une course à faire, déplacez-vous le plus possible à pied, emmenez votre chien en promenade et portez vos sacs à provisions. La moindre activité compte et a, à long terme, un effet bénéfique.

SUJET DE RÉFLEXION

Ces petits trucs qui vous aident à manger sainement.

Alimentation

Manger sainement doit devenir une habitude.

S'il n'y a pas de miracle pour maigrir et stabiliser son poids, nous nous sommes aperçus que les personnes qui y parviennent ont plusieurs points en commun.

• elles ont une attitude positive dès qu'il s'agit d'opter pour une alimentation susceptible de protéger ou améliorer leur capital santé ;

• elles ont la volonté de perdre du poids progressivement ;

• elles veulent que leurs nouvelles habitudes alimentaires et comportementales (exercices physiques) durent sur le long terme ;

• elles ne sont pas frustrées mais – au contraire – apprécient les changements dans leurs habitudes alimentaires.

Mais vous, comment vous sentez-vous au jour d'aujourd'hui ? Il est temps de faire le point afin de voir où vous en êtes. Comme vous l'avez fait la première semaine, inscrivez dans un carnet ce que vous mangez et buvez chaque jour, et comparez cette liste avec la première liste. Si vous avez joué le jeu, vous notez de grandes différences entre l'alimentation que vous aviez il y a 3 mois et l'alimentation d'aujourd'hui. Mais pas question de vous arrêter en si bon chemin ! Nous vous rappelons que votre objectif à long terme n'est pas d'atteindre un certain poids, mais de changer une bonne fois pour toutes la manière dont vous vous nourrissez et vivez. Ce sont les changements mineurs que nous faisons jour après jour, quand nous allons faire les commissions, quand nous cuisinons et que nous mangeons, qui vont nous permettre de changer notre vie.

La motivation, c'est ce qui nous permet de commencer.
L'habitude, c'est ce qui nous permet de continuer.

Exercices physiques

Comme la semaine passée, faites 2 exercices de marche : 30 minutes de marche à une allure soutenue, dont 20 minutes au niveau 5 sur l'échelle PSE, et 40 minutes à une allure moins rapide, au niveau 4 sur l'échelle PSE. Essayez de faire chacun de ces 2 exercices 3 fois dans la semaine. *En plus*, faites les exercices de résistance que nous vous proposons, en vous concentrant sur le haut du corps, puis sur le bas du corps, 3 fois dans la semaine.

Vous avez plus de tonus, et vous commencez à voir tous les efforts que vous faites depuis plusieurs semaines récompensés. Cette semaine, les exercices de résistance sont plus intenses et, peu à peu, votre silhouette se transforme.

Exercices de résistance

Exercices stimulant le bas du corps

Accroupissements	1 série de 20
Accroupissements et extensions arrière alternées de la jambe	1 série de 20
Génuflexions	10 jambe droite et 10 jambe gauche
Génuflexions (niveau avancé)	1 série de 20, jambes alternées

Exercices stimulant le haut du corps

Pompes (niveau avancé)*	1 série de 10
Triceps : fléchissements des avant-bras*	1 série de 10
Biceps : mouvements avec haltères	1 série de 20

Exercices stimulant la ceinture abdomino-lombaire, les abdominaux et les muscles du dos

Planche	1 fois 30 secondes
Mouvements « Quatre pattes extensions »	10 de chaque côté
Extensions des jambes	10 de chaque côté
Travail des abdominaux	1 série de 20
Flexions obliques du tronc	20 de chaque côté

* Voir description ci-après.

Nouveaux exercices

Pompes (niveau avancé)

Cet exercice est particulièrement intense dans la mesure où, lorsque vous soulevez votre corps, vous prenez appui sur les orteils. Pendant toute la durée de l'exercice, veillez à ce que le corps soit parfaitement aligné (voir pages 223-224).

Combien : essayez de faire une série de 10 puis, si nécessaire, prenez appui sur les genoux afin de faire une seconde série de 10.

Triceps : fléchissements des avant-bras

Cet exercice est plus intense que le raffermissement des bras en station debout car la force à laquelle vous devez résister est, non plus un haltère, mais le poids de votre corps, qui est nettement plus lourd.

Parties du corps concernées : la face postérieure des bras et les épaules.

Comment procéder :

Prenez la position de départ des pompes trois quarts (voir pages 223-224). Les mains sont dans l'alignement des épaules. Certaines personnes préfèrent prendre appui sur leurs poings plutôt que sur les paumes des mains, car les poignets ne sont pas fléchis.

Rapprochez la poitrine du sol, puis poussez sur les bras pour revenir à la position de départ, en gardant les coudes le plus près possible du torse.

Combien : effectuez 2 séries de 10, en marquant une petite pause entre les deux.

Exemple d'activités pour la semaine

Lundi	Mardi	Mercredi	Jeudi	Vendredi	Samedi	Dimanche
Marche 2 40 minutes	Marche 1 30 minutes	Marche 2 40 minutes	Marche 1 30 minutes		Marche 2 40 minutes	Marche 1 30 minutes
	+ séance exercices de résistance		+ séance exercices de résistance			+ séance exercices de résistance
40 minutes	*50 minutes*	*40 minutes*	*50 minutes*		*40 minutes*	*50 minutes*

Sujet de réflexion

Ces petits trucs qui vous aident à manger sainement.

1. Restez à l'écoute de votre estomac

Nous devrions tous manger selon notre appétit. La première chose que vous devez apprendre à faire est de rester à l'écoute de votre estomac et manger en fonction de vos besoins, c'est-à-dire quand vous avez faim, et cesser lorsque vous êtes rassasié(e) − rassasié(e) pas gavé(e) ! Sachez qu'il est normal de manger plus certains jours et moins certains autres.

2. Ayez conscience que, parfois, vous mangez sans avoir faim

Manger est un comportement extrêmement complexe. En effet, on ne mange pas uniquement pour satisfaire sa faim ou pour apporter à l'organisme les nutriments dont il a besoin, mais parce que l'on est en famille ou entre amis, voire que l'on a besoin de réconfort ou encore parce que l'on s'ennuie. On mange pour ne pas vexer la maîtresse de maison. On mange parce que l'on est inquiet(ète) ou déprimé(e). On finit l'assiette des enfants pour ne pas gaspiller la nourriture. On mange parce qu'un plat est appétissant, ou tout simplement parce qu'il y a une assiette pleine sur la table. Si manger sans faim n'est pas grave, il faut savoir que cela explique souvent pourquoi nous mangeons plus que nécessaire et, si nous voulons que cela cesse, nous devons en avoir conscience.

3. Mangez à heures régulières

Vous êtes-vous aperçu(e) que, plus vous avez faim, plus vous êtes tenté(e) par des aliments riches en calories, comme les biscuits, le chocolat ou les chips et qu'une fois que vous avez commencé il est difficile de vous arrêter ? Vous aurez moins de mal à manger normalement et à contrôler votre faim si vous mangez régulièrement des petits en-cas riches en glucides à IG bas.

4. Demandez-vous ce que vous pouvez manger plutôt que ce que vous ne pouvez pas manger

Que se passe-t-il si l'on vous parle d'un éléphant rose ? Dans votre tête, vous allez avoir l'image d'un éléphant rose, n'est-ce pas ? Eh bien ! Essayez d'imaginer comment vous serez dans le futur et, plutôt que de penser à ce que vous ne voulez pas manger, pensez à ce que vous souhaitez consommer.

5. Trouvez une stratégie afin de ne pas manger plus que nécessaire

Vous voulez une tranche de pain ? Alors, prenez-en une, puis rangez le pain. Mettez le beurre, la confiture, etc., avant de vous asseoir et de manger. Hors de la vue, hors de la tête. Placez dans les placards les aliments qui vous tentent ou, mieux, ne les achetez que de temps à autre.

6. Ayez toujours des aliments sains à portée de main

Faites en sorte que les aliments les plus sains soient les plus accessibles :

- lavez des pommes et des fruits à noyau et mettez-les dans un saladier sur la table ;
- ayez toujours un récipient contenant des fruits secs et des fruits à écale à portée de main chez vous et au travail ;
- coupez des rondelles de tomates et de concombres et conservez-les au réfrigérateur pour pallier les petites faims ;
- ayez toujours des yaourts nature dans votre réfrigérateur ;
- à proximité du grille-pain, mettez un paquet de pain à IG bas.

Ces quelques exemples vous montrent comment mettre en place une stratégie afin de privilégier les aliments que vous voulez manger.

7. Cuisinez juste ce qu'il faut afin qu'il n'y ait pas de restes

Si vous avez vu trop grand et qu'il y en a trop, mettez le surplus dans des récipients que vous rangerez au réfrigérateur, avant de vous asseoir pour manger. Si vous avez envie de vous resservir, sortez de table et allez vous brosser les dents.

8. Ne mangez pas en faisant autre chose

S'asseoir sur le canapé et regarder la télévision avec un paquet de chips ou une tablette de chocolat entre les mains est la pire des choses. En effet, vous aurez tôt fait de tout avaler sans même vous en apercevoir. Concentrez-vous sur les aliments que vous mangez, et savourez-les.

9. Manger à heures fixes

Si vous avez envie de grignoter entre les repas, suivez les conseils ci-dessous :

- attendez avant de vous servir ;
- respirez profondément ;
- buvez de l'eau ;
- faites autre chose.

10. Planifiez et donnez un sens à vos repas

Cuisiner est, pour la plupart d'entre nous, indispensable si nous voulons manger. Prenez le temps de passer derrière les fourneaux. Si besoin est, inscrivez-vous à un cours de cuisine. Essayez des aliments qui ne vous sont pas familiers, faites une liste avant d'aller faire les commissions, privilégiez les fruits et les légumes de saison, demandez conseil à votre épicier et autres commerçants, faites régulièrement vos courses et choisissez toujours des produits sains et savoureux.

Demandez-vous ce que vous pouvez manger
plutôt que ce que vous ne pouvez pas manger.

Semaine 12 Idées de menus

	Petit déjeuner	**Collation**
LUNDI	Des céréales riches en fibres avec des rondelles de banane et du lait demi-écrémé	1 petit paquet de fruits secs
MARDI	1 tranche de pain au levain grillée avec 1 petite barquette de fromage blanc et des rondelles de banane	Salade de fruits
MERCREDI	Des flocons d'avoine avec des raisins secs, des morceaux de pomme et du lait demi-écrémé	1 tranche de pain aux fruits secs avec du fromage frais allégé
JEUDI	Des céréales riches en protéines avec des fraises et du lait demi-écrémé	Des biscuits aux flocons d'avoine
VENDREDI	2 œufs coque avec des mouillettes 1 fruit	1 orange
SAMEDI	1/2 pamplemousse 1 tartine de pain complet grillée avec du fromage allégé et des rondelles de tomate	1 pomme
DIMANCHE	Omelette au fromage râpé	1 verre de jus de carotte et d'orange

Déjeuner	Collation	Dîner
1 sandwich au thon : du pain complet, du thon en conserve, du maïs, de la mayonnaise à l'huile d'olive et des rondelles de concombre	1 yaourt nature aux fruits	Champignons et légumes sautés (voir page 356)
Soupe aux lentilles avec 1 petit pain rond aux céréales	1 poignée de cacahuètes à décortiquer	Des côtelettes d'agneau grillées avec 1 purée de patates douces et de potiron, des haricots, des carottes et des brocolis cuits à la vapeur
1 petite boîte de haricots à la sauce tomate et des rondelles de tomates, 1 tartine de pain complet grillée	1 grappillon de raisin	Des blancs de poulet arrosés de jus d'orange et cuits au four Servir avec des pommes de terre nouvelles cuites à l'eau et des légumes poêlés
1 soupe à la tomate avec du pain complet et du fromage allégé	1/4 de melon	Kebab au bœuf 25 % avec 1 salade de nouilles hokkien et des légumes (voir page 359)
1 tortilla : poulet et crudités	1 yaourt à boire	1 curry aux légumes et aux pois chiches avec du riz basmati
Muffins au jambon, au maïs et aux courgettes (voir page 351) avec 1 salade composée	Des bâtonnets de carotte trempés dans de la salsa mexicaine	Saupoudrer de l'ail haché, du gingembre, des feuilles de coriandre hachées sur 1 poisson entier Ajouter du jus de citron et mettre le poisson dans un papier aluminium Faire cuire 30 minutes au four ou au barbecue Servir avec une grosse salade composée

Déjeuner	Collation	Dîner
Des sardines (en conserve ou fraîches) sur 1 tranche de pain au levain avec de la sauce pimentée, salade d'avocat et tomate	1 pomme	Du porc et des légumes cuits à la poêle dans une sauce aux huîtres Servir avec des nouilles asiatiques

PARTIE III
Un régime pour la vie

CHAPITRE 5

NE PAS REGROSSIR MAIS STABILISER SON POIDS

Êtes-vous l'une des victimes des régimes yo-yo ? Vous maigrissez, vous reprenez vos kilos (voire plus), vous maigrissez à nouveau, et ainsi de suite. Malheureusement, 95 % des personnes qui perdent du poids grâce à un régime alimentaire reprennent leurs kilos, d'où l'objet de ce chapitre.

Nous allons vous aider à passer de la phase « je perds du poids » à la phase « je stabilise mon poids », nous voulons non plus « vous tenir par la main » mais vous donner les outils et la connaissance nécessaires pour augmenter vos chances de ne pas reprendre vos kilos à long terme. Nous vous aidons non seulement à changer vos habitudes alimentaires et comportementales, mais nous mettons également à votre disposition des outils dûment testés et une kyrielle d'astuces qui vous permettront d'avoir une alimentation saine et équilibrée et de rester en pleine forme, quelles que soient les situations : week-ends, dîners au restaurant, vacances, voyages professionnels, fêtes de famille, etc., responsables des oscillations de l'aiguille sur le pèse-personne. En effet, face à ce genre de défis, mieux vous êtes informé(e), plus vous avez de chances de réussir.

Tout comme le Plan d'action de douze semaines, notre « Régime pour la vie » repose sur trois facteurs indissociables : la planification des repas, la pratique d'une activité physique et un changement des habitudes comportementales. À partir de maintenant, c'est à vous de prendre les rênes et de contrôler la situation.

Avec de la persévérance et de la patience – comptez environ une année – vous vous apercevrez que vous avez, peu à peu, pris de bonnes habitudes et que, inconsciemment, des bons comportements se sont mis en place, comportements dont vous aurez désormais du mal à vous débarrasser. En effet, notre but est que vous vous sentiez bien dans votre corps et que vous ne puissiez plus vous passer des bienfaits d'une alimentation à IG bas.

Souvenez-vous de ce que nous vous avons dit précédemment : le succès de notre Plan d'action ne se mesure ni en centimètres, ni en kilos perdus. Ce qui importe, c'est que, aujourd'hui, vous ayez une bonne hygiène alimentaire et que vous pratiquiez régulièrement une activité physique.

Vous avez peut-être perdu 10 % de votre poids initial (ce qui est formidable !) or même si vous n'avez perdu que 5 %, vous pouvez vous féliciter d'avoir remporté une grande *victoire*, qui aura des répercussions bénéfiques sur votre capital santé et votre vitalité. Nous savons bien que certains d'entre vous espèrent perdre encore quelques kilos, mais plutôt que de se polariser sur la perte de poids, essayez, durant les 3 mois qui suivent le Plan d'action de ne pas regrossir (phase de stabilisation). Si vous y parvenez, vous pourrez vous lancer dans un nouveau combat, et repartir pour un Plan d'action de douze semaines. En vous accordant une *pause* de 3 mois, vous vous libérez d'une tension qui, à la longue, peut être insupportable, et vous laissez le temps à votre corps de s'adapter aux changements.

En théorie, stabiliser son poids devrait être plus facile que de se débarrasser de ses kilos superflus. Après tout, à ce stade, on peut présumer que l'apport énergétique est équivalent à la dépense énergétique et que, de ce fait, l'équation est équilibrée. Lorsque vous essayez de perdre du poids, l'apport énergétique doit être inférieur à la dépense énergétique. Or, lorsqu'il s'agit de stabiliser votre poids, vous pouvez manger un peu plus que lorsque vous vous battiez contre les kilos superflus. Mais attention ! Ce n'est pas le moment de vous relâcher et de baisser la garde. Et ce n'est surtout pas le moment de laisser tomber le sport ! Cette étape, qui doit vous permettre de stabiliser votre poids, est la plus critique. Durant *douze mois, voire plus*, vous allez devoir vous battre, afin de vous débarrasser à tout jamais de toutes vos mauvaises habitudes alimentaires et comportementales et mettre en place de bons réflexes.

Malheureusement, nombre d'individus croient à tort que, une fois qu'ils ont perdu leurs kilos superflus, le plus dur est fait. Avant même qu'ils s'en rendent compte, les kilos ont réapparu et, en quelques semaines, ils ont tout repris, quand ce n'est pas plus !

Pourquoi ? Pour plusieurs raisons. Des études laissent entendre que notre organisme « se souvient » de notre poids initial et qu'il fait tout pour le retrouver. Des hormones stimulent l'appétit, et nous mangeons alors plus que nécessaire. Par ailleurs, après une perte de poids, l'organisme est en quelque sorte un moteur moins puissant qui, par conséquent, a besoin de moins de carburant pour fonctionner correctement. Si vous maigrissez trop rapidement et que vous ne vous dépensez pas physiquement, il y a de grandes chances pour que votre masse musculaire diminue également, votre moteur devenant alors encore moins puissant.

Une autre raison expliquant pourquoi stabiliser son poids est aussi difficile : votre taux métabolique au repos (TMR) – en valeur absolue et selon votre poids par kilo – a chuté d'environ 10 à 12 %. C'est ce phénomène qui permet aux animaux de s'adapter à n'importe quel environnement. Si la nourriture vient à manquer, l'organisme se met au ralenti, afin de consommer moins de carburant. Or, il est *prouvé* que l'un des avantages du régime que nous prônons met en évidence que le TMR qui accompagne la perte de poids est moins important et ne chute que de 5 % au lieu de 10 %. Les fluctuations du taux de glucose dans le sang sont moindres et, par conséquent, l'organisme gère mieux la consommation de carburant dans la mesure où il y a toujours suffisamment de glucose et de graisses à brûler.

Quelle que soit la raison pour laquelle la dépense énergétique diminue, le plus important est que vous ayez une bonne alimentation et que vous continuiez à pratiquer régulièrement une activité physique. Si vous reprenez vos mauvaises habitudes, à savoir, manger n'importe quoi n'importe quand et passer des heures passif devant la télévision, vous aurez tôt fait de revenir à la case départ et tout sera à recommencer ! Le régime que nous préconisons présente un sérieux avantage par rapport aux régimes pauvres en glucides ou en graisses dans la mesure où il ne vous exclut pas de la vie sociale.

Se polariser sur la *qualité* plutôt que sur la *quantité* des glucides et des graisses consommés est moins contraignant et moins frustrant.

CE QUI CARACTÉRISE LES INDIVIDUS
QUI STABILISENT LEUR POIDS

Ils pratiquent régulièrement une activité physique.

Ils marchent à vive allure et travaillent avec des poids et des haltères.

Ils utilisent un podomètre afin de connaître exactement le nombre de pas parcourus en une journée (voir pages 323-324).

Ils font attention à la quantité de nourriture consommée au quotidien.

Ils optent pour une alimentation pauvre en graisses, mais pas pour une alimentation pauvre en glucides.

Ils se surveillent au quotidien (ils notent précisément les aliments consommés et les activités physiques pratiquées).

**CE QUI CARACTÉRISE LES INDIVIDUS
QUI REPRENNENT LEURS KILOS SUPERFLUS**

Ils reprennent vite leurs mauvaises habitudes.
Ils mangent plus que nécessaire.
Ils pratiquent de moins en moins régulièrement une activité physique.

Stabiliser son poids est un combat quotidien.

Comment construire un régime adapté pour maintenir son poids

Voyons voir si vous êtes capable de nager sans bouée ! Durant douze semaines, nous avons sélectionné pour vous les repas destinés à vous permettre de perdre du poids. À vous de jouer ! Montrez-nous maintenant si vous savez élaborer des menus à IG bas sains et équilibrés. La bonne nouvelle est que, dans la mesure où votre objectif n'est pas de *perdre* des kilos supplémentaires, vous avez le droit de manger un peu plus au quotidien, par exemple consommer un fruit ou un produit laitier allégé en plus, voire même les deux si vous pesez plus de 100 kg. Vous accorder de temps à autre un petit plaisir est également permis. Toutefois, dans la mesure où, à ce stade, votre but est de stabiliser votre poids, il est primordial que vous fassiez très attention aux aliments que vous consommez. Par sécurité, référez-vous toujours aux aliments que nous préconisons pages 278 à 282. Si faire une petite entorse à votre régime alimentaire une fois par jour n'est pas dramatique, il est par contre hors de question que vous arrêtiez de pratiquer une activité physique.

UN CONSEIL D'AMIS

Consommer une portion supplémentaire de protéines (viande maigre, poisson ou poulet) ne peut que vous aider à stabiliser votre poids. Des études récentes ont prouvé que consommer 30 à 50 g de protéines, soit 200 g de viande (viande crue) maigre, poisson ou volaille, en plus par jour permet de stabiliser son poids à long terme. Pour en savoir plus, reportez-vous aux pages 174 à 176.

Si vous avez du mal à stabiliser votre poids, reconsidérez les portions de nourriture consommées au quotidien. Il se peut que vous mangiez les bons aliments mais en trop grande quantité. Au cours des vingt dernières années, les portions ont considérablement augmenté. On peut notamment le voir dans les restaurants et les *fast-foods*, qui attirent les clients en proposant des portions de plus en plus grosses pour un moindre prix, un leitmotiv largement utilisé par les professionnels du marketing spécialisés dans la restauration (voir tableau ci-après).

Or, méfiez-vous de tous ces aliments très énergétiques et très caloriques commercialisés à des prix modiques car ce ne sont pas eux qui vont vous aider à stabiliser votre poids.

Des portions de plus en plus grosses*

	1980	2000
Boissons non alcoolisées	375 ml	600 ml
Chips	30 g	50 g
Frites	150 g	250 g
Pop-corn	300 g	600 g

* Chiffres relevés dans les pays anglo-saxons.

Inconsciemment, les bébés et les jeunes enfants « écoutent » les signaux émis naturellement par leur corps. Ils mangent quand ils ont faim et ils s'arrêtent quand ils sont rassasiés. Nombre d'adultes (et adolescents) ne tiennent aucun compte de leurs besoins physiologiques et, dans un environnement où tout vise à stimuler l'appétit, où les produits caloriques sont à portée de main, il est facile de manger plus que nécessaire. Au lieu de nous laisser guider par les signaux de faim et de satiété émis naturellement par notre organisme et manger en fonction de nos besoins, nous agissons poussés par des habitudes comportementales et des règles instaurées par notre société qui, par exemple, nous disent de finir notre assiette (sous peine de gaspiller la nourriture) ou de manger tout ce que nous proposent nos hôtes (pour ne pas les vexer).

**Fiez-vous à votre appétit
et mangez en fonction de vos besoins.**

Voici quelques petits conseils qui vous aideront à ne pas manger plus que nécessaire.

1. Relisez les recommandations pages 263 à 265. Restez à l'écoute de votre corps et mangez les aliments dont il a besoin au moment où il en a besoin.

2. Assurez-vous que vous ne consommez ni trop ni pas assez de glucides, fibres, protéines et lipides. Pour vous aider, gardez à l'esprit les trois points suivants :

a) Commencez par manger un glucide à IG bas.

b) Ajoutez une portion suffisante de légumes ou de fruits.

c) En plus, mangez quelques protéines accompagnées de bonnes graisses.

Vous trouverez ci-après et jusqu'en page 282 quelques exemples d'aliments à privilégier pour préparer un repas à IG bas.

Bien commencer sa journée

Votre mère avait raison : le petit déjeuner est le repas le plus important de la journée, notamment lorsque vous essayez de stabiliser votre poids. En effet, c'est lui qui, d'une part, fournit au cerveau l'énergie dont il a besoin pour fonctionner et qui, d'autre part, stimule le métabolisme après plusieurs heures de jeûne.

Les personnes qui prennent un petit déjeuner consistant consomment moins de calories tout au long de la journée. Pourquoi ? Il semblerait qu'un trop grand intervalle entre le dîner et le repas suivant déclenche de la part de certaines hormones une réponse contre-régulatrice qui augmente la sensation de faim. Par ailleurs, plus vous restez à jeun longtemps ou plus vous retardez l'heure du petit déjeuner, plus votre organisme devient insensible à l'action de l'insuline. En d'autres termes, tout ce que vous mangerez fera grimper le taux d'insuline, entraînant une oxydation plus forte des glucides tandis que l'organisme puisera moins dans les réserves de graisses. Toutes les personnes répertoriées sur le *National Weight Control Registry* (registre américain regroupant les personnes ayant perdu 14 kg minimum et ayant réussi à stabiliser leur poids pendant au moins 12 mois) prennent un petit déjeuner pratiquement tous les jours de la semaine.

Petits déjeuners

Glucides à IG bas	+	Fruits et légumes	+	Protéines et bonnes graisses	=	Repas équilibré à IG bas
Müesli		Fraises et yaourt		Lait demi-écrémé et yaourt		Müesli aux fruits
Haricots blancs à la sauce tomate		Champignons		Œuf poché		Œuf poché, champignons et haricots blancs à la sauce tomate

Glucides à IG bas +	Fruits et légumes +	Protéines et bonnes graisses =	Repas équilibré à IG bas
Flocons d'avoine roulée	Raisins secs avec des rondelles de banane	Lait demi-écrémé	Flocons d'avoine aux raisins et à la banane
Tartine de pain complet grillée	Rondelles de tomate (fraîche mûre) et salade verte	Tranche de saumon et sauce barbecue, tomate et salade	Tranche de saumon
Yaourt nature avec une goutte de miel liquide	Banane mure écrasée	Lait demi-écrémé avec une pincée de noix muscade	Milk-shake à la banane
Tartine de pain au levain grillée	Jus de tomate	Harengs avec du citron	Harengs avec du pain au levain
Tartine de pain complet grillée	Pomme rouge coupée en lamelles	Cheddar allégé	Sandwich au fromage et pomme
Yaourt nature à la vanille	Fruit de saison frais coupé en morceaux	Mélange de fruits à écale et de graines	Yaourt aux fruits frais et aux fruits à écale
Pain aux fruits secs	Pâte à tartiner au fruit ou fruit frais à noyau coupé en lamelles	Ricotta fraîche	Pain aux fruits secs avec du fromage
Tartine de pain complet	Échalotes, tomates, champignons et persil	Œufs et fromage râpé allégé	Omelette sur pain grillé

Déjeuners légers

Glucides à IG bas	+	Fruits et légumes	+	Protéines et bonnes graisses	=	Repas équilibré à IG bas
Pain au levain		Salade verte, tomate, betterave rouge et oignon		Entrecôte		Petit steak
Pain pita		Taboulé et houmous		Falafel et kebab		Falafel
Épis de maïs doux		Salade de chou blanc		Poulet au barbecue		Poulet et salade
Pain complet		Salade verte, tomate, concombre, betterave rouge, carotte râpée et oignon		Fine tranche de jambon		Sandwich au jambon
Pâtes		Sauce napolitaine		Parmesan râpé		Pâtes à la napolitaine
Pain complet		Rondelles de tomates avec une goutte d'huile d'olive, du vinaigre balsamique et du basilic		Thon au naturel (égoutté) avec de l'ail, des câpres, du persil, de l'huile d'olive et un peu d'houmous à étaler sur du pain		Tapenade de thon et salade de tomate
Pain multicéréales		Salade verte, oignon blanc et concombre		Saumon rouge et un peu de fromage frais		Sandwich saumon/salade
Tartine de pain au levain grillée et aillée		Tomates et champignons des prés revenus à feu doux		Ricotta cuite au four avec de l'huile d'olive		Tartine aillée avec des tomates, des champignons et de la ricotta fondue

Glucides à IG bas	+	Fruits et légumes	+	Protéines et bonnes graisses	=	Repas équilibré à IG bas
Légumineuses avec du poivron, des échalotes avec une sauce à l'huile d'olive, citron et persil		Haricots verts, tomate, carotte râpée et concombre		Fromage râpé		Fromage et crudités avec une sauce à l'huile d'olive, citron et persil

Dîners

Glucides à IG bas	+	Fruits et légumes	+	Protéines et bonnes graisses	=	Repas équilibré à IG bas
Tortilla de maïs avec des haricots blancs ou des haricots mexicains		Chiffonnade de salade verte, céleri et sauce tomate pimentée		Bœuf maigre, fromage râpé et une cuillerée de mayonnaise		Tortilla au bœuf et aux haricots avec de la salade composée
Lentilles préparées au naturel		Tomates, chiffonnade d'épinards et jus de citron		Filet d'agneau mariné dans l'huile d'olive avec de l'ail et de l'origan		Agneau au barbecue avec une salade de lentilles assaisonnée avec du jus de citron et un yaourt (voir page 367)
Patates douces		Roquette ou tout autre légume vert		Filet de brème, rascasse ou lotte huilé et poivré		Galettes de poisson et de patates douces (voir page 358)
Riz basmati et dhal indien		Curry avec chou-fleur, carotte, petits pois et tomates en conserve		Bœuf ou agneau doré dans l'huile végétale avec de l'ail et de l'oignon		Curry et riz

Glucides à IG bas	+	Fruits et légumes	+	Protéines et bonnes graisses	=	Repas équilibré à IG bas
Mini-pommes de terre nouvelles cuites à la vapeur et refroidies		Haricots verts frais, tomates cerises coupées en deux, olives kalamata assaisonnées à l'huile d'olive et au vinaigre de vin rouge		Thon au naturel et un œuf dur coupé en quatre		Salade de thon
Patate douce		Poivron et oignon rouges coupés en lanières avec des haricots verts cuits à la vapeur		Œufs		Frittata aux légumes (voir page 348)
Haricots rouges		Tomates en conserve, oignons, ail, carotte, céleri et rutabaga		Bœuf maigre coupé en dés et dorés dans l'huile d'olive		Ragoût de bœuf et haricots
Riz doongara ou basmati cuit à la vapeur		Assortiment de légumes : pois d'hiver frais, mini-épis de maïs, carotte, oignon et chou chinois		Poulet, bœuf, agneau ou porc sauté dans l'huile d'arachide et sauce pimentée		Viande et légumes asiatiques sautés avec du riz
Épis de maïs cuits à la vapeur		Salade composée		Poulet sans peau cuit au barbecue		Poulet et salade composée
Spaghettis		Oignon, ail, poivron, champignons et concentré de tomate		Bœuf maigre haché		Spaghettis à la bolognaise

Un repas pour toute la famille

Nos lecteurs ou les personnes que nous rencontrons nous disent souvent que le fait d'opter pour une meilleure alimentation a des répercussions bénéfiques non seulement sur leur santé mais également sur celle de leur conjoint et de leurs enfants. On dirait parfois que, dans une famille, tous les membres attendent que l'un d'eux se jette à l'eau et prenne les choses en main pour suivre. Le fait que la famille soit concernée influence-t-il la perte de poids ? Le soutien familial est un élément capital dès lors que vous essayez d'opter pour de bonnes habitudes alimentaires et comportementales. Il suffit qu'une personne modifie son mode de vie pour que toutes les autres en subissent les conséquences. Une raison supplémentaire pour fuir les régimes farfelus ! Voici quelques conseils acceptables pour les adultes et les enfants vivant sous le même toit.

Préparer le même repas pour toute la famille

Préparer des plats à part pour la personne qui surveille son poids ne fait que la marginaliser. Pour satisfaire les goûts de chacun, cuisinez plusieurs aliments différents que vous mettrez en même temps sur la table, afin que chacun puisse se servir.

LES DIX COMMANDEMENTS POUR ÉVITER DE REPRENDRE DU POIDS

1. Ne jamais sauter de repas (ce qui ralentit la vitesse métabolique, vitesse à laquelle les calories sont brûlées).

2. Prendre un **vrai** petit déjeuner.

3. Manger 3 à 4 fois par jour.

4. Ne pas regarder la télévision plus de 12 heures par semaine.

5. Privilégier les glucides à IG bas à chaque repas.

6. Manger des protéines maigres à chaque repas.

7. Ne pas supprimer toutes les graisses, mais consommer de bonnes graisses.

8. Manger, chaque jour, 7 portions de fruits et de légumes.

9. Pratiquer une activité physique modérée pendant 30 à 60 minutes, 6 jours sur 7.

10. Le septième jour, se reposer et faire ce que bon vous semble.

Dîner en famille

Comme chacun sait, rien n'est plus convivial que partager un repas. Apportez une touche personnelle à vos repas en sortant un beau service de table, en allumant des bougies, en disposant des fleurs sur la table ou en mettant une musique d'ambiance. Les enfants qui la plupart du temps prennent leur repas avec leurs parents ont, souvent, une meilleure alimentation. Ils n'ont généralement pas de carence et consomment le nombre de portions de fruits et de légumes recommandé par les autorités sanitaires. De plus, il semblerait que leur alimentation soit plus pauvre en graisses saturées et plus riches en glucides à IG bas.

Par ailleurs, éteindre le téléviseur et entamer une conversation à table contribuent au développement intellectuel de votre progéniture.

FAIRE PRENDRE DE BONNES HABITUDES ALIMENTAIRES À SES ENFANTS

1. Ne pas les priver, sous prétexte de restreindre leur apport calorique.

2. Leur servir des portions correspondant à leurs besoins (soit environ de la taille de leur poing).

3. Les autoriser à consommer tous types d'aliments, y compris les desserts.

4. Les emmener faire les commissions et cuisiner avec eux.

5. Imposer une règle à table : manger au minimum 3 bouchées des aliments se trouvant dans leur assiette.

6. Limiter leur consommation de jus de fruits et autres boissons sucrées – leur donner du lait demi-écrémé à la place.

7. Ne pas avoir de boissons sucrées à la maison. En acheter uniquement pour des occasions spécifiques, ou lorsque vous faites une sortie en famille.

8. Ne pas manger dans un fast-food plus de 2 fois par semaine.

Impliquer les membres de la famille dans le choix des aliments et la préparation des repas

Évoquez ensemble les bienfaits des différents aliments : « Quels sont pour toi les aliments à privilégier ? », « Quelle sorte de lait demi-écrémé aimerais-tu goûter ? », ou « Voici une liste de toutes les collations à privilégier, laquelle choisirais-tu ? »

Modifier les habitudes de toute la famille

Après le dîner, allez faire une promenade digestive en famille, ou décidez ensemble que tel jour vous ne regarderez pas la télévision, mais pratiquerez une activité tous ensemble ou irez dîner à l'extérieur.

Ne pas acheter les aliments qu'il faut éviter de consommer

Si vos enfants vous réclament des aliments que vous ne voulez plus consommer, donnez-leur l'argent correspondant. Laissez-les décider de ce qu'ils veulent acheter.

Se faire plaisir en famille quand l'occasion se présente

Les repas sont associés à nombre d'événements familiaux. Profitez de ces occasions pour vous faire plaisir et manger ce que vous aimez tout particulièrement.

Bien manger le week-end et pendant les vacances

Êtes-vous du genre à surveiller votre alimentation du lundi au vendredi et à vous relâcher le week-end ? Profitez-vous de vos vacances pour manger des friandises, courir les salons de thé, les restaurants et les pâtisseries ? Dans ce cas, vous devez avoir bien du mal à reprendre vos bonnes habitudes si difficilement mises en place après une pause. S'il est important de se libérer des contraintes et d'oublier les restrictions 1 journée par semaine, se relâcher plusieurs jours peut rapidement vous faire glisser sur la mauvaise pente. Aussi, plutôt que de vous priver de votre repas préféré, faites-vous plaisir 1 fois par semaine, peu importe le jour. Ne profitez pas des week-ends pour baisser les bras et soyez suffisamment volontaire pour continuer à avoir de bonnes habitudes alimentaires et comportementales durant les vacances.

Manger équilibré est particulièrement difficile lorsqu'on est sur la route. Plutôt que d'acheter un hamburger et un coca-cola dans un restoroute, vous avez tout intérêt à vous arrêter dans un restaurant traditionnel et commander un vrai repas. Choisissez soigneusement ce que vous allez manger et profitez pleinement de ce moment de repos. Si vous traversez une belle région ou passez près d'un point panoramique, préparez un pique-nique que vous dégusterez en admirant le paysage, puis faites quelques pas pour vous détendre, vous dégourdir les jambes et respirer une bonne bouffée d'air pur avant de reprendre le volant. Enveloppez individuellement des sandwiches dans du film étirable ou du papier aluminium et rangez-les dans une boîte en plastique afin qu'ils ne soient pas écrasés. Emportez également des fruits faciles à manger – pommes, bananes ou raisins – et n'oubliez pas des bouteilles d'eau fraîche, notamment s'il fait chaud.

Si, pendant vos vacances, vous séjournez dans un appartement ou un gîte, vous aurez tout loisir de sélectionner vos aliments.

Simplifiez-vous la vie — rares sont les personnes qui veulent passer leurs journées de vacances derrière les fourneaux — et joignez l'utile à l'agréable, par exemple, en emportant un gril électrique pour cuire la viande et le poisson et un mixer pour préparer des milk-shakes pour le petit déjeuner ou des jus de légumes revigorants. Des brochettes et des ustensiles pour barbecue vous seront également bien utiles.

Vous pouvez soit acheter les aliments dont vous aurez besoin avant de partir soit vous rendre au supermarché le plus proche dès votre arrivée. Pour vous simplifier la tâche, préparez vos menus à l'avance et faites une liste de commissions.

Des repas à préparer où que l'on soit

- Une pizza faite maison avec du pain pita, du fromage et la garniture de votre choix.
- Une boîte de thon avec des tomates concassées, des poivrons, des piments et autres légumes de votre choix, pour une sauce avec laquelle vous napperez des pâtes.
- Des burritos avec de l'avocat, des tortillas et une boîte de haricots mexicains.

Des collations à déguster au cours d'une promenade

- Des fruits frais — privilégiez les produits de la région.
- Des fruits à écale sans sel ajouté et des fruits secs.
- Une sauce pauvre en graisses saturées — houmous ou purée d'avocat — dans laquelle vous tremperez des bâtonnets de carotte ou de céleri.
- Des yaourts nature aux fruits.

Les plaisirs d'un barbecue

- Les viandes, poissons ou légumes cuits au barbecue sont la solution idéale pour un repas convivial, même en vacances.
- De la viande de bœuf maigre marinée ou des gambas.
- Des légumes et des fruits : champignons, tomates coupées en deux, rondelles de pommes de terre, épis de maïs, poivrons, oignons et rondelles d'ananas.

- Pour le dessert : des bananes cuites avec la peau (à déguster les jours de fête avec une pâte à tartiner au chocolat et aux noisettes !).
- Pour accompagner les viandes : une salade de chou blanc, un taboulé ou une salade composée faits maison ou achetés prêts à consommer.

> **Astuce** : si vous n'êtes pas sûr(e) de trouver un barbecue là où vous allez ou si vous vous rendez dans une région où il est interdit, par mesure de sécurité, d'allumer un feu, achetez un poulet cuit chez le boucher ou le traiteur.

Préparer un pique-nique

Que vous partiez en vacances, que vous ayez une horde d'enfants à nourrir, ou que vous souhaitiez proposer quelque chose d'original à vos amis, la solution est de tout mettre dans un panier et de fermer la porte derrière vous. D'une part, vous rompez avec la routine et, d'autre part, vous dépensez de l'énergie.

Voici quelques idées :

- des olives, des champignons et des poivrons marinés, une aubergine, des tomates semi-séchées et une salade de pâtes faite maison ;
- une frittata de légumes, une poignée de légumes verts en salade et des rondelles de pommes de terre nouvelles avec une goutte de vinaigre et quelques feuilles de menthe ;
- de la viande maigre froide : blancs de poulet, jambon, pièce de bœuf, pastrami ou pilons de poulets marinés ;
- de la truite ou du saumon fumé, des huîtres, des bouquets ou du homard ;
- du taboulé, de l'houmous, du pain pita et des fines tranches d'agneau rôti avec une salade de pois chiches ou de lentilles ;
- des fruits frais : raisins, mangues et fraises ;
- un morceau de fromage et une tranche de pain au levain ;

- de l'eau minérale plate ou gazeuse fraîche avec un zeste de citron ou de citron vert.

Ne jamais être démuni(e)
Outre la crème solaire et la crème antimoustique que vous n'oubliez jamais d'emporter, munissez-vous d'un sac isotherme dans lequel seront rangés :
- une bouteille d'eau fraîche ;
- du pain pour faire des sandwiches, du fromage coupé en fines tranches, du jambon, des blancs de dinde avec des cornichons et de la moutarde ;
- des fruits frais lavés faciles à manger (pommes et raisins).

Manger des plats à IG bas même hors de chez soi

Quelle que soit l'idée que l'on a sur la façon de se nourrir, nous sommes tous amenés, un jour ou l'autre, à organiser un pique-nique ou un repas à l'extérieur. Manger au restaurant met à l'épreuve vos bonnes résolutions, d'autant plus si vous y allez souvent. Si vous ne dînez à l'extérieur que 1 fois par mois, inutile d'y accorder une grande importance. Toutefois, si vous mangez 3 ou 4 soirs par semaine chez des amis ou au restaurant, restez sur vos gardes. Voici quelques conseils susceptibles de vous aider.

N'attendez jamais d'avoir l'estomac dans les talons pour manger
Ne vous privez pas de nourriture durant la journée sous prétexte que vous sortez le soir car cela ne fait que ralentir votre vitesse métabolique. Optez pour un petit déjeuner et un déjeuner légers et, avant de sortir, mangez un petit en-cas, ne serait-ce qu'une tranche de pain aux céréales, afin de ne pas arriver le ventre creux et vous ruer sur la nourriture.

Faites un peu plus d'exercice

Lorsque vous savez que vous allez manger et boire plus que d'ordinaire, faites un peu plus d'exercice (mieux vaut avant qu'après). Par exemple, marchez jusqu'au restaurant, ou garez-vous le plus loin possible de la porte d'entrée.

Avant de commander

Dès que vous êtes installé(e), demandez une carafe d'eau et buvez plusieurs verres, afin que votre estomac soit déjà un peu rempli avant de manger.

Faites l'impasse sur le pain

Mettez la corbeille de pain le plus loin possible de vous (à moins qu'il s'agisse de pain à IG bas, ce qui est très rare dans un restaurant).

N'oubliez pas les trois règles de base

Un repas sain et équilibré se compose comme suit :
1. glucides à IG bas ;
2. légumes cuits ou crudités ;
3. protéines : viande, fruits de mer, volaille ou produits pour végétarien, notamment du tofu.
Demandez-vous si ce que vous êtes sur le point de commander répond à ces trois règles de base.

Ne faites pas de folies

Les plats les plus simples sont souvent les plus sains. En commandant une salade composée, une assiette d'huîtres, un steak, une côte d'agneau grillée ou des fruits frais, vous savez à quoi vous en tenir.

Une demi-portion

Prenez une entrée comme plat de résistance, ou précisez au serveur que vous voulez une petite assiette. Si les portions sont trop grosses, n'en mangez que la *moitié*.

Supprimez les frites

Demandez au serveur de ne pas vous servir de frites. Dans certains restaurants, des frites, des pommes sautées, des pommes noisettes ou tout autre type de pommes de terre cuisinées accompagnent la viande ou le poisson. Hormis les pommes vapeur, peu caloriques, ces pommes de terre cuisinées véhiculent de grandes quantités de graisses et sont à éviter soigneusement.

N'ayez pas les yeux plus grands que le ventre

Commandez les plats les uns après les autres en fonction de votre degré de satiété, ce qui permet à votre estomac de vous renseigner sur l'utilité de continuer à consommer.

Demandez à ce que la sauce soit servie séparément

Vous n'en tirerez que des avantages. Premièrement, si la sauce n'est pas à votre goût, vous ne gâcherez pas tout votre plat. Deuxièmement, vous aurez probablement plus de poisson, de crustacés ou de viande que si la sauce est dans votre assiette et, troisièmement, si la sauce est riche en graisses ou en huiles, vous n'en prendrez que la quantité désirée.

Prenez votre temps

Profitez du moment et appréciez le fait de pouvoir vous régaler sans devoir passer derrière les fourneaux.

Ne vous forcez pas à finir votre assiette

Laisser de la nourriture dans son assiette n'est pas impoli. Ne faites pas d'excès et reposez vos couverts dès que vous vous sentez rassasié(e).

Sélectionnez les boissons

Privilégiez l'eau. Veillez à ce qu'il y ait toujours une bouteille ou une carafe d'eau sur la table (on est toujours attiré par ce qui est devant soi) et limitez votre consommation de boissons sucrées qui tendent à fausser les mécanismes responsables de la sensation de satiété. Buvez entre 1 et 3 verres d'alcool. Gardez à l'esprit que l'alcool est une fois et demie plus calorique que n'importe quel glucide.

Commandez 1 dessert pour 2

Vous l'avez compris, nous ne sommes pas là pour vous priver. Vous avez envie d'un dessert ? Faites-vous plaisir, mais pourquoi ne pas le partager ?

Faites une promenade digestive

Après le repas, repartez chez vous ou au bureau à pied et, au lieu de prendre l'ascenseur, grimpez les escaliers.

Trouver les aliments à IG bas figurant sur le menu

La cuisine indienne

Les plats indiens sont généralement servis avec du riz basmati, variété de riz à IG bas. Le dhal aux lentilles, également à IG bas, est une autre option à privilégier, à condition, toutefois, qu'il ne soit pas servi avec du tadka (sauce à base d'huile et de piments).

Les galettes de pain dont la pâte est peu ou pas levée, comme les *chapatti*, ont un IG inférieur à l'IG des pains traditionnels, mais augmentent l'apport en glucides, et par-delà la CG.

Autres suggestions

Poulet tikka (« rôti tel que ») ou tandoori (mariné dans une sauce aux épices et au yaourt).

Riz basmati.

Raïta au concombre (yaourt, épices et concombre).

Saag paneer (épinards au yaourt et aux épices douces).

La cuisine japonaise

Le riz utilisé traditionnellement pour les sushis est le riz koshi-hikari, à IG bas. Le riz froid a un IG inférieur au riz qui vient d'être cuit. Le vinaigre utilisé dans la préparation des sushis fait baisser l'IG du plat (l'acidité ralentit la vidange gastrique), tout comme les fibres contenues dans les algues. Les ingrédients que l'on retrouve habituellement dans les plats japonais sont le shoyu (sauce soja), le mirin (vin de riz), le wasabi (raifort au goût très prononcé), le miso (pâte de graines de soja), les légumes salés d'accompagnement (oshinko), les graines et l'huile de sésame. N'abusez pas des plats cuits dans l'huile comme les tempura (beignets de légumes et/ou de fruits de mer).

Les restaurants japonais proposent nombre de plats riches en acides gras essentiels oméga 3 tels que les sushis et les sashimis à base de saumon et de thon, poissons particulièrement riches en acides gras polyinsaturés.

Nos suggestions

- Soupe au miso.
- Sushis.
- Teppanyaki (viande, crustacés et légumes).
- Yakitoris (brochettes de poulet et d'oignon avec une sauce teriyaki).
- Sashimis (poisson ou bœuf cru coupé en fines tranches).
- Shabu-shabu (fines tranches de bœuf revenues quelques secondes avec des champignons, du chou et autres légumes).
- En accompagnement : salade d'algues, wasabi, sauce soja et mélange de gingembre et d'épices.

La cuisine thaïlandaise

Sucrée et épicée, la nourriture thaïlandaise est riche en plantes aromatiques : basilic, citronnelle et galangal. Les salades de fruits de mer, de poulet ou de bœuf, généralement épicées, sont à privilégier si vous souhaitez faire un repas léger. Pour les entrées, évitez les préparations frites qui, comme les rouleaux de printemps, sont riches en graisses saturées.

L'un des ingrédients les plus couramment utilisés dans la cuisine thaïlandaise est le lait de coco, qui augmente considérablement la teneur en graisses saturées des curries. Ne vous sentez pas obligé(e) de saucer votre assiette ou de terminer votre soupe à base de lait de coco. Les viandes et les poissons sont traditionnellement servis avec du riz jasmin. L'IG de ce riz étant très élevé, nous vous recommandons de limiter votre consommation. Les nouilles asiatiques sont toujours au menu. Toutefois, mieux vaut opter pour des nouilles à base de farine de riz cuites à l'eau que pour des nouilles frites. Si vous êtes au restaurant, restreignez-vous, et si vous achetez un plat prêt à consommer chez un traiteur asiatique, ne commandez pas de riz, mais faites cuire du riz doongara une fois rentré(e) chez vous.

Nos suggestions

- Tom yam : soupe épicée aux crevettes, consommée très chaude.
- Salade de bœuf ou de poulet aux épices.
- Viandes ou crustacés cuits dans un wok.
- Assortiment de légumes frits.
- Petite portion de nouilles asiatiques ou de riz cuits à la vapeur.
- Rouleaux de printemps frais (pas frits).

La cuisine italienne

L'atout de la cuisine italienne : une profusion de pâtes à IG bas, servies avec une multitude de sauces, notamment les sauces arrabiata (très épicée), puttanesca (à base d'anchois), napolitaine, et toutes sortes de marinades (à condition qu'elles soient sans crème). Contrairement à ce que vous pouvez croire, les Italiens ne s'empiffrent pas de pâtes à tous les repas, et vous pouvez en laisser dans votre assiette sans offusquer qui que ce soit (ou alors commandez une petite portion). N'oubliez pas que même si les pâtes ont un IG bas, la CG sera élevée si vous en mangez en grande quantité.

Parmi les autres plats à privilégier : le minestrone et les plats à base de légumes, de veau maigre et de crustacés grillés. Évitez les crustacés panés ou frits.

Nos suggestions

- Minestrone.
- Escalope de veau à la sauce à la tomate.
- Prosciutto (jambon fumé coupé en tranches extrêmement fines) avec du melon.
- Crustacés, calamar ou poulpe grillés ou cuits au barbecue.
- Filet de bœuf, côtelette d'agneau ou morceaux de volaille grillés.
- Crudités assaisonnées avec de l'huile d'olive et du vinaigre balsamique.
- Sorbet, glace ou tout simplement des fruits de saison.
- Une petite portion de pâtes avec des crustacés, nappés d'une sauce à la tomate ou à base de bouillon.

La cuisine méditerranéenne

En Grèce et au Moyen-Orient, la cuisine repose sur quelques ingrédients de base incontournables : huile d'olive, citron, ail, oignon et légumes de saison. Les viandes, les poissons (sardines), les crustacés et les poulpes grillés ou cuits au barbecue sont particulièrement savoureux. Le pain à la farine blanche que nous consommons habituellement est remplacé par du pain pita ou du pain turc, tandis que le boulgour (utilisé notamment dans le taboulé) et la semoule sont préférés aux pommes de terre.

Diversité et petites portions sont le propre de la cuisine méditerranéenne : pour preuve, le mezze, assortiment de hors-d'œuvre chauds ou froids. Laissez-vous tenter par de l'houmous, du caviar d'aubergines, des olives, du tzatziki (concombre et yaourt) et des dolmades (feuilles de vigne farcies).

Nos suggestions

- Mezze avec du pain pita (pain libanais).
- Souvlaki (brochettes d'agneau et de légumes cuits au barbecue).
- Kofta (boulettes de viande hachée servies avec du boulgour).
- Salade grecque : salade verte, tomates, olives, feta et poivrons, avec une sauce à base d'huile d'olive et de vinaigre balsamique ou d'huile d'olive et de citron.
- Assortiment de fruits de saison.
- Falafel avec du taboulé, de l'houmous et du pain pita.

PETITS CONSEILS POUR CELLES ET CEUX QUI MANGENT TRÈS FRÉQUEMMENT AU RESTAURANT

1. Si possible, allez au restaurant *à pied*.

2. Commandez de l'eau dès que vous êtes installé(e).

3. Posez la corbeille de pain le plus loin possible de vous (vous pouvez, toutefois, prendre un morceau de pain à IG bas).

4. En entrée, optez pour une salade verte, une assiette d'huîtres ou une soupe.

5. Prenez une entrée comme plat principal, ou spécifiez au serveur que vous désirez une petite portion.

6. Si les portions sont trop copieuses, ne mangez que la *moitié* de ce qui est dans votre assiette.

7. Dites au serveur que vous ne voulez pas de frites.

8. Commandez 1 dessert pour 2.

9. Ne buvez pas plus de 3 verres de vin.

10. Retournez au bureau ou chez vous en marchant, et ne prenez pas l'ascenseur mais les escaliers.

Ne pas perdre ses bonnes habitudes lors d'un voyage d'affaires

Que ce soit par choix ou obligation, partir régulièrement en voyage d'affaires implique que vous réfléchissiez à votre comportement, afin de ne pas compromettre vos bonnes résolutions.

Au petit déjeuner

Il n'y a aucune raison pour qu'un petit déjeuner pris dans un restaurant ou à l'hôtel ne soit pas aussi bon – sinon meilleur – qu'un petit déjeuner pris chez vous, d'autant que vous aurez probablement plus de temps à consacrer à ce premier repas de la journée. Les buffets vous permettent de découvrir les spécialités de la région ou du pays où vous vous trouvez.

Attention, toutefois, à ne pas vous laisser tenter par tout ce qui s'offre à vous et à manger plus que de raison. Parmi les aliments à privilégier :

• les fruits : pour bien commencer la journée, mangez un fruit frais ou buvez un jus de fruits. Avec un yaourt, dégustez des fruits auxquels vous n'avez encore jamais goûté ;

• les céréales avec du lait écrémé : les céréales ne présentent pas toutes les mêmes bienfaits. Manger du müesli avec un fruit et un yaourt est particulièrement nourrissant ;

• les petits déjeuners complets : optez pour du pain aux céréales grillé. Mangez votre tartine de pain sans beurre ni margarine, avec des œufs pochés ou brouillés, sources de protéines. Une assiette de champignons et de tomates coupés en fines rondelles fournira à votre organisme les nutriments dont il a besoin, sans augmenter le nombre de calories.

Au déjeuner

La tendance, de nos jours, est de se contenter d'un déjeuner léger, par exemple une grosse salade composée et des légumes. Dans le cas contraire, c'est le dîner qui doit l'être. Pour respecter les recommandations des autorités sanitaires, à savoir consommer au minimum 5 portions de légumes par jour, vous devez absolument en manger au déjeuner. Choisissez également des aliments riches en protéines, et évitez de surconsommer des glucides à IG élevé, qui provoqueraient une sensation de fringale ou un coup de pompe dans l'après-midi. Si vous êtes sur la route à l'heure du repas, arrêtez-vous dans un restaurant ou une boutique où vous êtes sûr(e) de trouver du pain aux céréales et aux graines, des salades composées et des fruits frais.

Au dîner

Si vous dînez au restaurant, reportez-vous à nos recommandations pages 289 à 297. Les plats les plus simples – steak grillé, blanc de poulet, poisson ou fruits de mer avec des légumes cuits ou des crudités – sont incontestablement les meilleures options.

Au moment de la commande, demandez-vous si vous avez dépensé peu ou beaucoup d'énergie au cours de la journée et choisissez vos plats en conséquence.

Les collations

Commencez par vider le minibar afin de pouvoir y ranger deux yaourts nature et quelques fruits (pommes et bananes). Autre solution : préparez quelques en-cas avant de partir, afin d'en avoir toujours à portée de main durant votre séjour. Les fruits secs et les fruits à écale ne prennent pas de place et sont particulièrement nourrissants.

NE PAS RESTER INACTIF

Entre le temps passé dans sa chambre d'hôtel et les salles de réunion, il n'est pas toujours facile de trouver un créneau pour pratiquer une activité physique. Emportez une corde à sauter et entraînez-vous, ne serait-ce que 15 minutes par jour. Empruntez les escaliers plutôt que l'ascenseur (ce qui sous-entend que vous refusiez les chambres au rez-de-chaussée ou au premier étage !).

Comment gérer son stress autrement qu'en se ruant sur la nourriture ?

Mangez-vous tout ce qui vous tombe sous la main dès lors que vous êtes stressé(e) ? Vous avalez un paquet de gâteaux ou vous dévalisez le congélateur dès que vous êtes confronté(e) à une situation critique, qu'une échéance approche ou que vous avez des obligations à honorer. Lorsque vous êtes déçu(e) par quelque chose ou quelqu'un, ou que vous ressentez un manque, vous recherchez du réconfort dans la nourriture. Après vous être empiffré(e), vous déprimez, vous culpabilisez et vous devenez de plus en plus stressé(e), et... vous mangez à nouveau. C'est ce que vous vivez au quotidien, n'est-ce pas ? Vous n'êtes pas le ou la seul(e) dans ce cas. Près de 50 % des individus – notamment les femmes – ressentent le besoin de manger lorsqu'ils sont stressés. Et ce n'est pas par manque de volonté – c'est une question d'hormones.

Les scientifiques sont, aujourd'hui, capables d'expliquer pourquoi manger est une réponse aux états émotionnels, notamment au stress. Dès que nous sommes physiquement en danger, notre organisme sécrète du cortisol, une hormone véhiculée par le système sanguin en réponse à l'éternel dilemme « fuir ou se battre », également sécrétée – moins fortement, mais sur une plus longue période – lorsque nous sommes sous tension. Sa fonction est de nous aider à relever les défis en mobilisant toutes les sources de carburant (le glucose et les graisses), afin que nous soyons plus performants sur le plan physique. Le cortisol stimule également l'appétit – après tout, manger nous fournit le carburant dont nous avons besoin pour faire face à notre vie quotidienne.

La connexion directe qui existe entre le cortisol et l'appétit doit être prise en compte, notamment par celles et ceux qui suivent un régime alimentaire. En effet, chez ces personnes, le taux de cortisol est de 20 % supérieur à celui des individus ne se préoccupant pas de leur alimentation. Ce qui se comprend aisément dans la mesure où devoir sans cesse limiter son apport calorique peut être source de stress. Des études menées à l'université de Yale (États-Unis) ont montré que les femmes ayant les taux de cortisol les plus élevés mangent deux fois plus d'aliments particulièrement caloriques (beignets et tablettes de chocolat) que celles qui ont des taux bas. De plus, le stress agirait sur le goût et rehausserait la saveur des aliments sucrés et riches en graisses.

Les effets du cortisol auraient été parfaitement adaptés à la vie que menaient nos ancêtres, les chasseurs-cueilleurs, sans cesse menacés par les animaux sauvages. Aujourd'hui, les défis auxquels nous sommes confrontés sont plus d'ordre mental que physique. Or, nous n'avons pas besoin d'augmenter notre apport calorique pour faire des prouesses sur le plan intellectuel. La tension vient principalement du fait que nous sommes toujours bousculés par les événements. Selon une étude récente, environ 30 % des individus interrogés reconnaissent être en « alerte rouge » pratiquement tous les jours. Le fait que l'augmentation du nombre de personnes trop grosses ou obèses corresponde à la hausse du nombre de personnes stressées n'est pas une simple coïncidence – un lien physiologique existe entre le stress et le poids.

Le cortisol fait grimper le taux d'insuline et, par-delà, favorise l'accumulation de graisse autour de la taille plutôt que sur une autre partie du corps.

En effet, la graisse abdominale est de l'énergie dans laquelle l'organisme peut immédiatement puiser, à la différence de celle stockée sur les cuisses ou sous la peau. C'est un carburant disponible en cas de besoin. Même les femmes minces ont du ventre, dès lors que leur taux de cortisol est élevé. Malheureusement, vous n'utilisez pas cette réserve de carburant lorsque votre cerveau – pas vos jambes, mais votre cerveau – travaille. Si les taux de cortisol et d'insuline sont élevés plusieurs heures consécutives, c'est le glucose, et non la graisse, qui sera brûlé en priorité.

Comment pallier les effets du stress

Vous l'avez certainement deviné : en pratiquant une activité physique. Non seulement parce que les exercices physiques brûlent les calories, mais parce qu'ils favorisent la sécrétion de substances chimiques qui nous font « nous sentir bien » et qui diminuent l'anxiété et le stress. Quelques exercices suffisent parfois à stopper la sécrétion de cortisol et à calmer la sensation de faim. Imaginons que vous soyez au bureau, grimper les marches quatre à quatre pour aller à l'étage supérieur suffira peut-être à faire baisser votre taux de cortisol.

Maîtriser son stress

Étape 1 Reconnaître que le stress, l'anxiété et l'inquiétude stimulent l'appétit.

Étape 2 Identifier la raison physiologique sous-jacente à cet état.

Étape 3 Calmer sa faim avec une collation à IG bas et riche en protéines (voir ci-après).

Étape 4 Prendre sa bicyclette ou mettre ses chaussures de sport, et aller se défouler.

Étape 5 Faire grimper son rythme cardiaque jusqu'à ce que le cœur travaille pendant au moins 20 minutes.

Étape 6 Apprécier le fait d'avoir retrouvé la vitalité et le bien-être que seul le sport peut procurer.

ALIMENTS À CONSOMMER POUR STOPPER
LA HAUSSE DU TAUX DE CORTISOL

Des rondelles de pommes avec du beurre de cacahuètes.
Des fraises trempées dans une pâte à tartiner
au chocolat et aux noisettes.
I yaourt sucré avec des fruits rouges.
Du fromage frais avec des bâtonnets de céleri.
Une poignée d'amandes et de raisins Muscatel.
Une poignée de raisins blonds.
I ou 2 biscuits.

Une baisse du taux de cortisol, ce sont des attitudes qui
changent totalement et une vitalité retrouvée.

Si les exercices physiques ont des bienfaits immédiats sur le stress, quelques astuces peuvent vous aider à gérer votre tension à long terme :

1. Écouter de la musique en travaillant.

2. Poser un bouddha au visage serein et souriant sur votre bureau.

3. Écouter une cassette ou un CD de relaxation sur le trajet domicile/travail/ domicile.

4. Passer du temps avec un(e) ou des ami(e)s.

5. S'inscrire à un cours de yoga.

6. Se faire masser.

7. Prendre un bain.

8. Dormir entre 7 et 8 heures (les personnes qui manquent de sommeil ont un taux élevé de cortisol).

Le syndrome de l'alimentation nocturne

C'est dans les années 1950 que l'on s'est mis à parler pour la première fois du syndrome de l'alimentation nocturne. Aujourd'hui, les chercheurs portent un regard nouveau sur cette pathologie. Entre 1 et 2 % de la population souffrirait d'un ou de plusieurs symptômes typiques de cette maladie. Plus fréquente chez les individus ayant un surpoids, elle frappe 1 personne obèse sur 4.

Des études récentes ont été réalisées à l'université de Pennsylvanie. Les malades ont été placés sous monitoring, dans des laboratoires étudiant le sommeil. Les résultats ont été comparés à ceux obtenus avec des sujets essayant de stabiliser leur poids, mais ne souffrant pas du syndrome de l'alimentation nocturne. Toutes les personnes touchées par le syndrome présentaient les caractéristiques ci-dessous :

- peu ou pas d'appétit au petit déjeuner ;
- prise du premier repas plusieurs heures après le réveil ;
- envie de manger durant la nuit ;
- dîner copieux ;

- plus de la moitié de l'apport calorique quotidien pris après 20 h 00 ;
- difficultés pour s'endormir, voire insomnie ;
- réveils fréquents (plus de deux ou trois fois au cours de la nuit) et besoin immédiat de manger ;
- stress, angoisse et sentiment de culpabilité en mangeant ;
- tendance à consommer principalement des aliments riches en glucides (sucres et amidons).

La collation préférée des sujets sur lesquels a porté l'étude était un sandwich au beurre de cacahuètes (environ 1 500 kJ/359 kcal, avec des glucides comme principale source de carburant). Par ailleurs, tous se souviennent de ce qu'ils ont consommé au cours de la nuit, à la différence des somnambules qui se lèvent la nuit pour manger. Contrairement aux personnes boulimiques qui, à un moment donné, se jettent sur la nourriture, celles sur lesquelles ont porté les tests mangent de manière régulière et continue, du soir au matin. Elles ne se font pas vomir et n'utilisent pas de laxatifs.

Les scientifiques n'ont pas encore identifié les causes de la maladie. Il semblerait, toutefois, qu'elle soit liée à un dysfonctionnement de l'horloge biologique que nous avons tous en nous. Même si le cycle sommeil/réveil n'est pas touché, l'appétit est stimulé la nuit, ce qui pourrait être lié à un état de stress ou de dépression mais, aussi à une prédisposition génétique. Certains chercheurs ont même émis l'hypothèse d'un dysfonctionnement de l'hypophyse, qui se traduirait par une sécrétion anarchique des hormones du stress, notamment du cortisol. D'autres prétendent que les malades se soignent eux-mêmes par la nourriture, car ils savent intuitivement que les glucides stimulent la sécrétion de certaines hormones favorisant un état de bien-être comme la sérotonine.

Que faire contre le syndrome de l'alimentation nocturne ?
Si vous pensez être touché(e) par ce syndrome, consultez un médecin afin d'avoir un bilan médical complet, puis adressez-vous à un spécialiste des troubles de l'alimentation. Certains traitements médicamenteux aident l'organisme à retrouver un rythme normal et à lutter contre la dépression. Si aucun médecin ne peut, au jour d'aujourd'hui, promettre à un patient une guérison, avoir recours à un diététicien ne peut qu'améliorer la vie du patient, notamment s'il préconise des repas sains et équilibrés à IG bas.

CHAPITRE 6

CE QUE VOUS DEVEZ FAIRE : VOUS DÉPENSER PHYSIQUEMENT

Vous avez perdu du poids et, à ce stade, il est encore plus important de s'imposer une activité physique, régulière ou non, départageant ceux et celles qui maintiendront leur perte de poids de ceux et celles qui le reprendront. Inutile de tergiverser, faire de l'exercice doit devenir votre priorité. À l'issue de notre Plan d'action, vous devez être en meilleure condition physique, avoir plus de résistance et être capable de suivre un programme plus soutenu que lorsque vous avez commencé. L'objectif de la partie intitulée « Un régime pour la vie » est de vous pousser à vous dépenser autant que vous l'avez fait au cours de la douzième semaine (voir pages 260 à 262), en variant toutefois les exercices qui, à la longue, pourraient vous ennuyer. Rien n'est plus motivant que de se fixer de nouveaux objectifs et de prendre du plaisir à ce que l'on fait.

Manger sans bouger, c'est fabriquer du gras !

Pour prendre conscience de l'importance de la pratique d'un sport ou d'une activité physique, considérons les faits suivants. Ce qui prime, ce n'est pas tant la quantité de graisses ou l'énergie dépensée durant une séance que la manière dont les kilos s'ajoutent les uns aux autres au fil des mois et des ans ; en moyenne, nous prenons entre 0,5 et 1 kg par an, soit entre 5 et 10 kg en dix ans.

De la même façon, alors que, à court terme, les bienfaits dus à la pratique régulière d'une activité sportive passent inaperçus – le poids affiché sur la balance reste stable – à long terme, les résultats sont visibles. Le tableau ci-dessous montre la quantité de kilos de graisses que vous pouvez éviter de stocker en vous dépensant physiquement ne fût-ce que cinq minutes de-ci, de-là. Tout compte, alors ne lésinez pas !

5 minutes par jour qui peuvent tout changer	Kilos de graisse qui ne seront pas stockés*	
	En 1 an	En 5 ans
Préférer les escaliers aux ascenseurs	3,7	18,5
Désherber son jardin	0,6	3,0
Ratisser sa pelouse	0,6	3,0
Passer l'aspirateur	0,7	3,5
Parcourir à pied les 150 mètres entre le parking et le bureau	0,7	3,5
Porter les paniers du centre commercial à sa voiture (150 m)	0,9	4,5

* Chiffres correspondant à une personne pesant 70 kg.

Ce tableau montre combien toutes ces activités qui, *a priori*, peuvent sembler insignifiantes sont primordiales dans la lutte contre la prise de poids à long terme. Garer votre voiture le plus loin possible de votre bureau ou monter les escaliers plutôt que prendre l'ascenseur, peut sembler être une goutte d'eau dans un océan, alors que cela vous évitera de prendre 1 ou 2 kg en un an. Même, si vous n'avez que 5 minutes de libre, profitez-en pour vous dépenser car ce sera toujours mieux que rien. La preuve est faite que plus les individus sont actifs, mieux ils arrivent à lutter contre les kilos.

Durant une semaine, notez sur un carnet les exercices et toutes les activités physiques pratiqués. À la fin de la semaine, faites le point, et jugez par vous-même si vous pouvez ou non faire mieux.

EXEMPLE D'UNE SEMAINE TYPE DE CHRISTINE

Lundi Promenade avec le chien (30 minutes). Escaliers à la place de l'ascenseur au centre commercial. Marche de 5 minutes jusque chez l'épicier.

Mardi Pluie, donc promenade avec le chien annulée. Plusieurs heures assise à mon bureau. Petite marche jusqu'au café à l'heure du déjeuner.

Mercredi Cours de yoga.

Jeudi Promenade avec le chien (30 minutes). Nettoyage de printemps tout l'après-midi – fatiguée mais satisfaite.

Vendredi Promenade à vélo à l'extérieur (cours de remise en forme). J'ai adoré ! Beaucoup mieux que le vélo d'appartement ! Super forme. Je suis même rentrée à la maison à pied, soit 20 minutes de marche.

Samedi Longue promenade avec le chien (1 heure) en début de matinée. Commissions l'après-midi (ai marché pendant 4 heures). Retour à la maison à pied et les bras chargés de paquets (marche de 15 minutes au lieu de prendre le bus).

Dimanche *Farniente*. Seule activité : appuyer sur les boutons de la télécommande du téléviseur !

Conclusion

Christine est une femme relativement active. Au total, elle passe 160 minutes à se dépenser entre la marche (sans compter le shopping du samedi après-midi), le yoga, la balade à bicyclette, les escaliers, le ménage et les courses. Toutefois, elle s'accorde 2 jours de quasi-repos.

Elle apprécie tellement les bienfaits de son cours de remise en forme qu'elle a décidé de faire une séance supplémentaire le mardi soir. Elle pratique donc des activités 6 jours sur 7. Le dimanche, elle se repose et récupère.

EXEMPLE D'UNE SEMAINE TYPE DE PATRICK

Du lundi au vendredi Ai laissé ma voiture au garage et ai marché jusqu'à la gare (10 minutes), puis jusqu'au bureau (5 minutes). À l'heure du déjeuner, ne suis pas resté au bureau mais ai acheté un sandwich et me suis rendu à pied dans un jardin public (10 minutes aller-retour). Pause de 20 minutes particulièrement bénéfique. N'ai pas eu le « coup de barre » qui m'assomme tous les jours après le déjeuner. Ai eu moins de mal à me concentrer sur mon travail. Ai marché chaque jour 40 minutes. Je me sens nettement mieux que d'habitude. Incroyable !

Samedi L'après-midi, ai emmené les enfants jouer dans le parc (frisbee et football). Pendant 1 heure, nous nous sommes dépensés et avons bien ri. Les enfants ont adoré.

Dimanche Ai aspiré et lavé la voiture à la main. Les enfants m'ont aidé pour se faire un peu d'argent de poche. Ça nous a pris 30 minutes mais je me suis dépensé physiquement et ai économisé de l'argent (même si je compte celui donné aux enfants).

Conclusion

Patrick a un travail sédentaire. Très sportif et actif lorsqu'il était jeune, il a du mal à se libérer du temps pour faire du sport, d'autant qu'il passe de longues heures au bureau et qu'il s'occupe beaucoup de sa famille.

Il a donc décidé de prendre les choses en main et de se dépenser physiquement au minimum 30 minutes par jour. Comment ? Il a abandonné la voiture, marche le matin et le soir et même à l'heure du déjeuner, soit 40 minutes au total. Il fait du sport avec ses enfants le week-end. En joignant l'utile à l'agréable, il a atteint son but.

FAITES DES EXERCICES RÉGULIÈREMENT MAIS SANS EN FAIRE UNE OBSESSION !

« Et si vous aviez devant vous LE flacon de LA pilule miracle ? Celle à même de réguler l'action de tous vos gènes et de vous protéger des maladies cardiaques, accidents vasculaires cérébraux, diabète, obésité et d'une douzaine de cancers, sans oublier calculs biliaires et diverticules coliques. Elle a la capacité de vous rendre plus résistant(e) et équilibré(e), de renforcer votre ossature, de favoriser l'irrigation cardiaque, musculaire et cérébrale. De ce fait, la circulation sanguine sera meilleure, l'oxygène et les nutriments seront mieux acheminés dans tout l'organisme et vous aurez plus de facilité à vous concentrer. Si vous avez de l'arthrite, les douleurs seront atténuées. Le médicament doit aussi vous aider à réguler votre appétit, et vous découvrirez les bénéfices d'une alimentation saine. Vous vous sentirez mieux, plus jeune, ce que ne démentiront pas les différents tests physiologiques auxquels vous serez soumis(e). Le volume sanguin sera augmenté et votre organisme brûlera plus de graisses. Même votre système immunitaire sera stimulé. Le problème, c'est qu'un tel médicament n'existe pas. Ou plutôt, oui, il existe : c'est l'activité physique ou sportive ».

Jonathan SHAW, *Harvard Magazine* (mars-avril 2004)

En résumé, se dépenser physiquement est vital. C'est la meilleure façon pour améliorer votre capital santé, embellir votre silhouette et vous sentir mieux dans votre tête. S'il y a des controverses quant aux bienfaits de certains nutriments, les chercheurs sont unanimes quant aux répercussions bénéfiques des exercices physiques sur l'organisme.

Cela ne veut pas dire qu'il faille vous inscrire à un cours de gymnastique ou faire un jogging tous les soirs. En effet, nombre d'options s'offrent à vous et vous n'avez que l'embarras du choix, l'essentiel étant de trouver l'activité qui vous procurera le plus de plaisir et dont vous vous vous lasserez le moins. Pour ce faire, reportez-vous à ce qui suit jusqu'en page 317.

À chacun(e) ses exercices

Comme vous pouvez le voir ci-dessous, il existe trois types d'exercices physiques – aérobie, résistance et assouplissement – qui sollicitent plus ou moins certaines parties du corps. Par exemple, si faire de la bicyclette est avant tout un exercice aérobie, c'est également un exercice de résistance dans la mesure où les jambes résistent à une force.

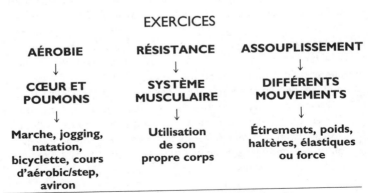

EXERCICES

AÉROBIE	**RÉSISTANCE**	**ASSOUPLISSEMENT**
↓	↓	↓
CŒUR ET POUMONS	**SYSTÈME MUSCULAIRE**	**DIFFÉRENTS MOUVEMENTS**
↓	↓	↓
Marche, jogging, natation, bicyclette, cours d'aérobic/step, aviron	Utilisation de son propre corps	Étirements, poids, haltères, élastiques ou force

Pour nombre de personnes, le premier objectif de celles et ceux qui s'adonnent au yoga est d'assouplir leur corps. Or, maintenir une posture relève des exercices de résistance, le poids du corps étant la force contre laquelle il faut résister.

Dans notre Plan d'action, nous avons mis l'accent sur les exercices aérobies (marche) et de résistance que vous pouvez pratiquer seul(e) chez vous. Si ces exercices vous ont aidé(e) à maigrir, ils doivent aujourd'hui vous permettre de stabiliser votre poids. Ce qui ne veut pas dire que les exercices d'assouplissement sont moins importants – terminez toujours une séance par des étirements – mais si vous manquez de temps, privilégiez les exercices aérobies et de résistance. Considérons maintenant les exercices les plus couramment pratiqués, et voyons dans quelle catégorie ils entrent.

Marche et jogging

Dans notre Plan d'action de douze semaines, nous avons privilégié la marche pour une simple et bonne raison : c'est indubitablement l'un des meilleurs exercices pour préserver le capital santé, et il n'y a quasiment aucune contre-indication à la pratique de cette activité. Si vous vous sentez bien et que le temps que vous consacrez à la marche vous semble suffisant, continuez.

Si vous vous sentez prêt(e) à aller un peu plus loin, accélérez le rythme, alternez marche et jogging ou marchez plus longtemps.

Aérobic

Comme l'indique son nom, cette activité est principalement basée sur des exercices aérobies, même si les exercices de résistance et d'assouplissement ne sont pas oubliés (toujours terminer une séance par des étirements). S'inscrire à un cours est souvent source de motivation – matériel adéquat, musique d'ambiance, conseils avisés d'un moniteur, rencontre avec des personnes ayant les mêmes objectifs, travail efficace dans la bonne humeur.

Ne vous laissez pas bluffer par l'image des midinettes qui viennent dans ces cours en collants et justaucorps du dernier cri, uniquement pour se faire remarquer ! Les temps ont changé et ce qui était vrai il y a vingt ans est totalement dépassé. Ces cours s'adressent à monsieur et madame Tout-le-Monde. Prenez contact avec le centre de remise en forme le plus proche de votre domicile ou de votre travail, ou avec la mairie, pour trouver le cours qui, *a priori*, vous convient le mieux. Tous les exercices aérobies sont à privilégier. Pour choisir une salle ou un complexe sportif, basez-vous sur la qualité et la diversité des équipements.

Bicyclette

Si vous aimez être à l'extérieur et que vous êtes une âme solitaire, faire de la bicyclette ne peut que vous plaire. Sport à première vue aérobie, c'est également un exercice de résistance, dans la mesure où les jambes doivent lutter contre une force. Cette activité demande quelque investissement : une bicyclette digne de ce nom et un casque – un pantalon/caleçon de cycliste et des chaussures adéquates ne sont pas indispensables, mais fortement recommandés. C'est un sport qui permet de brûler des calories et stabiliser son poids. Si vous aimez la compagnie, demandez à votre conjoint, vos enfants et/ou amis de se joindre à vous le week-end, ou inscrivez-vous dans un club de cyclistes amateurs. Vous pouvez également vous inscrire dans un club de remise en forme et faire du vélo mécanique au son d'une musique d'ambiance tout en profitant des conseils d'un instructeur.

Aviron et kayak

Activités à privilégier si vous habitez à proximité d'un plan d'eau ou d'une rivière et si vous aimez être en plein air. Ce sont des sports aérobies, mais aussi de résistance, sollicitant fortement les muscles du haut et du bas du corps.

Tennis, squash et autres sports de raquette

Exercices aérobies, les sports de raquette se jouent à plusieurs et, par conséquent, vous obligent à répondre présent(e) même les jours où la motivation vous fait défaut. Si vous êtes débutant(e), prenez des leçons. Vous rencontrerez très certainement des personnes de votre niveau à la recherche d'un(e) partenaire.

Golf

Bien que les efforts demandés ne soient pas aussi intenses que pour d'autres sports, le golf a l'avantage d'être une activité qui peut se dérouler sur plusieurs heures, ce qui contribue à la perte de poids – à condition bien évidemment de vous déplacer à pied et de porter le sac contenant vos clubs.

Poids et haltères

Les personnes qui ont le plus besoin de faire des exercices avec des poids et des haltères ne sont pas les jeunes gens musclés qui passent plusieurs heures dans les salles de sport, mais vous et moi. En effet, comme vous le savez, augmenter la masse musculaire accélère la vitesse métabolique. Mais ce n'est pas tout. Les exercices de résistance protègent le capital osseux et diminuent la prise de poids au fil des ans. Ils sont donc particulièrement recommandés aux femmes préménopausées menacées par l'ostéoporose, les personnes âgées et celles et ceux qui veulent stabiliser leur poids. Les centres de remise en forme sont généralement équipés de machines sophistiquées qui permettent à leurs adhérents de travailler efficacement en toute sécurité. Vous pouvez également acheter des élastiques, ou vous inscrire à un cours de gymnastique où des exercices avec des poids et des haltères sont effectués sous le contrôle d'un professionnel.

Sports d'équipe

Si vous aimez la compétition et l'esprit de camaraderie qui règne au sein d'une équipe, renseignez-vous sur les clubs de sports collectifs dans votre région. Les sports d'équipe – football, netball, hockey, basket-ball, rugby et base-ball – sont des exercices aérobies, même si les entraînements comprennent des exercices de résistance et d'assouplissement.

Méthode Pilates et yoga

Bien qu'axés principalement sur les exercices d'assouplissement, la méthode Pilates et le yoga reposent également sur des maintiens qui nécessitent un grand travail de résistance – celles et ceux qui ont déjà suivi un cours le savent bien. L'idéal est de réaliser des maintiens en complément d'exercices aérobies. Précisons, toutefois, que certaines formes de yoga, notamment l'*ashtanga*-yoga, sont très dynamiques, alors que d'autres favorisent la relaxation et la méditation.

Natation et aquagym

La résistance de l'eau est quinze fois supérieure à celle de l'air, c'est pourquoi travailler dans l'eau peut être extrêmement bénéfique. Par ailleurs, si vous avez une surcharge pondérale importante, si vous avez de l'arthrite ou êtes blessé(e), faire des exercices dans l'eau est fortement recommandé dans la mesure où l'eau supporte le poids du corps. Les muscles travaillent contre la résistance de l'eau, et vous ne ressentez aucune douleur une fois les exercices terminés (les douleurs musculaires sont généralement dues au fait d'étirer les muscles alors qu'ils sont soumis à une résistance – dans l'eau, les muscles sollicités n'ont qu'à se contracter, les muscles opposés faisant le reste du travail). Selon votre goût et votre motivation, vous opterez pour des longueurs de bassin ou vous vous inscrirez à un cours d'aquagym dispensé par un moniteur.

Danse

Les cours de danse présentent nombre d'avantages : activité physique, plaisir et nouvelles rencontres. Tous les styles de danse – jazz, salsa, danse de salon, danses classique, moderne ou contemporaine – ont du bon. Choisissez un cours en fonction de vos goûts et des possibilités offertes dans votre région. Consultez les annonces publiées dans votre journal local.

> Quel que soit le sport ou l'activité pour lequel vous opterez, l'essentiel est d'aimer ce que vous faites et de vous astreindre à une pratique régulière.

Choisir un sport ou une activité physique

Faire régulièrement des exercices n'est possible que si vous éprouvez du plaisir et ressentez quelques bienfaits. Bien sûr, il y aura toujours des moments où vous ne serez pas motivé(e) et devrez vous faire violence, mais la motivation reviendra d'autant plus facilement que les séances seront agréables et bénéfiques. Si vous détestez courir et que vous êtes un(e) lève-tard, décider que vous sauterez tous les matins du lit à 6 heures pour faire un jogging avant d'aller au bureau relève de l'utopie, et il y a fort à parier qu'au bout de deux semaines toutes vos bonnes résolutions se seront envolées. De même, si vous habitez en pleine campagne et qu'il faut 30 minutes en voiture pour aller au centre de remise en forme le plus proche, vous aurez du mal à tenir dans le temps. Pour vous aider à trouver l'activité idéale, nous avons mis au point le questionnaire ci-après.

• Pour chaque question surlignez la ligne qui correspond le mieux à votre situation.
• Additionnez les chiffres pour chaque colonne correspondant à une activité.
• Comparez les résultats obtenus pour chaque activité.

	Marche	Aérobic	Bicyclette	Kayak
INFORMATIONS PERSONNELLES				
Âge				
Moins de 35 ans	0	0	0	0
35 à 49 ans	0	0	0	0
50 à 59 ans	2	3	3	1
60 ans et plus	4	7	7	2
Corpulence				
Petite/moyenne	0	0	0	0
Forte	3	2	0	0
EXERCICES				
Êtes-vous légèrement plus qu'enrobé(e) ?				
Non	0	0	0	0
Oui	4	4	3	3
Préférez-vous les activités à l'intérieur ou en plein air ?				
Intérieur	7	0	6	8
Plein air	0	1	1	0
Avez-vous du mal à pratiquer une activité en public ?				
Non	0	0	0	0
Oui	5	8	4	0

	Marche	Aérobic	Bicyclette	Kayak
Aimez-vous la compétition ?				
Beaucoup	3	1	5	3
Modérément	0	1	4	3
Pas beaucoup	0	0	2	0
Êtes-vous prêt(e) à dépenser 30 euros par semaine pour pratiquer une activité physique ?				
Oui	0	0	0	0
Non	0	8	2	0
Souffrez-vous de légères blessures ?				
Aux jambes/chevilles/genoux ?	9	9	4	0
Aux épaules/bras ?	1	7	2	7
Aux hanches ?	9	9	3	1
Au dos ?	5	10	5	5
Habitez-vous à plus de 15 minutes				
D'une piscine/lac/mer ?	0	0	0	10
D'un jardin public/grand espace ?	5	0	0	0
D'un centre de remise en forme ?	0	5	0	0
D'un complexe sportif ?	0	0	0	0
De voies réservées aux cyclistes ?	0	0	10	0
Combien de temps pouvez-vous consacrer 3 à 4 fois par semaine à une activité physique ?				
< 20 minutes	4	9	3	6
20-40 minutes	0	2	0	2
> 40 minutes	0	0	0	0

	Marche	Aérobic	Bicyclette	Kayak
Quelle option préférez-vous ?				
Pratiquer seul(e)	0	0	0	0
Pratiquer avec un(e) ami(e)	1	9	3	1
Pratiquer au sein d'une équipe	2	0	6	3

TOTAL

Poids/ corde/ haltères	Jeux de balles	Yoga/ Pilates	Natation	Danse	Appareil musculation	Saut/ step
0	0	0	0	0	0	0
0	4	0	0	1	0	3
1	5	0	0	3	1	5
9	6	0	0	4	4	8
0	0	0	0	0	0	0
0	2	2	0	2	2	4
0	0	0	0	0	0	0
0	6	4	0	4	3	5
0	4	0	4	0	0	0
1	0	4	2	0	1	5
0	0	0	0	0	0	0
3	5	3	4	7	0	0
1	0	8	3	8	2	8
0	2	4	3	5	1	5
0	8	0	3	0	0	0
0	0	0	0	0	0	0
8	4	4	1	4	0	0
1	7	3	1	7	5	9
6	5	4	3	2	4	4
1	7	6	3	7	3	8
2	6	3	2	6	4	5

Poids/ corde/ haltères	Jeux de balles	Yoga/ Pilates	Natation	Danse	Appareil musculation	Saut/ step
0	0	0	10	0	0	0
0	0	0	0	0	0	0
9	4	5	0	3	0	0
0	10	0	0	0	0	0
0	0	0	0	0	0	0
5	10	5	10	10	3	3
0	4	0	4	2	0	0
0	0	0	0	0	0	0
0	10	3	0	5	1	0
0	0	4	2	0	1	3
8	0	0	2	0	1	6

Quel **intérêt** portez-vous à chacune des activités ci-dessus ?
• Si vous pensez que vous aimeriez vraiment pratiquer une activité donnée sur une base régulière, donnez la note 100.
• Si vous pensez que pratiquer cette activité ne vous déplairait pas, donnez la note 90.
• Si l'activité ne vous attire pas, donnez la note 80.
Page suivante, donnez, pour chaque activité, la note de 100, 90 ou 80.

	Marche	Aérobic	Bicyclette	Poids/cordes/haltères	Jeux de balles	Yoga/Pilates	Natation	Danse	Appareils de musculation	Saut/step
Intérêt										

Déterminez le **résultat final** en soustrayant pour chaque activité le **total du questionnaire** au résultat de l'**intérêt**.

	Marche	Aérobic	Bicyclette	Poids/cordes/haltères	Jeux de balles	Yoga/Pilates	Natation	Danse	Appareils de musculation	Saut/step
Résultat final (Intérêt moins **résultat questionnaire)**										

L'activité pour laquelle vous obtenez le résultat le plus élevée est, *a priori*, celle qui correspond le mieux à votre personnalité, votre mode de vie et vos aspirations. Si le résultat obtenu pour plusieurs activités est relativement proche (5), choisissez celle qui vous attire le plus ou essayez de définir une séance les incluant toutes. Pour ne pas tomber dans la monotonie et baisser les bras au bout de quelques semaines, il est fortement conseillé de pratiquer au minimum 2 activités.

Utiliser un podomètre

Le podomètre est un petit instrument indispensable à celles et ceux qui optent pour la marche à pied mais aussi à toutes les personnes désirant avoir une idée du nombre de pas qu'elles font au quotidien. Peu onéreux, les podomètres sont commercialisés dans les magasins d'articles de sport et dans la plupart des grandes surfaces. Le boîtier se fixe à une ceinture que vous attachez autour de votre taille. Le matin, vous appuyez sur un bouton pour le mettre en route et, le soir, vous savez exactement le nombre de pas que vous avez fait en une journée. Les résultats sont souvent très surprenants !

Le nombre de pas que nous devons parcourir en une journée (voir ci-dessous) a été défini par des chercheurs. Comme toujours, travaillez progressivement. Portez votre podomètre une semaine entière, et calculez le nombre de pas parcourus en moyenne chaque jour. Fixez-vous comme but d'augmenter de 30 % le résultat obtenu la semaine suivante. Essayez d'atteindre cet objectif et de maintenir ce rythme durant 3 à 4 semaines, puis visez à nouveau 30 % supplémentaires jusqu'à ce que vous arriviez aux résultats suivants :

- pour rester en bonne santé : 7 500 pas par jour ;
- pour perdre du poids en 12 semaines : 10 000 pas par jour ;
- pour stabiliser son poids : 12 500 pas par jour.

Bien évidemment, le podomètre tient compte uniquement des pas parcourus et non des autres activités. Vous trouverez, page suivante, à combien correspond une activité donnée pratiquée durant 15 minutes. Les jours où vous faites ces exercices, ajoutez le résultat au total figurant sur le podomètre.

Activité pratiquée durant 15 minutes
Équivalent en nombre de pas

Activité sexuelle modérée	500
Arroser la pelouse ou le jardin en restant debout	600
Activité sexuelle intense	750
Débarrasser la table et faire la vaisselle	900
Faire cuire de la nourriture au barbecue en restant debout	950
Jouer avec ses enfants (station debout)	1 100
Travaux de menuiserie	1 200
Jouer au frisbee	1 200
Jouer au bowling	1 200
Jouer au golf	1 200
Faire ses commissions en poussant un caddie	1 400
Faire le ménage	1 400
Faire de la bicyclette à allure modérée (18 km/h)	1 600
Ratisser la pelouse	1 600
Se dépenser avec ses enfants	1 600
Balayer	1 600
Faire du pédalo	1 600
Monter à cheval	1 600
Jouer au ping-pong	1 600
Laver sa voiture à la main	1 850
Répandre du sable ou de la terre avec une pelle	1 950
Nettoyer les gouttières	2 000
Marcher/courir en jouant avec ses enfants	2 000
Bêcher le jardin/jardiner	2 000
Tondre le gazon avec une tondeuse mécanique	2 350
Déplacer des meubles	2 350
Porter des briques	3 150
Utiliser des outils lourds – ex. : une pelle ou une pince à levier	3 150

S'inscrire dans un club de remise en forme

Cette solution est idéale pour pratiquer régulièrement une activité physique dans les meilleures conditions : vous bénéficiez des conseils de professionnels, vous choisissez le cours qui vous convient le mieux et suivez un programme correspondant à vos besoins propres. Par ailleurs, nombre d'établissements ont une piscine, des courts de squash et sont associés à des clubs de joggeurs.

Ne vous laissez pas décourager par votre première visite. Si vous n'êtes pas séduit(e) par un club, n'hésitez pas à en voir d'autres jusqu'à ce que vous trouviez celui qui répond le mieux à vos attentes. Voici quelques points à prendre en considération :

• la distance : l'idéal est un club à 15 minutes en voiture de votre domicile ou de votre travail ;

• une halte-garderie : où vous laissez vos enfants en toute sécurité pendant que vous vous entraînez ;

• les horaires d'ouverture : y a-t-il des cours tôt le matin ou tard le soir ?

• une piscine : peut-être envisagez-vous de nager ou de faire de l'aquagym ?

• un programme personnalisé : lors de la première séance, allez-vous rencontrer un professeur qui mettra en place un programme adapté à vos besoins ?

• l'adhésion : quel est le montant de la cotisation ? Pouvez-vous arrêter quand vous le désirez sans perdre d'argent ?

Faire appel à un entraîneur particulier

Incontestablement, cette option est idéale si vous souhaitez améliorer votre condition physique et atteindre le but que vous vous êtes fixé. S'il est professionnel, votre entraîneur vous proposera un programme individualisé et progressif et saura vous motiver et vous soutenir. Ce type de service est de plus en plus courant et ce, pour un coût relativement raisonnable. Vous pouvez vous entraîner soit dans un club, et avoir ainsi accès au matériel, soit à l'extérieur. Pour diminuer le coût financier, essayez de prendre un entraîneur pour trois ou quatre personnes ayant les mêmes besoins que vous et partagez les frais. Pour plus d'informations, reportez-vous à la page 330.

Autre alternative si vous ne pouvez pas vous permettre de vous inscrire dans un club de remise en forme ou faire appel à un entraîneur particulier
Faites appel à un(e) ami(e) ayant les mêmes objectifs que vous. Motivez-vous et soutenez-vous mutuellement. Si vous vous donnez rendez-vous pour aller courir ou nager et si l'un(e) ou l'autre invoque une fausse excuse cela marchera peut-être 1 fois mais pas 2. Par ailleurs, votre ami(e) a certes une responsabilité vis-à-vis de vous, mais c'est réciproque.

Donner le bon exemple à ses enfants

Nous ne pouvons pas forcer nos enfants à se dépenser physiquement mais nous pouvons leur donner le bon exemple. S'ils vous voient passer vos soirées avachi(e) devant la télévision, avec un paquet de chips entre les mains, attendez-vous à ce qu'ils agissent de même. Les enfants dont les parents/tuteurs sont actifs, le sont aussi – ou, tout au moins, il y a de fortes chances pour qu'ils le deviennent. Essayez de persuader votre progéniture de vous accompagner, ne serait-ce que lorsque vous faites une promenade à pied ou à bicyclette – qui sait, vous serez peut-être surpris(e) !

Faire bouger ses enfants

1. Limitez les activités sédentaires : télévision, vidéo ou jeux sur l'ordinateur.

2. Sollicitez leur sens de la créativité : construire un chariot pour jouer ou une mangeoire pour les oiseaux.

3. N'encouragez pas l'inactivité et n'utilisez plus les phrases du type « assieds-toi et tais-toi ».

4. Évitez que vos enfants vous voient regarder la télévision.

5. En leur présence, essayez d'être toujours actifs.

6. Ne les conduisez pas partout où ils veulent aller mais laissez-les prendre les transports en commun.

7. Ne les confinez pas dans leur chambre ou dans la salle de classe.

8. Ne les brimez pas lorsqu'ils ont une idée et veulent bouger.

9. Mettez le trampoline et autres jeux leur permettant de se dépenser en évidence.

10. Sollicitez-les, notamment pour préparer les repas.

Petites astuces pour limiter le nombre d'heures passées devant la télévision

1. Instaurez une règle et n'y dérogez pas : 12 heures par semaine et pas une minute de plus.

2. Sélectionnez les programmes que chacun regardera.

3. Aménagez votre intérieur afin qu'il y ait le maximum de place pour bouger.

4. Faites des étirements et autres exercices physiques en regardant la télévision.

5. Installez le téléviseur dans une pièce inondée par la lumière naturelle afin de décourager les éventuels téléspectateurs de s'installer durant la journée.

6. Plutôt que de regarder une émission, allumez la chaîne hi-fi.

7. Quand vos enfants rentrent de l'école, dites-leur : « Dépensez-vous maintenant et faites vos devoirs plus tard. » (Ils ne se le feront pas dire deux fois !)

8. Pendant la pause publicitaire, demandez à vos enfants de vous rendre service.

9. Peu est toujours mieux que rien.

10. Faites-leur repasser du linge pendant qu'ils regardent la télévision (repasser n'est pas réservé aux mères de famille).

Combien de temps dédier aux activités physiques

Maintenant que vous avez opté pour une activité qui, *a priori*, vous plaît et répond à vos besoins, il ne vous reste plus qu'à vous libérer du temps pour vous y consacrer. Bloquez un créneau horaire dans votre agenda, comme vous le faites pour n'importe quel rendez-vous. Une fois que c'est écrit, il vous sera difficile de passer outre.

Essayez de bouger le plus possible dans la semaine, et ajoutez les exercices suivants :

• 3 séances stimulant le système cardio-vasculaire : cours de gym, bicyclette, marche à allure rapide ou natation ;

• 2 séances d'exercices de résistance : reprenez le programme de la semaine 12 de notre Plan d'action, inscrivez-vous à un cours basé sur des exercices avec des poids et des haltères, ou demandez à un professeur exerçant dans un club de remise en forme de mettre au point un programme spécialement conçu pour vous. Les cours de yoga et les exercices empruntés à la méthode Pilates tonifient le corps et sollicitent les muscles, mais dans une moindre mesure.

CHAPITRE 7

CE QUE VOUS POUVEZ FAIRE EN PLUS – LES DEUX DERNIERS OUTILS CACHÉS DANS LA BOÎTE À OUTILS

Trouver un bon diététicien

Les diététiciens ont des qualifications professionnelles reconnues dans le domaine de la nutrition humaine. Ils sont là pour vous conseiller, en tenant compte de vos habitudes alimentaires et de vos goûts. Avec vous, ils essaient de définir des objectifs réalisables. Ils vous aident à comprendre la relation entre la nourriture et la santé et vous guident, afin que vous sachiez choisir les aliments qui amélioreront votre vie. Les diététiciens exercent soit dans un cabinet privé, soit à l'hôpital. Demandez conseil à votre médecin traitant afin qu'il vous adresse à un diététicien compétent.

*Ce que vous pouvez attendre d'une première consultation
avec un diététicien*

Lors du premier rendez-vous, qui dure environ une heure, le diététicien essaie, d'une part, de collecter le plus d'informations possibles sur vous – poids, antécédents médicaux, habitudes alimentaires, activités pratiquées – et, d'autre part, de définir vos objectifs et vos attentes. Il peut ensuite se faire une idée de vos besoins et de la meilleure manière d'atteindre vos buts.

Trouver un bon entraîneur particulier

Les personnes inscrites à un club de remise en forme n'ont, en général, aucun problème pour trouver un entraîneur particulier. Si vous souhaitez vous entraîner chez vous ou à l'extérieur, consultez la rubrique « Offres de services » dans votre journal local ou surfez sur le net. Dès le premier entretien, demandez à la personne quelle est sa formation et quels sont ses diplômes. Un bon entraîneur vous proposera une « séance d'essai » afin que vous puissiez vous assurer que les activités correspondent à vos besoins et que le courant passe bien entre vous deux.

Il suffit de vingt minutes de sport pour être de bonne humeur et avoir de l'énergie à revendre.

*Ce que vous pouvez attendre d'une première séance
avec un entraîneur particulier*

S'il fait correctement son travail, il vous posera des questions sur votre mode de vie, vos objectifs et sur ce que vous attendez des séances. Il vous proposera ensuite le programme qui, selon lui, vous permettra d'arriver à vos fins.

Abordez les questions financières. Habituellement, la première séance est gratuite, dans la mesure où elle permet de voir si les deux personnes s'accordent et peuvent travailler ensemble. S'il y a incompatibilité d'humeur, contactez quelqu'un d'autre.

Ce que vous devez savoir sur les médicaments susceptibles de résoudre vos problèmes de poids

Si vous avez essayé notre Plan d'action et suivi nos conseils et recommandations pour ne pas regrossir, mais que vous ne notez aucune amélioration, vous envisagez peut-être d'aborder le sujet des traitements médicamenteux avec votre médecin traitant.

Avant toute chose, sachez qu'aucun médecin ne vous prescrira de médicaments avant d'être sûr que vous avez modifié votre alimentation et votre mode de vie au minimum durant 3 mois. Si, au bout de cette période, vous n'avez perdu que peu de poids (disons moins de 5 % de votre poids initial), un traitement médicamenteux *peut* être envisagé. Votre médecin pèsera le pour et le contre, en prenant en compte moult facteurs. Lorsqu'un traitement médicamenteux est mis en place, il s'accompagne toujours d'un régime alimentaire et d'exercices physiques.

Les médicaments préconisés pour lutter contre l'obésité ont eu longtemps mauvaise presse, et nombre de médecins rechignent à en prescrire, ce qui est regrettable, dans la mesure où un traitement médicamenteux approprié peut sauver une vie. Autrefois, les médicaments n'étant pas toujours utilisés à bon escient, les patients regrossissaient dès l'arrêt du traitement, développaient parfois une accoutumance à certains produits ou souffraient de sérieux effets secondaires. Aujourd'hui, nombre de ces médicaments ne sont plus commercialisés et ont été remplacés par des produits ayant fait l'objet de tests cliniques dans le monde entier. Les produits qui sont désormais sur le marché sont indéniablement plus sûrs que les médicaments prescrits il y a encore dix ou vingt ans.

Deux médicaments sont principalement utilisés en Australie, en Nouvelle-Zélande, aux États-Unis et en Europe pour traiter l'obésité. Le premier est l'orlistat, commercialisé en France sous le nom de Xénical®. Cet inhibiteur de la lipase pancréatique bloque l'absorption d'une partie des graisses ingérées (lipides). En pratique, entre 10 et 30 % des graisses ne sont pas absorbés mais évacués dans les matières fécales. Des études menées sur une période de six à douze mois ont montré que l'orlistat favorise une perte de poids de 10 %, contre seulement 6 % chez les patients auxquels a été administré un placebo. Si la différence peut sembler bien faible, les répercussions sur les taux de glucose et de lipides dans le sang sont notables, et les risques de développer du diabète ou une maladie cardiovasculaire considérablement réduits. Durant le traitement, il est absolument essentiel d'avoir une alimentation pauvre en graisses, afin de diminuer au maximum les effets secondaires sur l'estomac et les intestins : impériosité des selles, gaz, graisses dans les selles et incontinence fécale. Fort heureusement, ces effets diminuent avec le temps, et rares sont les patients qui arrêtent leur traitement en cours de route. Habituellement, des compléments vitaminiques leur sont administrés durant toute la durée du traitement, car l'absorption des vitamines liposolubles peut également être bloquée.

Le second médicament couramment prescrit dans le traitement des problèmes de surpoids est la sibutramine, commercialisée en France sous le nom de Sibutral®. Ce coupe-faim agit sur les neuromédiateurs du cerveau et induit la satiété. Les tests menés dans de nombreux pays prouvent que ce produit peut être utilisé sans risque par les patients obèses ne souffrant d'aucune autre pathologie. *A contrario*, il ne doit pas être prescrit aux personnes atteintes d'une maladie cardiaque ou ayant eu un accident vasculaire cérébral. Il peut, par ailleurs, interférer avec le métabolisme d'autres médicaments, notamment les antidépresseurs et certains produits régulant la tension artérielle.

Autrefois, la caféine et l'éphédrine étaient utilisées à des doses pharmacologiques pour stimuler le métabolisme et augmenter la dépense énergétique. À des doses élevées, ces substances ont de sérieux effets secondaires et, aujourd'hui, elles *ne* sont *plus* préconisées dans le traitement de l'obésité. Pour stimuler votre métabolisme, ayez recours à des méthodes plus naturelles : bougez et ne sautez pas de repas.

Que penser des petites pilules miracles du futur ? Les chercheurs font actuellement nombre de tests sur des hormones jouant un rôle dans le contrôle de l'appétit, notamment la leptine et la cholécystokinine (CCK). Des substances supposées bloquer les récepteurs de l'appétit dans le cerveau font également l'objet d'études scientifiques. Attendez, toutefois, avant de crier victoire. En effet, lorsque des récepteurs sont bloqués, d'autres entrent en jeu. L'organisme a mis en place moult stratagèmes pour que nous le nourrissions et ce, même contre notre volonté.

Si, durant 3 mois, vous avez fait votre possible pour perdre des kilos, vous avez fait appel à un diététicien et/ou un entraîneur particulier, mais que, malgré tous ces efforts, vous êtes insatisfait(e), consultez votre médecin traitant. Si vous avez un réel surpoids – tour de taille supérieur à 102 cm (homme) ou 88 centimètres (femme) – votre médecin vous adressera très certainement à un endocrinologue, c'est-à-dire un spécialiste des glandes endocrines et des maladies qui y sont liées, notamment l'obésité. Les personnes très grosses peuvent, dans certains cas, avoir recours à une intervention chirurgicale.

Que penser des traitements alternatifs ?

Les traitements alternatifs ou complémentaires sont de plus en plus en vogue dans les domaines de la santé et du bien-être. Dans les magasins de produits diététiques, les rayons sont envahis par des compléments alimentaires supposés vous aider à perdre du poids. Les publicitaires et les professionnels du marketing sont particulièrement persuasifs et appuient leurs campagnes sur des photographies montrant la transformation physique des personnes ayant eu recours à la supplémentation. Y a-t-il une part de vérité derrière tout cela ?

La réponse est malheureusement « non ». Si, pour maigrir, il suffisait d'avaler des compléments nutritionnels, nous ne serions pas aussi nombreux à nous battre pour perdre nos kilos ! L'une des raisons pour lesquelles certaines personnes sont convaincues que les compléments nutritionnels marchent à court terme est ce que l'on appelle l'effet « placebo » — si vous croyez dur comme fer qu'un produit va nous aider à maigrir, il y a de fortes chances pour que ça marche. Or, si vous maigrissez, ce n'est pas grâce à l'absorption de compléments nutritionnels, mais parce que, persuadés que vous allez réussir, vous réduisez spontanément votre apport énergétique tout au moins à court terme.

Néanmoins, il existe un petit nombre de produits qui peut vous aider à perdre du poids et qui vous laisse entrevoir un avenir meilleur, même si vous ne devez pas vous attendre à un miracle. Dans le meilleur des cas, ces substances doivent venir s'ajouter à un régime alimentaire et à la pratique régulière d'une activité physique — les deux éléments fondamentaux pour améliorer votre capital santé et contrôler votre poids.

Toutefois, comme tous les produits, ces compléments nutritionnels ne sont bien évidemment pas sans effets secondaires, même s'ils sont dits « naturels ». Ne vous laissez pas tromper par ce terme car un produit naturel n'est pas nécessairement un produit sans risque. En fait, nombre de produits à base de plantes peuvent être extrêmement dangereux dans la mesure où peu de tests sont faits sur les principes actifs, à la différence des médicaments qui, pour être mis sur le marché, sont soumis à une législation très stricte.

Si vous avez recours à des produits « naturels », il se peut que leurs principes actifs soient trop faibles pour avoir une action positive sur l'organisme, ou trop élevés, ce qui entraîne des effets secondaires fort désagréables.

Nombre de produits supposés favoriser la perte de poids vendus sans prescription médicale sont basés sur les mêmes substances associées et dosées différemment.

Ma Huang (éphédra)

Ma Huang est le nom chinois de l'éphédra, une plante dont le principe actif est l'éphédrine. En Europe, les compléments alimentaires à base d'éphédrine et de caféine ont longtemps été associés à la perte de poids. Or, du fait des effets secondaires de la plante et, plus particulièrement, de l'éphédrine − augmentation de la tension artérielle, accélération du rythme cardiaque, insomnie, énervement, sécheresse de la bouche et troubles gastro-intestinaux − ces produits ont été retirés du marché en Australie, aux États-Unis, en Italie et en France (décision du 8 octobre 2003 de l'AFFSAPS − Agence française de sécurité sanitaire des produits de santé).

Les plantes supposées diminuer l'appétit et/ou augmenter la vitesse métabolique

Sont concernés : l'orange amère, le *gymnema* sylvestre (ou tueur de sucre !), le *fucus vesiculosus*, le pissenlit, le souci, l'iris, le ginseng, les algues marines *(kelp)* et le *garcinia cambogia*. Néanmoins, l'efficacité des extraits à base de ces plantes n'a, à ce jour, jamais été prouvée scientifiquement, hormis en ce qui concerne le principe actif de l'acide hydroxycitrique (AHC), substance contenue dans la peau des oranges amères, qui pourrait favoriser la perte de poids lorsque la prise est associée à un régime pauvre en calories, hypothèse qui n'aurait pas été confirmée par une étude effectuée récemment.

Les fibres − gomme guar ou psyllium

Les fibres absorbent l'eau dans les intestins et prennent du volume, ce qui favorise la sensation de satiété après un repas. *A priori*, opter pour des fibres sous la forme de compléments alimentaires ne serait pas la solution idéale pour perdre du poids. Mieux vaut privilégier une alimentation riche en fibres et à IG bas, dont les bienfaits sur le capital santé ont été scientifiquement prouvés.

Le chitosan

Cette substance, dérivée de la carapace des crustacés, bloquerait l'absorption des graisses. En théorie, elle les bloquerait dans les intestins, les graisses ne seraient donc pas absorbées par l'organisme. Malheureusement, cela ne semble pas correspondre à la réalité, et toutes ces suppositions demandent à être confirmées.

Le picolinate de chrome

Même à des doses infimes, le picolinate de chrome agit sur le métabolisme des glucides et des lipides, notamment en favorisant l'action de l'insuline. À fortes doses, il semblerait que le chrome sous la forme de complément nutritionnel diminue la résistance à l'insuline et augmente la combustion des lipides, tout en préservant les muscles maigres. Si quelques rares études ont montré que l'action de l'insuline est stimulée chez les patients atteints de diabète de type 2, nombre d'études laissent supposer le contraire. Des tests effectués sur des rats ont révélé que le picolinate présent dans la plupart des compléments nutritionnels endommage l'ADN. En attendant que des études soient faites sur les humains, mieux vaut rester prudent(e), et ne pas utiliser ce produit.

La carnitine et la choline

Sous la forme de compléments nutritionnels, ces substances favoriseraient la mobilisation des graisses. Alors que celles-ci sont impliquées dans l'acheminement des graisses dans l'organisme, aucune étude scientifique n'a prouvé à ce jour que la supplémentation favoriserait la diminution de la masse graisseuse. De plus, la carnitine et la choline étant naturellement présentes dans la viande et les produits laitiers, il ne paraît pas nécessaire d'avoir recours à des compléments nutritionnels.

La capsaïcine

C'est ce composé chimique qui donne aux poivrons et au piment de Cayenne leur goût épicé. Il semblerait qu'elle augmente la vitesse métabolique, ce qui expliquerait pourquoi les Britanniques qui veulent perdre du poids sont des adeptes des curries très épicés. Or, si elle est efficace lorsqu'elle est absorbée sous la forme de complément nutritionnel, sous sa forme naturelle, les conséquences sont minimes.

En résumé, aucune étude scientifique ne permet à ce jour d'affirmer que les compléments nutritionnels actuellement commercialisés ont un effet bénéfique sur la perte de poids. *A priori*, si vous optez pour cette solution, seul votre porte-monnaie va vraiment s'alléger ! Les compléments qui laissent entrevoir un espoir doivent impérativement être associés à un régime alimentaire et à la pratique régulière d'une activité physique. Notre objectif est de vous faire économiser de l'argent, et d'utiliser votre énergie pour mettre en place un nouveau mode de vie et de nouvelles habitudes alimentaires qui nous le savons, auront des répercussions à long terme – à savoir ce que vous mangez et la fréquence à laquelle vous vous bougez !

À l'heure du bilan

Les douze mois que vous passerez à suivre nos conseils et recommandations vous donneront un regain de vitalité. Vous avez perdu entre 5 et 10 % de votre poids initial, vos vêtements ont deux tailles en moins, vous vous sentez mieux dans votre corps, et à chaque fois que vous pratiquez une activité physique vous faites le plein d'énergie. Mais ce n'est pas tout ! Si vous avez réussi à maigrir, vous êtes surtout parvenu à stabiliser votre poids, et vous savez maintenant comment faire si les aiguilles de la balance penchent à droite. Il y aura sûrement des périodes où vous prendrez quelques centaines de grammes. C'est normal, et cela ne doit pas vous perturber dans la mesure où il vous suffira de reprendre notre Plan d'action pour vous en débarrasser.

Grâce aux recommandations figurant dans ce chapitre, vous savez exactement ce qu'il faut faire pour contrôler votre poids. Il ne s'agit pas seulement d'alimentation, mais également d'exercices physiques et d'une équation équilibrée entre l'apport énergétique et la dépense énergétique. Vous avez adopté un mode de vie, pas un « régime ».

Même si vous n'avez pas retrouvé le poids qui était le vôtre à 18 ou 25 ans, ce n'est pas grave. Les kilos que vous avez perdus tout au long de cette année vous ont permis d'améliorer votre santé et de vous sentir mieux. Et même si, aujourd'hui, ce n'est pas ce qui compte le plus pour vous, sachez qu'une alimentation à IG bas présente une multitude d'effets bénéfiques notamment en limitant les risques de développer du diabète de type 2, une maladie cardio-vasculaire, de l'arthrite, un cancer et autres pathologies. Vous aurez toujours une bonne qualité de vie et vous serez au meilleur de votre forme pour relever les défis et profiter des plaisirs, même après avoir franchi le cap de la cinquantaine. Faire de votre santé votre priorité vous permettra non seulement de réaliser vos rêves, mais aussi de profiter de toutes ces choses que la vie vous offre jour après jour.

Restez à l'écoute de votre corps.
Observez les moments où vous vous sentez le mieux
et faites en sorte que cela dure.

PARTIE IV
Recettes à IG bas

INFORMATIONS NUTRITIONNELLES

Les recettes ci-après demandent peu de préparation et ne requièrent aucun don culinaire spécifique, tout en étant délicieuses et à IG bas. Elles sont toutes basées sur des ingrédients sains tels que les céréales complètes, les viandes maigres, les poissons, les fruits de mer, les légumineuses (légumes secs), les légumes et les fruits frais. Toutes sont le reflet de la philosophie de cet ouvrage et privilégient les produits suivants :

- les bons glucides, soit des glucides à IG bas ;
- des graisses mono-insaturées et des acides gras essentiels oméga 3 ;
- un taux modéré à élevé de protéines.

La valeur nutritionnelle de chacune des recettes a été calculée par le biais d'un logiciel informatique. Pour une portion, nous indiquons précisément la valeur énergétique et les teneurs en protéines, glucides, lipides et fibres. La présence des micronutriments spécifiques est toujours précisée.

INDEX GLYCÉMIQUE

IG bas : inférieur ou égal à 55.
IG moyen : entre 56 et 69.
IG élevé : supérieur ou égal à 70.

CHARGE GLYCÉMIQUE

CG basse : inférieure ou égale à 10.
CG moyenne : entre 11 et 19.
CG élevée : supérieure ou égale à 20.

Si vous optez pour une recette ayant une charge glycémique élevée, nous vous conseillons de consommer parallèlement des aliments faisant peu fluctuer la glycémie, par exemple, une salade composée, des légumes ou des protéines – une viande maigre ou des fruits de mer.

Voici pour les informations nutritionnelles. Il est maintenant temps de passer au fourneau et de concocter des recettes saines qui vous permettront de vous sentir bien dans votre tête et dans votre corps. À vous de jouer !

PETITS DÉJEUNERS, BRUNCHS ET DÉJEUNERS LÉGERS

Petit déjeuner sur le pouce

Une boisson saine rapide à préparer.

**500 ml de lait de vache écrémé ou
de lait de soja
125 g de yaourt nature
$1/_2$ barquette de fraises équeutées,
lavées et coupées
en morceaux (facultatif)
1 grosse banane bien mûre coupée
grossièrement
1 œuf enrichi en oméga 3
1 cuillerée à soupe de miel liquide
1 cuillerée à soupe de All-Bran® ou de
germe de blé**

Pour une portion

Valeur énergétique :
1 500 kJ/353 kcal
Protéines : 27 g
Lipides : 4 g
(graisses saturées : 1 g)
Glucides : 55 g – Fibres : 3 g
IG : bas – CG : moyenne

Temps de préparation : 5 minutes
Temps de cuisson : aucun
Pour : 2 personnes

1. Mélangez tous les ingrédients au mixer jusqu'à obtention d'une préparation lisse et mousseuse.
2. Servez-vous, dégustez et... en route pour une nouvelle journée !

Tartes aux œufs et au bacon

De délicieuses tartes faciles à préparer à base d'ingrédients sains. Une solution idéale pour un petit déjeuner consistant ou un brunch. Du fait de la teneur en lipides relativement élevée, réservez-vous ce petit extra pour le week-end.

Pour une portion

Valeur énergétique :
1 640 kJ/386 kcal
Protéines : 28 g
Lipides : 18 g
(graisses saturées : 6 g)
Glucides : 30 g – Fibres : 4 g
IG : bas – CG : basse

Temps de préparation :
10 minutes
Temps de cuisson : 20-
25 minutes
Pour : 2 tartes

4 tranches de pain complet
de l'huile d'olive
4 petits œufs enrichis en oméga 3
2 fines tranches de bacon dégraissées
et coupées en petits dés
25 g de fromage allégé râpé
I cuillerée à soupe de persil haché

1. Préchauffez le four à 180°.

2. Retirez les petits morceaux durs dans la mie de pain, et aplatissez légèrement chacune des tranches avec un rouleau à pâtisserie.

3. Graissez deux moules à muffins avec l'huile d'olive et, dans chacun d'eux mettez une tranche de pain. Versez quelques gouttes d'huile sur le dessus.

4. Cassez un œuf sur chacune des tranches (peu importe si l'œuf déborde sur les côtés), puis répartissez également le bacon, le fromage et le persil.

5. Enfournez et laissez cuire 20 à 25 minutes, soit jusqu'à ce que la cuisson des œufs corresponde à votre goût.

Frittata aux légumes

Idéale pour les déjeuners légers ou les pique-niques, cette frittata est riche en folate et en bêta-carotène. Servir de préférence avec du pain au levain frais.

1 cuillerée à café d'huile d'olive
1 petit oignon haché finement
1 gousse d'ail écrasée
300 g de patates douces râpées
2 courgettes râpées
10 g de feuilles de basilic hachées
30 g de fromage allégé râpé
du sel et du poivre noir fraîchement moulu (selon le goût de chacun)
4 œufs enrichis en oméga 3 (ou 4 œufs de poules élevées en plein air) légèrement battus
150 g de tomates cerises coupées en deux

**Pour une portion
(avec de la salade)**

Valeur énergétique :
500 kJ/118 kcal
Protéines : 8 g
Lipides : 5 g
(graisses saturées : 2 g)
Glucides : 9 g – Fibres : 2 g
IG : bas – CG : basse

Temps de préparation :
20 minutes
Temps de cuisson : 45 minutes
Pour : 6 personnes

Accompagnement

100 g de salade verte (assortiment)
le jus de 1 citron

1. Préchauffez le four à 180°. Huilez un moule à gâteau de 20 cm de diamètre et chemisez-le avec du papier sulfurisé.
2. Dans une poêle antiadhésive, faites chauffer l'huile d'olive et faites blondir l'oignon et l'ail 4 minutes. Ajoutez la patate douce et les courgettes et laissez cuire sans cesser de remuer 3 minutes, soit jusqu'à ce que les légumes commencent à être tendres.
3. Versez les légumes dans un saladier et laissez refroidir. Saupoudrez le basilic et le fromage, salez et poivrez. Mélangez jusqu'à obtention d'une préparation homogène. Incorporez les œufs, puis transvasez le mélange dans le moule. Égalisez la surface.
4. Disposez les tomates cerises – le côté coupé sur le dessus – et faites-les légèrement pénétrer dans la préparation. Enfournez et laissez cuire 45 minutes, jusqu'à ce que le dessus soit doré. Sortez du four, laissez refroidir quelques minutes, démoulez et retournez aussitôt la frittata sur une assiette.
5. Coupez en six parts égales, et servez avec un assortiment de salade verte et quelques gouttes de jus de citron.

Omelette au saumon et à l'aneth avec une salade composée

Un plat riche en acides gras essentiels oméga 3 (saumon et œufs).
Servir avec une salade composée et du pain de seigle.

4 œufs enrichis en oméga 3 à température ambiante
2 cuillerées à soupe de lait écrémé
1 cuillerée à soupe d'aneth frais émincé
du sel et du poivre noir fraîchement moulu (selon le goût de chacun)
2 cuillerées à café de margarine mono-insaturée pauvre en sodium
30 g de mini-épinards
100 g de saumon fumé coupé en fines lanières
25 g de parmesan râpé

Salade composée

200 g de tomates cerises ou de tomates grappes coupées en deux
100 g de pois d'hiver éboutés
1 gros concombre libanais coupé en petits morceaux
2 cuillerées à soupe de vinaigrette allégée
1 avocat bien mûr coupé en fines lamelles

Accompagnement

4 tranches de pain de seigle

Pour une portion (avec du pain et de la salade composée)

Valeur énergétique :
3 260 kJ/767 kcal
Protéines : 42 g
Lipides : 45 g
(graisses saturées : 12 g)
Glucides : 47 g – Fibres : 10 g
IG : bas – CG : élevée

Temps de préparation :
15 minutes
Temps de cuisson : 5 minutes
Pour : 2 personnes

---

1. Avec un fouet, mélangez les œufs, le lait, l'aneth, le sel et le poivre dans un saladier.

2. Dans deux petites poêles antiadhésives, mettez une cuillerée à café de margarine (si vous n'avez pas deux petites poêles, faites une grosse omelette que vous partagerez en deux). Faites chauffer à feu modéré jusqu'à ce que la margarine soit bien chaude. Versez la préparation à base d'œufs et laissez cuire à feu doux 2 minutes.

3. Répartissez également les épinards, le saumon et le parmesan sur la moitié de chaque omelette, puis recouvrez avec l'autre moitié.

4. Dans un saladier, mettez les tomates, les pois d'hiver et le concombre. Assaisonnez avec la vinaigrette et mélangez délicatement. Ajoutez l'avocat.

5. Servez les omelettes avec la salade composée et le pain de seigle.

Muffins au jambon, au maïs et aux courgettes

À déguster le jour même. Ces muffins sont particulièrement riches en fibres.

150 g de farine levante (à levure incorporée)
160 g de farine levante (à levure incorporée)
au blé complet
1 cuillerée à café de levure
2 cuillerées à soupe de sucre en poudre
1 boîte de 310 g de maïs égoutté
1 courgette (environ 125 g) râpée grossièrement
100 g de jambon dégraissé coupé finement
30 g de parmesan râpé
10 g de ciboulette fraîche émincée
2 œufs enrichis en oméga 3 (ou 2 œufs de poules
élevées en plein air)
160 ml de lait écrémé
125 g de yaourt nature maigre

Accompagnement

100 g de salade verte (assortiment) ou de mesclun
1 poivron rouge coupé en lanières (courtes et fines)
100 g de pois d'hiver coupés en lanières
(longues et fines)
2 cuillerées à soupe de vinaigrette allégée

Pour 1 muffin

Valeur énergétique :
1 314 kJ/309 kcal
Protéines : 15 g
Lipides : 4 g
(graisses saturées : 1 g)
Glucides : 51 g – Fibres : 6 g
IG : moyen – CG : élevée

**Pour une portion
(avec la salade
composée)**

Valeur énergétique :
1 480 kJ/348 kcal
Protéines : 16 g – Lipides : 7 g
(graisses saturées : 2 g)
Glucides : 53 g – Fibres : 7 g
IG : moyen – CG : élevée

Temps de préparation :
20 minutes
Temps de cuisson : 20 minutes
Pour : 6 muffins

1. Préchauffez le four à 200° et graissez six moules à muffins d'une contenance de 250 ml.
2. Tamisez la farine et la levure dans un grand saladier. Incorporez le sucre, le maïs, la courgette, le jambon, le parmesan et la ciboulette.
3. Avec un fouet, mélangez les œufs, le lait et le yaourt. Ajoutez les ingrédients secs et, avec une grande cuillère métallique, mélangez soigneusement jusqu'à obtention d'une préparation homogène. Répartissez le mélange dans les moules à muffins. Enfournez et laissez dorer environ 20 minutes. Vérifiez la cuisson avec une lame de couteau (ou un pic à brochette) qui doit ressortir sèche.
4. Pendant la cuisson, préparez la salade composée en mélangeant tous les ingrédients. Servez avec les muffins tièdes.

Riz frit

Pour cette recette, le riz peut être cuit et cuisiné la veille, puis conservé au réfrigérateur dans un récipient hermétique.

250 g de riz basmati
1 cuillerée à soupe d'huile d'olive
3 œufs enrichis en oméga 3 à température ambiante
1 poivron rouge émincé finement
250 g de petits bouquets de crevettes cuites et décortiquées
120 g de jambon émincé
155 g de petits pois congelés
4 échalotes coupées finement en diagonale
250 g de germes de soja
2 cuillerées à soupe de sauce soja pauvre en sodium

Pour une portion

Valeur énergétique :
1 930 kJ/460 kcal
Protéines : 32 g
Lipides : 11,3 g
(graisses saturées : 3 g)
Glucides : 55 g – Fibres : 4 g
IG : bas – CG : élevée

Temps de préparation :
15 minutes (plus le temps pour que le riz refroidisse)
Temps de cuisson : 25 minutes
Pour : 4 personnes

1. Dans une grande casserole d'eau bouillante, faites cuire le riz 10 à 12 minutes jusqu'à ce que les grains soient tendres. Égouttez-le, puis étalez-le sur deux grilles de cuisson sans que les grains se superposent. Laissez refroidir.

2. Dans un grand wok antiadhésif ou une poêle, faites chauffer la moitié de l'huile à feu modéré. Fouettez les œufs jusqu'à obtention d'une préparation mousseuse que vous versez ensuite dans le wok ou la poêle. Laissez cuire 2 minutes. Décollez délicatement les bords et retournez la préparation sur une planche. Laissez refroidir. Roulez l'omelette et coupez-la en fines bandes. Réservez.

3. Faites chauffer le restant de l'huile dans le wok ou la poêle à feu vif. Jetez le poivron, les bouquets, le jambon et les petits pois. Faites cuire 2 minutes, en remuant de temps à autre. Ajoutez les échalotes et laissez cuire 1 minute en remuant. Versez le riz et laissez réchauffer, en veillant à ce qu'il n'attache pas. Incorporez les germes et la sauce soja. Mélangez soigneusement et servez.

Gratin au jambon et aux légumes

Un plat très apprécié des enfants qui, après l'avoir cuisiné eux-mêmes, le dégusteront chaud, tiède ou froid. Idéal pour les pique-niques.

4 œufs enrichis en oméga 3
1 boîte de grains de maïs de 400 g
pauvres en sodium et égouttés
2 tranches (50 g) de jambon coupé en dés
50 g de fromage fort allégé râpé
2 courgettes râpées
2 carottes râpées
1 oignon râpé
160 g de farine levante (à levure
incorporée) au blé complet

Pour une portion

Valeur énergétique :
1 240 kJ/292 kcal
Protéines : 18 g
Lipides : 10 g
(graisses saturées : 4 g)
Glucides : 30 g – Fibres : 6 g
IG : bas – CG : basse

Temps de préparation :
10 minutes
Temps de cuisson : 40 minutes
Pour : 6 personnes

1. Préchauffez le four à 150° et graissez un grand plat à lasagnes.
2. Avec un fouet, mélangez délicatement les œufs dans un grand saladier. Ajoutez le maïs, le jambon, le fromage, les courgettes, les carottes et l'oignon. Tamisez la farine et mélangez soigneusement, jusqu'à obtention d'une préparation homogène.
3. Avec une cuillère, transvasez le mélange dans le plat à lasagnes. Égalisez le dessus. Enfournez et laissez dorer 40 minutes.

Rouleaux à la dinde et aux pêches

Riches en protéines et pauvres en lipides, ces rouleaux sont la solution idéale pour un déjeuner nourrissant et délicieux. En dehors de la saison des pêches, optez pour des fruits au sirop que vous égoutterez soigneusement.

Pour I rouleau

Valeur énergétique :
959 kJ/226 kcal
Protéines : 25 g – Lipides : 4 g
(graisses saturées :I g)
Glucides : 21 g – Fibres : 4 g
IG : moyen – CG : moyenne

Temps de préparation :
15 minutes
Temps de cuisson : aucun
Pour : 2 rouleaux

I pêche pelée et coupée en morceaux
1/2 concombre libanais émincé
2 cuillerées à café de menthe émincée
I échalote émincée
30 g de feuilles de laitue Iceberg
2 pains lavash au blé complet
150 g de jambon de dinde

1. Mélangez la pêche, le concombre, la menthe et l'échalote.

2. Répartissez les feuilles de laitue sur les deux tiers d'une tranche de pain lavash, puis posez dessus une tranche de jambon de dinde.

3. Avec une cuillère, étalez la préparation à base de pêche sur le jambon, puis roulez le pain. Procédez de même avec le second pain. Les rouleaux se conservent au réfrigérateur (au maximum 5 heures), à condition d'être enveloppés dans une feuille de film étirable ou de papier aluminium.

Rouleaux au thon

Dans ces rouleaux de style vietnamien, riches en oméga 3, protéines, bêta-carotène et vitamine C, vous pouvez remplacer la coriandre par de la menthe ou ne mettre aucune herbe aromatique. Pour la sauce, si vous n'avez pas les ingrédients sous la main, de la sauce soja fera l'affaire.

12 feuilles de riz rondes (23 cm de diamètre)
1 boîte de 425 g de thon au naturel, égoutté et émietté
1 carotte râpée
2 échalotes émincées
200 g de haricots mungo
15 g de feuilles de coriandre
1 poivron rouge émincé finement

Pour la sauce

1 cuillerée à soupe de sauce de poisson
2 cuillerées à soupe de jus de citron vert
1 cuillerée à soupe de sauce au piment doux

Pour 3 rouleaux

Valeur énergétique :
680 kJ/160 kcal
Protéines : 24 g
Lipides : 3 g
(graisses saturées : 1 g)
Glucides : 8 g – Fibres : 3 g
IG : moyen – CG : basse

Temps de préparation :
30 minutes
Temps de cuisson : aucun
Pour : 12 rouleaux

1. Versez environ 3 cm d'eau tiède dans un grand saladier, puis laissez tremper une feuille de riz 5 secondes pour la ramollir.

2. Égouttez-la, puis tamponnez-la avec une feuille d'essuie-tout jusqu'à ce qu'elle soit sèche. Sur une moitié de la feuille, mettez du thon, de la carotte, des échalotes, des haricots mungo, de la coriandre et du poivron. Recouvrez avec l'autre moitié puis relevez les bords. Procédez de même avec les autres feuilles de riz.

3. Mélangez la sauce de poisson, le jus de citron vert et la sauce pimentée. Servez dans un petit bol. Trempez les rouleaux dans la sauce et dégustez.

Salade de poulet et de riz

Un plat goûteux riche en magnésium, en niacine, mais aussi en vitamines C et A.
Avant de servir, agrémentez de quelques noix de cajou grillées.

2 blancs de poulet (300 g)
200 g de riz basmati
1 cuillerée à soupe de sauce soja
1/4 cuillerée à café d'huile de sésame
1 poivron rouge coupé en fines lanières
100 g de pois d'hiver coupés en diagonale
1 carotte râpée
2 échalotes émincées finement en diagonale
2 cuillerées à soupe de jus de citron

Pour une portion

Valeur énergétique :
1 326 kJ/312 kcal
Protéines : 21 g – Lipides : 5 g
(graisses saturées : 1 g)
Glucides : 45 g – Fibres : 2 g
IG : moyen – CG : moyenne

Temps de préparation :
20 minutes
Temps de cuisson : 12 minutes
Pour : 4 personnes

1. Dans une casserole d'eau bouillante, laissez cuire à feu doux les blancs de poulet durant 12 minutes. Sortez-les de l'eau, puis laissez-les refroidir avant de les couper en fines lanières.
2. Pendant ce temps, faites cuire le riz dans une grande casserole d'eau bouillante pendant une dizaine de minutes. Égouttez, rincez à l'eau froide, puis laissez égoutter dans une passoire.
3. Disposez le poulet sur une assiette. Mélangez la sauce soja et l'huile de sésame, et répartissez le mélange sur la viande.
4. Dans un grand saladier, mélangez le riz et les légumes. Ajoutez le jus de citron et mélangez soigneusement. Incorporez délicatement les morceaux de poulet. Servez immédiatement, ou conservez au réfrigérateur jusqu'à l'heure du repas.

Salade aux lentilles, betterave rouge et feta

**Pour une portion
(salade uniquement)**

Valeur énergétique :
665 kJ/156 kcal
Protéines : 12 g
Lipides : 5 g
(graisses saturées : < 1 g)
Glucides : 12 g – Fibres : 5 g
IG : bas – CG : basse

**Pour une portion
(avec du pain)**

Valeur énergétique :
1 120 kJ/264 kcal
Protéines : 16 g
Lipides : 6 g
(graisses saturées 1 g)
Glucides : 32 g – Fibres : 7 g
IG : bas – CG : moyenne

Temps de préparation :
15 minutes
Temps de cuisson : aucun
Pour : 4 personnes

1 boîte de 400 g de lentilles brunes,
rincées et égouttées
100 g de feta allégée coupée en cubes
125 g de mini-épinards
1,5 cuillerée à soupe de jus de citron
1 cuillerée à café d'huile d'olive extra
vierge
1 cuillerée à café de miel
180 g de betteraves rouges cuites
égouttées et coupées en petits cubes
du sel et du poivre noir fraîchement
moulu (selon le goût de chacun)
4 tranches épaisses de pain de seigle

1. Mélangez les lentilles, la feta et les épinards dans un grand saladier.
2. Dans un petit récipient ou un shaker, mettez le jus de citron, l'huile et le miel. Fermez et secouez jusqu'à obtention d'une sauce lisse et onctueuse.
3. Versez la sauce sur les légumes et mélangez délicatement.
4. Disposez la salade dans quatre assiettes, et répartissez sur le dessus des morceaux de betterave rouge. Salez, poivrez et mangez immédiatement avec du pain de seigle.

Galettes de poisson et de patates douces

750 g de patates douces épluchées et coupées en morceaux de 2 cm
500 g de filets de poisson blanc
sans arêtes
2 cuillerées à café d'huile d'olive
1 poireau émincé finement
1 poivron rouge émincé finement
2 gousses d'ail écrasées
2 cuillerées à soupe de persil frais émincé
du sel et du poivre noir fraîchement moulu
(selon le goût de chacun)

Accompagnement

100 g de salade verte (assortiment)
ou de mesclun
1 concombre libanais coupé en morceaux
2 tomates bien mûres coupées en
morceaux
2 cuillerées à soupe de sauce salade
allégée

**Pour une portion
(2 galettes avec
de la salade composée)**

Valeur énergétique : 911 kJ/214 kcal
Protéines : 21 g – Lipides : 4 g
(graisses saturées : < 1 g)
Glucides : 22 – Fibres : 5 g
IG : bas – CG : basse

Temps de préparation : 20 minutes
(plus 30 minutes au réfrigérateur)
Temps de cuisson : 15-20 minutes
Pour : 12 galettes

1. Faites cuire les patates douces à la vapeur ou au four micro-ondes. Pendant ce temps, chemisez un panier vapeur avec du papier sulfurisé. Posez le panier vapeur au-dessus d'un wok ou d'une casserole d'eau frémissante (le panier ne doit pas toucher l'eau), placez le poisson, couvrez et laissez cuire à la vapeur 5 à 10 minutes.
2. Dans une poêle antiadhésive, faites chauffer l'huile d'olive à feu modéré. Jetez le poireau, le poivron et l'ail, et laissez cuire 6 à 7 minutes en remuant régulièrement. Lorsque le poireau est tendre, retirez la poêle du feu et réservez.
3. Versez les patates douces dans un saladier et écrasez les morceaux. Émiettez le poisson à la fourchette. Dans la purée de patates douces, incorporez les légumes, le poisson et le persil. Mélangez soigneusement, salez et poivrez. Recouvrez et mettez au réfrigérateur.
4. Avec la préparation, formez 12 pâtés. Recouvrez deux plaques de cuisson de papier sulfurisé, répartissez dessus les pâtés et mettez le tout au réfrigérateur 30 minutes. Préchauffez le four à 200°.
5. Versez quelques gouttes d'huile d'olive sur les deux faces de chaque pâté. Enfournez et laissez cuire 15 à 20 minutes, jusqu'à ce que les pâtés soient bien chauds et légèrement dorés. Préparez la salade composée et servez avec les galettes de poisson.

Burgers indiens au poulet

Si vous n'aimez pas le concentré de tikka masala, utilisez les épices de votre choix. Une très bonne idée pour les pique-niques ou un repas pris au bureau.

500 g de blancs de poulet émincés
1 bouquet de feuilles de coriandre
1 boîte (400 g) de pois chiches rincés et égouttés
1 gousse d'ail émincé
2 cuillerées à soupe de concentré de tikka masala
2 cuillerées à café d'huile d'olive

Pour 1 pâté

Valeur énergétique :
940 kJ/221 kcal
Protéines : 23 g – Lipides : 10 g
(graisses saturées : 2 g)
Glucides : 10 g – Fibres : 4 g
IG : bas – CG : basse

Pour 1 burger

Valeur énergétique :
2 038 kJ/480 kcal
Protéines : 32 g – Lipides : 11 g
(graisses saturées : 2 g)
Glucides : 62 g – Fibres : 5 g
IG : moyen – CG : élevée

Temps de préparation :
20 minutes
Temps de cuisson : 10 minutes
Pour : 6 personnes

Accompagnement

1 paquet (430 g) de pain turc (45 cm de long) coupé en 6 parts égales
100 g de salade verte (assortiment)
3 petites tomates coupées en fines rondelles
125 g de yaourt nature maigre
4,5 cuillerées à soupe de condiment aigre-doux

1. Dans le bol d'un mixer, mettez le poulet, la coriandre, les pois chiches, l'ail et le concentré de tikka masala. Mixez jusqu'à obtention d'une préparation finement hachée et homogène. Formez 6 petits pâtés et mettez-les au réfrigérateur.
2. Dans une grande poêle antiadhésive, faites chauffer l'huile d'olive à feu modéré. Laissez dorer les pâtés 4 à 5 minutes de chaque côté. Pendant ce temps, coupez chaque morceau de pain turc en deux et faites griller les morceaux.
3. Sur une moitié, mettez quelques feuilles de salade verte et des rondelles de tomates, puis recouvrez avec un pâté. Avec une cuillère, étalez sur chaque pâté du yaourt et du condiment aigre-doux. Recouvrez avec l'autre moitié de pain et servez.

DÎNERS

Champignons et légumes sautés

300 g de riz basmati rincé et égoutté
1 petit pak-choï
2 cuillerées à café d'huile d'arachide ou
toute autre huile végétale
1 petit oignon rouge coupé en deux
et émincé finement
1 poivron rouge coupé en fines lanières
250 g de champignons émincés
2 gousses d'ail écrasées
2 cuillerées à café de gingembre râpé
1 cuillerée à café de piment rouge émincé
finement
1 cuillerée à soupe de sauce soja pauvre
en sodium

Pour une portion

Valeur énergétique :
1 410 kJ/335 kcal
Protéines : 9 g
Lipides : 3 g
(graisses saturées : < 1 g)
Glucides : 65 g – Fibres : 4 g
IG : moyen – CG : élevée

Temps de préparation :
15 minutes
Temps de cuisson : 15 minutes
Pour : 4 personnes

1. Portez 425 ml d'eau à ébullition dans une grande casserole fermée hermétiquement. Versez le riz, puis couvrez immédiatement. Réduisez le feu au maximum et laissez cuire 10 minutes. Retirez du feu et laissez reposer 5 minutes sans enlever le couvercle.

2. Pendant ce temps, coupez le pak-choï en deux, retirez les feuilles et enlevez les tiges. Coupez les feuilles en grosses lanières et les tiges en petits morceaux.

3. Faites chauffer l'huile dans un wok et jetez l'oignon. Faites-le revenir à feu vif 2 minutes, en veillant à ce qu'il n'attache pas. Lorsque l'oignon est tendre, ajoutez le poivron et les tiges de pak-choï. Faites sauter 3 minutes.

4. Ajoutez les champignons, l'ail, le gingembre et le piment et faites revenir 3 minutes jusqu'à ce que les champignons soient tendres. Incorporez la sauce soja. Mélangez soigneusement et servez immédiatement avec le riz.

Pilaf aux courgettes et aubergine avec de l'agneau

2 gros poivrons rouges (environ 2 x 200 g) coupés en morceaux de 2,5 cm
1 aubergine (environ 300 g) coupée en
morceaux de 2,5 cm
2 grosses courgettes (environ 2 x 350 g)
coupées en morceaux de 2,5 cm
4 cuillerées à café d'huile d'olive
du sel et du poivre noir fraîchement
moulu (selon le goût de chacun)
1 oignon brun émincé finement
2 gousses d'ail écrasées
300 g de riz basmati rincé
625 ml de bouillon de poulet pauvre
en sodium
2 filets d'agneau (2 x 200 g)
1,5 cuillerée à soupe de persil frais émincé
finement

Pour une portion

Valeur énergétique :
2 110 kJ/496 kcal
Protéines : 30 g – Lipides : 10 g
(graisses saturées : 3 g)
Glucides : 70 g – Fibres : 7 g
IG : moyen – CG : élevée

Temps de préparation :
15 minutes
Temps de cuisson : 30 minutes
Pour : 4 personnes

1. Préchauffez le four à 230° et chemisez un plat allant au four avec du papier sulfurisé.
2. Dans un saladier, mettez les poivrons, l'aubergine, les courgettes et 2 cuillerées à café d'huile d'olive. Salez, poivrez et mélangez délicatement. Transvasez les légumes dans le plat. Enfournez et laissez cuire 25 à 30 minutes, jusqu'à ce que les légumes soient tendres et légèrement dorés.
3. Pendant ce temps, faites chauffer à feu modéré 1 cuillerée à café d'huile dans une grande casserole antiadhésive à fond épais. Jetez l'oignon et l'ail et laissez cuire 7 à 8 minutes, en veillant à ce qu'ils n'attachent pas. Lorsque les oignons sont tendres, augmentez le feu et ajoutez le riz. Faites-le revenir 1 minute, sans cesser de remuer puis ajoutez le bouillon de poulet. Portez à ébullition, réduisez le feu, couvrez et laissez cuire 10 minutes. Retirez du feu et laissez reposer 10 minutes.
4. Avec un pinceau, enduisez d'huile les filets d'agneau. Salez, poivrez et faites chauffer une poêle antiadhésive ou un gril à feu vif. Faites cuire les filets 3 à 4 minutes (ou plus selon le goût de chacun) de chaque côté. Laissez reposer 5 minutes, et coupez les filets en lanières dans le sens de la diagonale.
5. Avec une fourchette, égrenez le riz, puis incorporez délicatement les légumes et le persil.
6. Répartissez le riz et l'agneau dans les assiettes, et consommez sans attendre.

Salade de crevettes et de mangue avec une sauce au piment et au citron vert

Une salade riche en potassium, en zinc et en graisses mono-insaturées.
À préparer juste avant de se mettre à table.

6 petites pommes de terre (6 × 70 g) coupées en quatre
750 g de crevettes bouquets cuites et décortiquées
100 g de pois d'hiver éboutés
30 g de feuilles de menthe fraîches hachées
80 ml de sauce au piment doux
60 ml de jus de citron vert
1 mangue pelée et coupée en fines lamelles
1 avocat coupé en fines lamelles

Pour une portion

Valeur énergétique :
1 518 kJ/357 kcal
Protéines : 26 g
Lipides : 13 g
(graisses saturées : 3 g)
Glucides : 31 g – Fibres : 7 g
IG : bas – CG : moyenne

Temps de préparation :
15 minutes
Temps de cuisson : 3 minutes
(plus le temps pour que les
pommes de terre refroidissent)
Pour : 4 personnes

1. Mettez les pommes de terre dans un plat allant au four micro-ondes. Ajoutez deux cuillerées à soupe d'eau, couvrez et laissez cuire 3 minutes à la puissance maximale. Lorsque la chair est tendre, retirez les pommes de terre et laissez-les refroidir.
2. Dans un saladier, mélangez les pommes de terre tièdes, les bouquets, les pois d'hiver et les feuilles de menthe.
3. Avec un fouet, mélangez la sauce pimentée et le jus de citron vert.
4. Répartissez la salade dans les assiettes. Décorez avec des lamelles de mangue et d'avocat, ajoutez la sauce et dégustez.

Kebab au bœuf avec une salade de nouilles hokkien et des légumes

Ce plat est non seulement riche en fer et en zinc, mais également en vitamine C, qui favorise l'absorption de ces deux nutriments. Si vous avez suffisamment de temps, laissez mariner la viande sur les brochettes une nuit entière.

500 g de romsteck maigre, coupé en fines tranches en travers des fibres
16 brochettes en bois trempées
15 à 20 minutes dans de l'eau froide
80 ml de sauce aigre-douce à la prune
1 paquet de nouilles hokkien (450 g)
1 poivron rouge coupé en petites lanières
100 g de pois d'hiver coupés en petits morceaux
1 concombre libanais coupé en fines tranches
1 bouquet de feuilles de coriandre
60 ml de sauce soja pauvre en sodium
60 ml de vinaigrette allégée

Pour une portion

Valeur énergétique :
1 735 kJ/408 kcal
Protéines : 36 g – Lipides : 7 g
(graisses saturées : 3 g)
Glucides : 50 g – Fibres : 4 g
IG : bas – CG : moyenne

Temps de préparation :
20 minutes (plus une nuit si vous laissez la viande mariner)
Temps de cuisson :
10-15 minutes
Pour : 4 personnes

1. Enfilez les morceaux de bœuf sur les brochettes, et disposez-les dans un plat en verre ou en céramique. Versez dessus la sauce aigre-douce, puis retournez les brochettes afin d'enduire tous les morceaux. Laissez mariner 1 heure.
2. Faites chauffer un gril ou une poêle à feu modéré. Versez les nouilles dans un grand saladier résistant à la chaleur et couvrez-les d'eau bouillante. Mettez un couvercle et laissez-les cuire 5 minutes, puis égouttez-les et laissez-les refroidir. Répartissez les nouilles dans les assiettes, ajoutez le poivron, les pois, le concombre, la coriandre, et mélangez le tout.
3. Avec un fouet, mélangez la sauce soja et la vinaigrette. Versez sur les nouilles et les légumes, et mélangez délicatement.
4. Faites cuire les brochettes 2 ou 3 minutes (ou plus selon le goût de chacun) de chaque côté. Servez et dégustez avec les nouilles et les légumes.

Blancs de poulet farcis aux épinards et au fromage

Pour un repas riche en folate, en niacine, en bêta-carotène et en fibres.

4 blancs de poulet (4 x 200 g)
4 tranches de gruyère allégé (4 x 15 g), coupées en fines bandes
80 g de champignons émincés
40 g de feuilles de mini-épinards
4 cure-dents en bois
2 cuillerées à café d'huile d'olive
du sel et du poivre noir fraîchement moulu (selon le goût de chacun)
330 ml de sauce tomate italienne
15 g de feuilles de basilic fraîches hachées

Accompagnement

1 botte de mini-carottes brossées
240 g de haricots verts éboutés
2 épis de maïs frais coupés en deux

Pour une portion

Valeur énergétique :
2 117 kJ/498 kcal
Protéines : 55 g
Lipides : 18 g
(graisses saturées : 6 g)
Glucides : 26 g – Fibres : 10 g
IG : bas – CG : basse

Temps de préparation :
15 minutes
Temps de cuisson :
25-30 minutes
Pour : 4 personnes

1. Préchauffez le four à 180°. Dans le sens de la longueur, fendez les blancs de poulet en deux, et garnissez avec du gruyère, des champignons et des épinards. Fermez avec des cure-dents afin que la garniture ne coule pas.

2. À feu vif, faites chauffer l'huile d'olive dans une grande poêle antiadhésive. Salez et poivrez les deux faces des blancs de poulet, et faites-les dorer 2 à 3 minutes de chaque côté.

3. Transvasez la viande dans un plat allant au four et recouvrez de sauce tomate. Enfournez et laissez cuire 15 à 20 minutes, jusqu'à ce que la viande soit bien cuite.

4. Pendant ce temps, faites cuire les carottes, les haricots et les épis de maïs à la vapeur.

5. Retirez les cure-dents et mettez les blancs de poulet dans les assiettes. Recouvrez de sauce tomate et saupoudrez le basilic. Servez les légumes.

Agneau au barbecue avec une salade de lentilles assaisonnée avec du citron et un yaourt

1 cuillerée à soupe d'huile d'olive
1 gousse d'ail écrasée
quelques brins d'origan frais coupé grossièrement
le zeste de 1 citron
300 à 400 g de filets d'agneau ou de carré d'agneau désossé

Assaisonnement

le jus de 1 citron
125 g de yaourt nature maigre
du sel et du poivre fraîchement moulu
(selon le goût de chacun)

Salade composée

1 cuillerée à soupe d'huile d'olive
1 boîte de 400 g de lentilles brunes égouttées
2 tomates de grosseur moyenne coupées en dés
35 g de feuilles de mini-épinards émincées

Pour une portion

Valeur énergétique :
1 900 kJ/447 kcal
Protéines : 49 g – Lipides : 16 g
(graisses saturées : 4 g)
Glucides : 21 g – Fibres : 11 g
IG : bas – CG : basse

Temps de préparation :
10 minutes (plus le temps de la marinade, 30 minutes)
Temps de cuisson : 15 minutes
Pour : 2 personnes

1. Dans un saladier, mélangez l'huile d'olive, l'ail, l'origan et le zeste de citron. Ajoutez l'agneau et laissez mariner au minimum 30 minutes. Dans une poêle à feu vif ou au barbecue, faites dorer la viande. Retirez du feu, couvrez et réservez.

2. Pendant ce temps, dans un petit récipient ou un shaker, mélangez la moitié du jus de citron et le yaourt. Salez, poivrez, fermez et secouez jusqu'à obtention d'un mélange homogène.

3. Pour la salade de lentilles, faites chauffer l'huile d'olive dans une poêle à feu modéré. Versez les lentilles et faites-les chauffer en remuant de temps à autre. Ajoutez les tomates, les épinards et le reste du jus de citron. Mélangez délicatement, puis retirez du feu.

4. Coupez la viande en travers des fibres (faites des morceaux d'environ 1,5 cm d'épaisseur).

5. Servez les lentilles dans les assiettes, ajoutez les morceaux de viande et nappez de sauce.

Pâtes avec du poulet grillé, du citron et du basilic

2 blancs de poulet
300 g de pâtes (penne ou fusilli)
150 g de petits pois frais ou congelés
1 boîte de 300 g de grains de maïs, bien égouttés
1 cuillerée à soupe d'huile d'olive extra vierge
2 cuillerées à soupe de jus de citron
du sel et du poivre noir fraîchement moulu (selon le goût de chacun)
20 g de feuilles de basilic hachées

Pour une portion

Valeur énergétique :
2 100 kJ/494 kcal
Protéines : 30 g – Lipides : 10 g
(graisses saturées : 2 g)
Glucides : 70 g – Fibres : 7 g
IG : bas – CG : élevée

Temps de préparation :
15 minutes
Temps de cuisson :
environ 10 minutes
Pour : 4 personnes

1. Huilez légèrement les blancs de poulet et faites-les cuire au gril ou à la poêle 5 minutes sur chaque face. Laissez-les refroidir, et coupez-les en fines lanières en travers des fibres.

2. Pendant ce temps, faites bouillir une casserole d'eau salée et plongez-y les pâtes en suivant les indications sur le paquet. Pour des pâtes *al dente*, surveillez attentivement la cuisson. Ajoutez les petits pois et le maïs. Faites cuire 1 minute, puis égouttez dans une passoire.

3. Transvasez les pâtes et les légumes dans la casserole, ajoutez l'huile d'olive extra vierge, le jus de citron et les morceaux de poulet. Salez, poivrez et mélangez délicatement.

4. Servez dans les assiettes et saupoudrez le basilic. Dégustez sans attendre.

Soupe à la mode thaïlandaise au tofu et aux nouilles asiatiques

Cette soupe riche en folate, en vitamine C, en calcium, en magnésium et en potassium est très nourrissante, et se suffit à elle-même. Le tofu n'a pas besoin de cuire, mais l'ajouter en début de cuisson lui permet d'absorber les différents arômes. La citronnelle est vendue fraîche ou séchée (la citronnelle fraîche étant plus parfumée). Les nouilles asiatiques, enveloppées dans de la Cellophane sont commercialisées dans toutes les boutiques asiatiques ou au rayon des produits exotiques de la plupart des supermarchés.

100 g de nouilles asiatiques sous Cellophane
1 l de bouillon de légumes
1 cuillerée à soupe de citronnelle finement hachée
1,5 cuillerée à café de gingembre râpé
1,5 cuillerée à café de piments rouges émincés finement
350 g de tofu coupé en dés de 1,5 cm
1 botte d'asperges coupées en petits morceaux de 5 cm de long
environ 300 g de fleurons de brocoli
125 g de mini-épis de maïs coupés en deux dans le sens de la longueur, puis dans le sens de la largeur
2 échalotes émincées
des feuilles de coriandre fraîches (pour décorer)

Pour une portion

Valeur énergétique :
935 kJ/220 kcal
Protéines : 16 g – Lipides : 7 g
(graisses saturées : 1 g)
Glucides : 21 g – Fibres : 7 g
IG : bas – CG : basse

Temps de préparation :
20 minutes
Temps de cuisson : environ
5 minutes
Pour : 4 personnes

1. Mettez les nouilles dans un grand saladier résistant à la chaleur. Couvrez-les d'eau bouillante et laissez-les reposer 10 minutes.

2. Pendant ce temps, versez le bouillon de légumes dans une grande casserole, ajoutez la citronnelle, le gingembre, le piment rouge et le tofu. Portez à ébullition 2 minutes.

3. Ajoutez les asperges, les brocolis et le maïs. Portez à ébullition 2 minutes.

4. Égouttez les nouilles, puis répartissez-les dans quatre bols individuels. Versez dessus les légumes, le tofu et le bouillon. Saupoudrez les échalotes et les feuilles de coriandre. Dégustez chaud.

Filets de poisson aux herbes aromatiques avec des patates douces et de la salade de chou blanc

Un plat riche en protéines, en bêta-carotène, en potassium et en magnésium et pauvre en graisses.

500 g de patates douces, épluchées
et coupées en morceaux
de l'huile d'olive
1 cuillerée à café de mélange d'épices
cajun
4 filets de poisson blanc (4 x 150 g)
2 cuillerées à café d'aneth émincé
2 cuillerées à café de zeste de citron râpé finement
du poivre noir fraîchement moulu (selon
le goût de chacun)

Salade de chou blanc

250 g de chou émincé finement
1 carotte râpée
1/2 oignon rouge émincé finement
30 g de persil plat émincé
1 cuillerée à soupe de mayonnaise
(œuf entier)
2 cuillerées à soupe de jus de citron

Pour une portion

Valeur énergétique :
1 186 kJ/279 kcal
Protéines : 34 g – Lipides : 8 g
(graisses saturées : 1 g)
Glucides : 22 g – Fibres : 5 g
IG : bas – CG : basse

Temps de préparation :
30 minutes
Temps de cuisson : 40 minutes
Pour : 4 personnes

1. Préchauffez le four à 200° et chemisez un plat à gratin avec du papier sulfurisé.
2. Huilez légèrement les morceaux de patates douces et saupoudrez le mélange d'épices cajun. Mélangez délicatement, et répartissez les morceaux de patates douces dans le plat en évitant de les superposer. Enfournez et laissez cuire 25 minutes.
3. Pendant ce temps, découpez 4 carrés de papier sulfurisé. Mettez 1 filet de poisson au milieu, saupoudrez l'aneth et le zeste de citron. Poivrez, et rabattez le papier sulfurisé afin de bien envelopper le poisson. Disposez les 4 filets dans un plat allant au four. Enfournez et laissez cuire 15 minutes avec les patates douces, qui au total cuisent 40 minutes.
4. Pour la salade de chou blanc, mélangez le chou, la carotte, l'oignon et le persil dans un grand saladier. Ajoutez la mayonnaise et le jus de citron. Mélangez délicatement. Servez la salade avec le poisson et les patates douces.

Ragoût de lentilles et de légumes à la marocaine avec de la semoule

Un plat très riche en fibres, en vitamine C et en folate.

2 cuillerées à café d'huile d'olive
1 oignon émincé
2 gousses d'ail écrasées
2 cuillerées à café de gingembre frais râpé
2 cuillerées à café de cumin en poudre
2 cuillerées à café de coriandre en poudre
250 ml de bouillon de légumes
1 boîte de 400 g de tomates concassées
400 g de fleurons de chou-fleur
1 aubergine coupée en dés de 2 cm
150 g de haricots verts coupés dans
la longueur en morceaux de 4 cm
1 boîte de 400 g de lentilles vertes,
rincées et égouttées
150 g de semoule

Pour une portion

Valeur énergétique :
1 172 kJ/276 kcal
Protéines : 14 g – Lipides : 3 g
(graisses saturées : < 1 g)
Glucides : 44 g – Fibres : 8 g
IG : moyen – CG : élevée

Temps de préparation :
25 minutes
Temps de cuisson : 50 minutes
Pour : 4 personnes

1. Dans une grande casserole, faites chauffer l'huile d'olive à feu modéré. Jetez-y l'oignon et faites-le cuire 5 minutes, jusqu'à ce qu'il soit légèrement doré. Ajoutez l'ail, le gingembre, les épices en poudre, et laissez cuire le tout 30 secondes en remuant.

2. Ajoutez le bouillon et les tomates. Mélangez et décollez les morceaux attachés au fond de la casserole. Versez le chou-fleur, l'aubergine et les haricots verts. Mélangez, portez à ébullition, réduisez, couvrez et laissez cuire à feu doux 30 minutes jusqu'à ce que les légumes soient tendres. Retirez le couvercle et laissez cuire 10 minutes supplémentaires.

3. Incorporez les lentilles et faites-les chauffer 5 minutes.

4. Pendant ce temps, portez 310 ml d'eau à ébullition dans une casserole de taille moyenne. Ajoutez la semoule, couvrez et arrêtez le feu. Laissez cuire 5 minutes, puis retirez le couvercle et égrenez la semoule à la fourchette.

5. Versez le ragoût aux épices sur la semoule.

COLLATIONS ET PETITS PLAISIRS

Pâte à tartiner au saumon et aux herbes

Une préparation riche en acides gras essentiels oméga 3, à déguster avec des biscuits salés au blé complet ou avec du pain à IG bas. Le saumon peut être remplacé par du thon.
Se conserve jusqu'à trois jours au réfrigérateur.

I boîte de 200 g de saumon (rouge ou rose), conditionné dans de l'eau de source et égoutté
200 g de ricotta fraîche allégée
1/2 cuillerée à café de zeste de citron râpé finement
2 cuillerées à café de jus de citron
I cuillerée à soupe de ciboulette émincée
I cuillerée à soupe de persil plat émincé
du sel et du poivre noir fraîchement moulu (selon le goût de chacun)

Pour une portion

Valeur énergétique :
637 kJ/150 kcal
Protéines : 15 g – Lipides : 10 g
(graisses saturées : 4 g)
Glucides : 1 g – Fibres : < 1 g
IG : bas – CG : basse

Temps de préparation :
10 minutes
Temps de cuisson : aucun
Pour : 4 personnes

I. Dans un saladier, écrasez le saumon à la fourchette. Ajoutez la ricotta, le zeste et le jus de citron, puis les herbes aromatiques. Mélangez soigneusement.
2. Assaisonnez selon votre goût.

Bruschetta au basilic et aux tomates

4 tranches de pain au levain
(si possible du jour)
1 gousse d'ail épluchée et coupée en deux
2 tomates de grosseur moyenne
coupées en dés
1/2 petit oignon rouge émincé finement
10 g de feuilles de basilic hachées
1 cuillerée à café de vinaigre balsamique
(facultatif)
du sel et du poivre fraîchement moulu
(selon le goût de chacun)

Pour une portion

Valeur énergétique :
429 kJ/101 kcal
Protéines : 4 g – Lipides : 1 g
(graisses saturées : < 1 g)
Glucides : 18 g – Fibres : 3 g
IG : bas – CG : basse

Temps de préparation :
10 minutes
Temps de cuisson : environ
5 minutes
Pour : 4 personnes

1. Faites griller les tranches de pain de chaque côté. Lorsqu'elles sont bien dorées, aillez-les et laissez-les refroidir.
2. Mélangez les tomates, l'oignon et le basilic. Ajoutez le vinaigre balsamique (facultatif), salez et poivrez.
3. Avec une cuillère, étalez la préparation sur le pain et servez immédiatement.

Purée d'aubergine et de germes de soja

Une purée très nourrissante et savoureuse, qui se marie merveilleusement avec des sandwiches, des biscuits salés au blé complet ou du pain pita à la farine complète.

Pour une portion

Valeur énergétique :
260 kJ/61 kcal
Protéines : 5 g – Lipides : 3 g
(graisses saturées : < 1 g)
Glucides : 3 g – Fibres : 4 g
IG : bas – CG : basse

**Pour une portion
(avec les légumes)**

Valeur énergétique :
320 kJ/75 kcal
Protéines : 5 g – Lipides : 3 g
(graisses saturées : < 1 g)
Glucides : 6 g – Fibres : 5 g
IG : bas – CG : basse

Temps de préparation :
20 minutes
Temps de cuisson : 40 minutes
(plus le temps pour que
l'aubergine refroidisse)
Pour : 6 personnes

1 grosse aubergine (environ 400 g),
coupée en deux dans le sens de la
longueur
1 boîte de germes de soja de 400 g, rincés
et égouttés
1 cuillerée à café de cumin en poudre
1 gousse d'ail écrasée
2 cuillerées à soupe de jus de citron
1 poivron rouge coupé en bâtonnets
1 concombre libanais coupé en rondelles
1 carotte coupée en bâtonnets

1. Préchauffez le four à 190° et chemisez un plat à gratin avec du papier aluminium légèrement huilé.

2. Disposez les deux moitiés d'aubergine dans le plat, le côté coupé sur le dessous. Enfournez et laissez cuire 35 minutes, jusqu'à ce que les morceaux soient tendres.

3. Laissez refroidir l'aubergine, retirez la chair tiède avec une cuillère et mettez-la dans le bol d'un mixer. Ajoutez les germes de soja, le cumin, l'ail et le jus de citron, et mixez jusqu'à obtention d'une préparation lisse et onctueuse.

4. Servez avec les légumes, que vous tremperez dans la purée.

Biscuits aux abricots et aux amandes

Ces biscuits se conservent trois à quatre jours dans un récipient hermétique.

Pour 1 biscuit

Valeur énergétique :
382 kJ/90 kcal
Protéines : 2 g – Lipides : 4 g
(graisses saturées : < 1 g)
Glucides : 13 g – Fibres : 1 g
IG : bas – CG : basse

Temps de préparation :
15 minutes
Temps de cuisson : 15 minutes
Pour : environ 16 biscuits

100 g d'abricots secs coupés en dés
100 g de poudre d'amande
115 g de sucre en poudre
50 g de farine
2 blancs d'œufs à température ambiante

1. Préchauffez le four à 170° et chemisez deux plaques de cuisson avec du papier sulfurisé.

2. Dans un saladier, mélangez soigneusement les abricots, la poudre d'amande, le sucre et la farine.

3. Avec un fouet, montez les blancs d'œufs en neige. Ajoutez-les à la préparation à base d'abricots et mélangez le tout.

4. Mouillez-vous les mains, prenez une grosse cuillerée du mélange et formez une boule. Posez-la sur une grille de cuisson et aplatissez-la légèrement avec une cuillère. Procédez de même avec le reste de la préparation.

5. Enfournez et laissez cuire 12 à 15 minutes, jusqu'à ce que le dessous des biscuits soit pris et légèrement doré. Laissez refroidir les biscuits 5 minutes sur les plaques de cuisson, puis mettez-les sur une grille jusqu'à ce qu'ils soient complètement froids.

Biscuits au müesli et au miel

Se conservent trois à quatre jours au réfrigérateur dans un récipient hermétique.

Pour 1 biscuit

Valeur énergétique :
650 kJ/153 kcal
Protéines : 3 g – Lipides : 7 g
(graisses saturées : 1 g)
Glucides : 21 g – Fibres : 2 g
IG : bas – CG : basse

Temps de préparation :
10 minutes
Temps de cuisson :
20-25 minutes
Pour : 6 biscuits

125 ml de miel liquide
100 g de margarine mono-insaturée,
pauvre en sodium
2 œufs enrichis en oméga 3 (ou 2 œufs
de poules élevées en plein air)
240 g de müesli nature
75 g de farine levante (à levure
incorporée)

1. Préchauffez le four à 170° et chemisez un moule de 16 cm × 26 cm avec du papier sulfurisé.
2. Mettez le miel et la margarine dans une petite casserole. Laissez fondre la margarine à feu doux et mélangez soigneusement. Laissez refroidir. Versez ensuite le mélange dans un saladier et incorporez les œufs avec un fouet.
3. Dans un saladier, mélangez le müesli et la farine, puis incorporez la préparation à base de miel. Versez le tout dans le moule, et aplatissez le dessus. Enfournez et laissez cuire 20 à 25 minutes, jusqu'à ce que l'intérieur soit cuit et l'extérieur doré. Laissez refroidir.
4. Démoulez et coupez en six parts égales. Conservez les biscuits dans un récipient hermétique.

Tartines de pain complet grillées avec de la banane et de la ricotta

100 g de ricotta fraîche allégée
1 cuillerée à soupe de miel liquide
1 pincée de cannelle en poudre
4 tranches de pain complet
2 petites bananes coupées en morceaux
dans le sens de la diagonale
un peu de miel (pour décorer)
un peu de cannelle (pour décorer)

Pour une portion

Valeur énergétique :
727 kJ/171 kcal
Protéines : 6 g
Lipides : 3 g
(graisses saturées : 2 g)
Glucides : 29 g – Fibres : 3 g
IG : bas – CG : moyenne

Temps de préparation : 5 minutes
Temps de cuisson : 5 minutes
Pour : 4 tartines

1. Avec un batteur électrique, mélangez la ricotta, le miel et la cannelle, jusqu'à obtention d'une préparation homogène.
2. Faites griller les tartines.
3. Étalez le mélange à base de ricotta sur le pain. Sur le dessus, répartissez des morceaux de banane. Mettez du miel et saupoudrez de cannelle. Servez immédiatement.

Parfaits aux fruits

Vous pouvez remplacer le fromage frais par du yaourt à la vanille. Le pain aux amandes utilisé est un biscuit sucré de l'épaisseur d'une gaufre, qui rappelle les biscotti italiens.
Ce type de pain est commercialisé dans la plupart des grandes surfaces.

Pour une portion

Valeur énergétique :
1 090 kJ/256 kcal
Protéines : 12 g – Lipides : 4 g
(graisses saturées : < 1 g)
Glucides : 38 g – Fibres : 4 g
IG : bas – CG : moyenne

Temps de préparation :
20 minutes
Temps au réfrigérateur :
30 minutes
Pour : 4 parfaits

150 g de framboises (fraîches ou congelées)
1 cuillerée à soupe de jus d'orange
90 g de pain aux amandes
4 nectarines ou 4 pêches, coupées en lamelles
400 g de fromage frais allégé ou de yaourt à la vanille maigre

1. Mettez les framboises et le jus d'orange dans un saladier. Écrasez les fruits à la fourchette et mélangez.
2. Cassez le pain aux amandes en petits morceaux (de la grosseur d'une bouchée). Dans une coupe à glace, mettez une couche de nectarines (ou de pêches), une couche de sauce à la framboise, une couche de pain aux amandes et une couche de fromage frais (ou de yaourt).
3. Laissez au réfrigérateur 30 minutes afin que les arômes se mélangent. Servez et dégustez frais.

Gâteaux au fromage et aux myrtilles

Pour une portion

Valeur énergétique :
875 kJ/206 kcal
Protéines : 10 g
Lipides : 13 g
(graisses saturées : 5 g)
Glucides : 12 g – Fibres : 2 g
IG : bas – CG : basse

Temps de préparation :
20 minutes
Temps au réfrigérateur : 1 heure
Pour : 4 gâteaux au fromage

300 g de ricotta allégée
1 cuillerée à soupe de miel liquide
1 cuillerée à café de zeste d'orange râpé finement
150 g de myrtilles fraîches
40 g de noix coupées finement
4 fraises coupées en lamelles

1. Avec du film étirable, chemisez des ramequins d'une contenance de 125 ml.

2. Dans un saladier, écrasez la ricotta avec une fourchette, puis ajoutez le miel et le zeste d'orange.

3. Incorporez les deux tiers des myrtilles au mélange et répartissez la préparation dans les ramequins. Tassez et égalisez la surface.

4. Saupoudrez les noix et enfoncez les petits morceaux avec le dos d'une cuillère. Laissez prendre au réfrigérateur 1 heure.

5. Retournez les ramequins sur un plat à gâteau et retirez le film étirable. Sur chaque gâteau, mettez une fraise coupée en fines lamelles et servez avec le restant de myrtilles.

Riz au lait avec de la rhubarbe et des fraises

Ce dessert ne contient pratiquement pas de lipides. Le mélange à base de rhubarbe se conserve au réfrigérateur, dans un récipient hermétique, entre trois et quatre jours.

1 botte de rhubarbe nettoyée et coupée en morceaux de 3 cm
55 g de sucre en poudre
1 barquette de fraises équeutées, lavées et coupées en deux
100 g de riz doongara
2 cuillerées à soupe supplémentaires de sucre en poudre
500 ml de lait écrémé
1 pincée de cannelle en poudre

Pour une portion

Valeur énergétique :
1 030 kJ/242 kcal
Protéines : 8 g – Lipides : 0 g
Glucides : 50 g – Fibres : 4 g
IG : bas – CG : élevée

Temps de préparation :
10 minutes (plus le temps que les fruits refroidissent)
Temps de cuisson : 25 minutes
Pour : 4 personnes

1. Mettez la rhubarbe et le sucre dans une casserole de taille moyenne à fond épais. Faites cuire à feu modéré pendant 5 minutes, sans cesser de remuer, jusqu'à ce que les morceaux de rhubarbe ramollissent. Ajoutez les fraises et laissez cuire 5 minutes supplémentaires. Retirez du feu et laissez refroidir.
2. Pendant ce temps mettez le riz, le reste de sucre et 310 ml de lait écrémé dans une autre casserole de taille moyenne à fond épais. Faites chauffer à feu doux jusqu'à ce que le sucre soit totalement dissous, puis augmentez le feu et laissez bouillir quelques secondes. Réduisez le feu, couvrez et laissez cuire 12 minutes.
3. Retirez du feu et incorporez le restant du lait, couvrez et laissez reposer 10 minutes. Incorporez la cannelle et servez avec le mélange rhubarbe-fraises.

Mousse à l'orange et au fruit de la passion

Un dessert riche en calcium et en phosphore, mais pauvre en lipides (moins d'un gramme par portion). Se conserve au réfrigérateur un ou deux jours.

160 ml de jus d'orange fraîchement pressé
80 g de sucre en poudre
2 cuillerées à café de gélatine en poudre
80 ml de pulpe fraîche de fruit de la passion
1 boîte de 375 ml de lait concentré glacé
des fruits de la passion (pour décorer, facultatif)

Pour une portion

Valeur énergétique :
505 kJ/119 kcal
Protéines : 7 g – Lipides : < 1 g
(graisses saturées : < 1 g)
Glucides : 23 g – Fibres : 1 g
IG : bas – CG : basse

Temps de préparation :
15 minutes
Temps de cuisson : 2 minutes
Temps au réfrigérateur :
4 à 5 h 30
Pour : 6 personnes

1. Mettez le jus d'orange et le sucre dans une petite casserole. Faites chauffer sans porter à ébullition. Retirez du feu et incorporez la gélatine. Remuez jusqu'à ce qu'elle soit dissoute. Versez le mélange dans un petit récipient résistant à la chaleur et laissez refroidir. Incorporez la pulpe de fruit de la passion.
2. Dans un grand saladier, battez le lait concentré avec un fouet électrique jusqu'à obtention d'une mousse lisse et légère. Ajoutez la préparation à base de jus d'orange et de fruit de la passion, et mélangez soigneusement. Couvrez et laissez au réfrigérateur 1 h à 1 h 30, en remuant régulièrement, jusqu'à ce que le mélange épaississe et prenne légèrement (le fait de remuer évite que la pulpe de fruit de la passion tombe au fond du saladier).
3. Avec une cuillère, répartissez le mélange dans des coupes individuelles et laissez au réfrigérateur 3 à 4 heures supplémentaires.
4. Servez la mousse avec des lamelles de fruits de la passion sur le dessus (facultatif).

PARTIE V
IG : Tableau récapitulatif

COMMENT UTILISER
LE TABLEAU CI-APRÈS

Vous trouverez, dans le tableau ci-après, les résultats des dernières études portant sur la valeur de l'IG de plusieurs centaines d'aliments parmi les plus couramment consommés. Par ailleurs, nous vous donnons quelques recommandations quant à la consommation (quantité et fréquence) de ces aliments.

Ce tableau devrait vous permettre de sélectionner les aliments ayant l'IG le plus bas et, au-delà, diminuer l'IG de votre alimentation au quotidien.

Les aliments qui ne contiennent pas ou peu de glucides n'ont, lorsqu'ils sont consommés, aucune répercussion sur la réponse glycémique. Pour ces aliments, identifiables grâce à un astérisque (★), l'IG n'est pas mentionné. Toutefois, nous avons choisi de les faire figurer dans le tableau récapitulatif, car nous estimons qu'ils jouent un rôle primordial dans le régime que nous préconisons.

Les aliments accompagnés du symbole ▼ sont riches en graisses saturées. Nous vous recommandons vivement de vérifier la teneur en graisses saturées figurant sur les emballages, et de limiter votre consommation d'aliments ayant une teneur en graisses saturées supérieure à 20 % de la teneur totale en lipides.

Lorsque vous consommez de la viande ou des crustacés, retirez le gras visible, et cuisinez ces aliments avec une petite quantité de graisses poly- ou mono-insaturées.

Le symbole ✳ après la valeur de l'IG d'un aliment signifie que cette valeur est une valeur moyenne basée sur dix – mais aussi parfois seulement deux ou quatre – études.

L'IG de tous les aliments n'a pas encore été calculé, et la liste ci-après est incomplète. Si vous ne trouvez pas l'IG d'un aliment ou d'une boisson, contactez le fabricant afin de vérifier si le produit a déjà fait l'objet de tests. Certains professionnels de l'agroalimentaire ignorent encore l'existence de ces tests, tandis que d'autres ne jugent pas nécessaire de publier les résultats obtenus.

Les valeurs d'IG que nous mettons à votre disposition ont été soigneusement testées et vérifiées ; toutefois, il suffit d'un seul changement de formulation pour que cette valeur soit modifiée.

De nombreux produits ne sont pas commercialisés en France, vous trouverez donc, en pages 421 à 425, quelques valeurs nutritionnelles concernant des produits fabriqués et commercialisés en France.

Aliment		Valeur de l'IG
Mousse au chocolat Aero® (Nestlé)	37	À consommer avec modération
Glace Alba® au chocolat, sans saccharose	37	IG bas, dessert pauvre en lipides
Glace Alba® à la vanille, sans saccharose	39	IG bas, dessert pauvre en lipides
Graines de luzerne	*	À consommer au quotidien
All-Bran®, céréales pour le petit déjeuner (Kellogg's)	34	Excellent choix
All-Bran®, Fruit' n' Fibre céréales pour le petit déjeuner (Kellogg's)	39	Excellent choix
Pomme, fruit frais	38 ※	Bon à tout moment de la journée
Pomme, fruit sec	29	Pour les en-cas avec modération
JUS DE FRUITS		
Jus de pomme, sans sucre ajouté	40 ※	À consommer avec modération (1 verre par jour)
Jus de pomme clair (débarrassé des matières troubles), sans sucre ajouté (Wild about fruit®)	44	Idem
Jus de pomme pur (non débarrassé des matières troubles), sans sucre ajouté (Wild about fruit®)	37	Idem
Jus de pomme et de cassis, pur (Berri)	45	Idem
Jus de pomme et de cerises, pur (Wild about fruit®)	43	Idem
Jus de pomme et de mandarine, pur (Wild about fruit®)	53	Idem
Jus de pomme et de mangue, pur (Wild about fruit®)	47	Idem
Jus de pomme Granny Smith, pur (Ducat's)	44	Idem
Muffin aux pommes, fait maison	46 ▼	De temps à autre. IG variable selon la recette
Abricot Delight Log, pain aux fruits (Bakers Delight)	56	Bon choix pour collation ou petit déjeuner
Barre à l'abricot, pâte à la farine complète (Mother Earth®)	50 ▼	De temps à autre comme collation
Pâte à tartiner à l'abricot, allégée en sucre (Glen Ewin®)	55	À consommer avec modération

Aliment		Valeur de l'IG
Abricots, fruits au sirop	64	Avec modération. Privilégier les fruits
Abricots, fruits secs	30	Collation ou en accompagnement
Abricots, fruits frais	57	À tout moment
Arborio, riz blanc pour risotto, cuit à l'eau	69	Choix judicieux
Artichauts, cœurs, frais ou en conserve (eau salée)	*	À consommer au quotidien
Asperges	*	À consommer au quotidien
Avocat	*	Bonnes graisses. Avec modération
Bagel, farine blanche	72	À consommer avec modération
PAINS FRAIS BAKERS DELIGHT		
Apricot Delight Log, aux abricots	56	Choisir la variété avec l'IG le plus bas pour consommation quotidienne
Cape Seed®	48	Idem
Multicéréales	61	Idem
Aux graines de lin et soja	55	Idem
Tiger Loaf®, farine blanche	71	Idem
Block Loaf®, farine complète	71	Idem
Pousses de bambou	*	À consommer avec modération
Banane, fruit cru	52 ※	À consommer au quotidien. Moins le fruit est mûr, plus l'IG est bas
Gâteau à la banane fait maison	51 ▼	IG variable selon recette. Très énergétique
Milk-shake à la banane, pauvre en lipides (So Natural®)	30	Collation ou repas léger pauvre en glucides
Orge perlé, cuit à l'eau	25 ※	Excellent. IG très bas
Orge roulé cru	66	Riche en fibres. La bouillie a un IG plus bas
Riz basmati, blanc, cuit à l'eau	58	Bon choix
Crème de légumineuses, tofu, sans sucre	*	Excellente source de protéines maigres
Fèves de légumineuses, crues	*	À consommer au quotidien
HARICOTS		
Noirs, cuits à l'eau	30	À privilégier. IG bas ; très nourrissants

Aliment		Valeur de l'IG
Pois indiens, trempés, égouttés et cuits à l'eau	42	Idem
Borlotti, en conserve, égouttés (Edgell)	41	Idem
Haricots blancs, en conserve, égouttés (Edgell)	36	Idem
Haricots blancs, secs, cuits à l'eau	31 ※	Idem
Haricots blancs à la sauce tomate	49 ※	Repas sain
Cannellini	31	Idem
Haricots rouges, en conserve, égouttés	43	Idem
Mélange quatre haricots, en conserve, égouttés (Edgell)	37	Idem
Haricots verts	*	Idem
Haricots, cuisinés, en conserve	38 ※	Idem
Haricots, secs, cuits à l'eau	33 ※	Idem
Haricots de Lima, mini-haricots, congelés et réchauffés	32	Idem
Haricots mungo	39	Idem
Pinto, en conserve, égouttés	45	Idem
Pinto, secs, cuits à l'eau	39	Idem
Haricots rouges, en conserve, égouttés (Edgell)	36	Idem
Romano	46	Idem
Soja, en conserve, égoutté	14 ※	Idem
Soja, fèves sèches, cuites à l'eau	18	Idem
Bœuf	▼*	Dégraissé
Bière (4,6°)	66	À boire avec modération
Betteraves rouges, en conserve	64	Source d'antioxydants
BISCUITS		
Sans gluten (Nutricia)	58	Pour se faire plaisir. Avec modération
Qualité normale (Nutricia)	59 ※ ▼	Idem
Golden Fruit® (Griffins, Nouvelle-Zélande)	77 ※ ▼	Idem
Highland Oatcakes®, à la farine d'avoine (Walker's)	57 ▼	Idem
Highland Oatcakes®, à la farine d'avoine	55 ▼	Idem
Maltmeal Wafer®, gaufrettes, (Griffins, Nouvelle-Zélande)	50 ▼	Idem
Milk Arrowroot®	69 ▼	Idem

Aliment		Valeur de l'IG
Morning Coffee®Ide	79 ▼	Idem
À la farine d'avoine	54 ▼	Idem
Rich Tea®	55 ▼	Idem
Sablés, à la farine complète	64 ▼	Idem
À la farine de blé	62 ▼	Idem
Barre fruitée, pomme et cassis, Snack Right®	43	Idem
Barre fruitée, abricot et raisins secs, Snack Right®	46	Idem
Barre fruitée, fruits rouges, Snack Right®	55	Idem
Bonbons aux fruits, pomme et raisins Sultanas, Snack Right®	45	Idem
Bonbons aux fruits, fruits rouges, Snack Right®	52	Idem
Barre fruitée, Fruit Roll, pomme et cassis Snack Right®	43	Idem
Barre fruitée, Fruit Roll, pomme et raisins Sultanas, Snack Right®	45	Idem
Barre fruitée, Fruit Slice, mangue et fruit de la passion, Snack Right®	49	Idem
Barre fruitée, Fruit Slice, mélange de fruits rouges, Snack Right®	50	Idem
Barre fruitée, Fruit Slice, pomme et raisins Sultanas, Snack Right®	45	Idem
Barre fruitée, Fruit Slice, raisins Sultanas, Snack Right®	48	Idem
Barre fruitée, Fruit Slice, raisins Sultanas et chocolat, Snack Right®	45	Idem
Gaufrettes à la vanille, à la farine complète	77 ▼	Idem
Haricots noirs, cuits à l'eau	30	À privilégier absolument
Pois indiens, trempés, cuits à l'eau	42	Un bon choix
Pain de seigle noir, Riga®	76	À consommer avec modération
Muffin aux myrtilles, fabrication industrielle	59 ▼	Occasionnellement et avec modération
Pak-choï	*	À consommer au quotidien
Haricots borlotti, en conserve, égouttés (Edgell)	41	Excellents : salades, ragoûts et soupes
Bran Flakes®, céréales pour le petit	74	À consommer avec

Aliment		Valeur de l'IG
déjeuner (Kellogg's)		modération
Muffin au son de blé, fabrication industrielle	60 ▼	Occasionnellement
Fromage de tête	*	Occasionnellement en petite quantité
PAIN		
Aux abricots, Bakers Delight	56	Choisir la variété avec l'IG le plus bas
Bagel, farine blanche	72	Idem
Seigle noir, pain noir, Riga®	76	Idem
Bürgen® Fruit Loaf	44	Idem
Bürgen® Oat Bran & Honey, pain au son de blé et au miel	49	Idem
Pain noir Bürgen®	51	Idem
Cape Seed Loaf, Bakers Delight, pain aux céréales	48	Idem
Continental		
Pain aux céréales et au seigle bio, Country Life	48	Idem
Pain aux céréales, Bakers Delight	61	Idem
Pain aux fruits secs et aux épices, tranches épaisses, Buttercup	54	Idem
Pain multicéréales, sans gluten, Country Life	79	Idem
Pain pour hamburger, farine blanche	61	Idem
Helga's® Classic Seed Loaf, pain aux graines	68	Idem
Helga's® Traditional Wholemeal Bread, pain complet	70	Idem
Pain pour sandwich, farine blanche, Tip Top®	70	Idem
Petits pains ronds, farine blanche, Kaiser	73	Idem
Pain libanais, farine blanche, Seda Bakery	75	Idem
Pain aux graines de lin et soja, Bakers Delight	55	Idem
Pain multicéréales pour sandwich, Tip Top®	65	Idem
Pain aux 9 graines, Tip Top®	43	Idem
Pain au levain, biologique, Bill's Bakery	59	Idem

Aliment		Valeur de l'IG
PerforMAX, pain multicéréales, Country Life	38	Idem
Pain pita, farine blanche	57	Idem
Pain pumpernickel	50 ※	Idem
Pain blanc traditionnel, tranché	71	Idem
Pain au seigle et soja, Country Life	42	Idem
Pain au seigle noir, Riga®	86	Idem
Pain à l'épeautre et aux multicéréales, Pav's Allergy Bakery	54	Idem
Pain de seigle au levain	48	Idem
Pain de blé au levain	54	Idem
Pain Sunblest, farine blanche, Tip Top®	71	Idem
Pain Tiger Loaf, farine blanche, Bakers Delight	71	Idem
Pain à la farine complète, Bakers Delight	71	Idem
Pain pour sandwich, farine complète, Tip Top®	71	Idem
Pain Wonder White®, Buttercup	80	Idem
CÉRÉALES POUR LE PETIT DÉJEUNER		
All-Bran® (Kellogg's)	34 ※	Choisir la variété avec l'IG le plus bas
All Bran Fruit' n'Oats® (Kellogg's)	39	Idem
Bran Flakes® (Kellogg's)	74	Idem
Coco Pops® (Kellogg's)	77 ※	Idem
Corn Flakes® (Kellogg')	77	Idem
Corn Pops® (Kellogg's)	80	Idem
Crunchy Nut Cornflakes® (Kellogg's)	72	Idem
Fruit Loops® (Kellogg's)	69	Idem
Frosties®, pétales de maïs glacés au sucre (Kellogg's)	55	Idem
Fruitful Lite® (Hubbards)	61	Idem
Müesli, sans gluten (Freedom Foods) avec lait 1,5 % de MG	39	Idem
Golden Wheats® (Kellogg's)	71	Idem
Goldies®, blé complet (Kellogg's)	70	Idem
Good Start®, biscuits blé et müesli (Sanitarium)	68	Idem

Aliment		Valeur de l'IG
Gyarduab® (Kellogg's)	37	Idem
Healthwise®, pour transit intestinal (Uncle Toby's)	66	Idem
Hi-Bran Weet-Bix®, avec soja et graines de lin (Sanitarium)	57	Idem
Hi Bran West-Bix®, biscuits au blé (Sanitarium)	61	Idem
Honey Goldies® (Kellogg's)	72	Idem
Honey Rice Bubbles®, riz soufflé au miel (Kellogg's)	77	Idem
Honey Smack® (Kellogg's)	71	Idem
Just Right® (Kellogg's)	60	Idem
Just Right Just Grains® (Kellogg's)	62	Idem
Komplete® (Kellogg's)	48	Idem
Lite-Bix® (Sanitarium)	70	Idem
Mini-Wheats®, au cassis (Kellogg's)	72	Idem
Mini-Wheats®, farine complète (Kellogg's)	58	Idem
Müesli, sans gluten (Freedom Foods) avec lait 1,5 % de MG	39	Idem
Müesli, Lite (Sanitarium, Nouvelle-Zélande)	54	Idem
Müesli, Natural (Sanitarium)	40	Idem
Müesli, Natural (Sanitarium, Nouvelle-Zélande)	57	Idem
Müesli, Naytura Premium	65	Idem
Müesli		
Muesli, formule suisse (Uncle Toby's)	56	Idem
Nutrigrain® (Kellogg's)	66	Idem
Son d'avoine cru, non raffiné	55 ※	Idem
Oat Bran Weet-Bix® (Sanitarium)	57	Idem
Oat' n' Honey Bake® (Kellogg's)	77	Idem
Flocons d'avoine roulée, crus, Lowan®	59	Idem
Bouillie de flocons d'avoine, préparation instantanée avec de l'eau (Uncle Toby's)	82	Idem
Bouillie de flocons d'avoine, grosse mouture en acier, mélangé avec de l'eau	52	Idem

Aliment		Valeur de l'IG
Bouillie, multicéréales, avec de l'eau (Monster Müesli)	55	Idem
Bouillie de flocons d'avoine, traditionnelle, à base de flocons d'avoine et d'eau	58 ※	Idem
Sarrasin soufflé	65	Idem
Pétales de blé soufflés (Sanitarium)	80	Idem
Son de riz (Rice Growers)	19	Idem
Rice Bubbles® (Kellogg's)	87 ※	Idem
Rice Krispies® (Kellogg's)	82	Idem
Ricies® (Sanitarium)	95	Idem
Semoule de blé, cuite	55 ※	Idem
Shredded Wheat®, pilpil de blé	75 ※	Idem
Skippy Cornflakes® (Sanitarium)	93	Idem
Soy Tasty® (Sanitarium)	60	Idem
Soytana® (Vogel's)	58	Idem
Special K® (Kellogg's)	56	Idem
Sultana Bran®, son et raisins secs bloncs (Kellogg's)	73	Idem
Sultana Goldies®, raisins secs blonds (Kellogg's)	61	Idem
Sustain® (Kellogg's)	68	Idem
Müesli grillé (Purina)	43	Idem
Ultra-Bran®, graines de lin et soja (Vogel's)	41	Idem
Vita-Brits® (Uncle Toby's)	68	Idem
Vita-Pro®, sans gluten (Vogel's)	52	Idem
Weet-Bix®, qualité traditionnelle (Sanitarium)	69 ※	Idem
Wheat-Bites® (Uncle Toby's)	72	Idem
BARRES AUX CÉRÉALES POUR LE PETIT DÉJEUNER		
Crunchy Nut Cornflakes® (Kellogg's)	72	De temps à autre. Choisir la variété avec IG et taux de lipides les plus bas
Fibre Plus® (Uncle Toby's)	78	Idem
Fruity-Bix®, fruits et fruits à écale (Sanitarium)	56	Idem
Fruity-Bix®, baies sauvages (Sanitarium)	51	Idem
K-Time Just Right® (Kellogg's)	72	Idem

Aliment		Valeur de l'IG
Rice Bubble Treat® (Kellogg's)	63	Idem
Sustain® (Kellogg's)	57	Idem
Crackers bretons, farine de blé	67	À consommer avec modération
Fèves	79	À consommer avec modération
Brocoli	*	À consommer au quotidien
Riz concassé, blanc, cuit dans autocuiseur	86	À consommer avec modération
Choux de Bruxelles	*	À consommer au quotidien
Sarrasin, cuit à l'eau	54 ※	Pour remplacer le riz. Nourrissant
Galettes au sarrasin, sans gluten, préparation instantanée (Orgran)	102	À consommer avec modération
Boisson reconstituante, poudre vanille, riche en fibres, à diluer dans de l'eau (Nestlé)	41	Complément nutritionnel
Boulgour, blé concassé, prêt à consommer	48 ※	Délicieux en salade (taboulé)
Petit pain pour hamburger, farine blanche	61	À consommer avec modération. Remplacer par petit pain rond aux céréales
PAINS BÜRGEN®		
Fruit Loaf, pain aux fruits secs	44	Nourrissant. IG bas. OK pour consommation quotidienne
Oat Bran & Honey, pain au son de blé et au miel	49	Idem
Pain noir	51	Idem
Pain graines de lin et soja	36	Idem
Burger Rings®, arôme barbecue	90 ▼	Occasionnellement
Haricots blancs, en conserve, égouttés (Edgell)	36	Bon choix
Haricots blancs, secs, cuits à l'eau	31 ※	À privilégier
Chou	*	À consommer au quotidien
GÂTEAUX		
Gâteau à la banane, fabrication maison	51*	Occasionnellement pour se faire plaisir
Gâteau au chocolat avec glaçage au chocolat (préparation prête à l'emploi (Betty Crocker)	38 ▼	Idem

Aliment		Valeur de l'IG
Petits gâteaux avec glaçage à la fraise (Farmland)	73 ▼	Idem
Quatre-quarts, farine complète	54 ▼	Idem
Gâteau de Savoie, farine complète, nature	46 ▼	Idem
Gâteau à la vanille avec glaçage vanille, préparation prête à l'emploi (Betty Crocker®)	42 ▼	Idem
Calamar, sans chapelure et sans pâte à frire	*	Éviter, préparation riche en graisses saturées
Lait de soja Calci Forte, enrichi en calcium (So Natural)	36	Bon choix
Riz calrose, grains blancs de grosseur moyenne, cuits à l'eau	83	Prudence. Choisir variété à IG plus bas
Haricots cannellini	31	Excellent
Cape Seed, pain aux graines, Bakers Delight	48	Délicieux. À consommer au quotidien
Pâtes alimentaires capellini, farine blanche, cuites à l'eau	45	Bon choix. Attention aux portions
Poivron	*	À consommer au quotidien
Jus de carotte, fraîchement pressé	43	Ne pas s'en priver
Carottes, pelées et cuites à l'eau	41	À consommer au quotidien
Noix de cajou, salées (Farmland)	22	En collation avec modération. Mieux : fruits à écale sans sel ajouté
Chou-fleur	*	À consommer au quotidien
Céleri	*	À consommer au quotidien
Fromage	*	Très calorique. À consommer en petite quantité
Pâtes alimentaires tortellini, fromage, cuisinées	50 ▼	Avec modération
Cerises, rouge foncé, crues	63	Avec modération
Poulet	* ▼	Sans graisse et sans peau
Nuggets de poulet, congelés, réchauffés 5 minutes au micro-ondes	46 ▼	Avec modération
Pois chiches, en conserve dans l'eau salée	40	Nourrissant. À privilégier
Pois chiches, secs, cuits à l'eau	28 ✳	Excellents
Piments, frais ou séchés	*	À consommer au quotidien
Ciboulette, fraîche	*	À consommer au quotidien

Aliment	Valeur de l'IG	
CHOCOLAT		
Chocolat au lait (Cadbury's)	49 ▼	Occasionnellement pour se faire plaisir. Très calorique
Chocolat noir, qualité traditionnelle	41 ※ ▼	Idem
Chocolat au lait, Dove®	45 ▼	Idem
Mars®, barre chocolatée	62 ▼	Idem
Chocolat au lait (Nestlé)	42 ▼	Idem
Chocolat au lait, allégé en sucre	35 ▼	Idem
Chocolat au lait, qualité traditionnelle	41 ※ ▼	Idem
Chocolat au lait (avec du fructose à la place du sucre)	20 ▼	Idem
Chocolat blanc Milky Bar® (Nestlé)	44 ▼	Idem
Snickers®, barres chocolatées, qualité traditionnelle	41 ▼	Idem
Gâteau au chocolat avec glaçage au chocolat (préparation prête à l'emploi) (Betty Crocker)	38 ▼	Occasionnellement
Milk-shake, chocolat et noisettes, pauvre en lipides (So Natural)	34	À consommer avec modération
Pâte à tartiner, chocolat et noisettes Nutella®	30	À consommer avec modération
Mousse au chocolat, pauvre en matières grasses (Nestlé)	37	Bon choix, collation au dessert
Pudding au chocolat, poudre et lait entier, préparation prête à l'emploi	47 ※ ▼	Occasionnellement. Choisir du lait écrémé
Coca-cola®, boisson non alcoolisée	43	Occasionnellement
Choco Pop®, céréales pour le petit déjeuner (Kellogg's)	77	Occasionnellement
Café noir, sans lait, sans sucre	*	À consommer avec modération
Lait concentré sucré, entier	61 ▼	Occasionnellement
Bouillon clair, poulet ou légumes	*	Bon choix en entrée
Boisson fortifiante à l'orange reconstituée (Berri)	66	OK, avec modération
Maïs doux, variété Honey & Pearl (Nouvelle-Zélande)	37	À consommer au quotidien
Maïs doux, épi, cuit à l'eau 20 minutes	48	Bon choix avec peu de beurre
Chips de maïs, qualité standard, salées	42 ▼	Avec modération. IG bas dû à une forte teneur en graisse

Aliment		Valeur de l'IG
Corn Flakes®, céréales pour le petit déjeuner (Kellogg's)	77	De temps à autre
Crunchy Nut Cornflakes®, barre aux céréales pour le petit déjeuner	72	Exceptionnellement
Polenta, cuite à l'eau	68	À consommer avec modération
Pâtes alimentaires à la farine de maïs, sans gluten, cuites à l'eau (Orgran's)	78	Pour un IG bas, servir *al dente*
Corn Pops®, céréales pour le petit déjeuner (Kellogg's)	80	À consommer avec modération
Corn Thins, galettes de maïs soufflé, sans gluten (Real Foods)	87	À consommer avec modération
Pain aux céréales, Bakers Delight	61	Choix judicieux
Pain aux céréales et seigle biologique, Country Life	48	Bon choix
Pain multicéréales, sans gluten, Country Life	79	Meilleur choix que du pain à la farine blanche sans gluten
Pain au seigle et graines de lin et soja, Country Life	42	Bon choix
Couscous, cuit à l'eau 5 minutes	65 ※	À consommer avec modération
CRACKERS/GÂTEAUX SALÉS ET PAINS SCANDINAVES		
Crackers bretons, farine de blé	67 ▼	De temps à autre, choisir une variété à IG bas et pauvre en graisses saturées
Corn Thins, galettes de maïs feuilletées, sans gluten (Real Foods)	87	Idem
Crackers Jatz®, biscuits salés, qualité standard (Arnott's)	55 ▼	Idem
Petits pains ronds, farine blanche (Kayser)	71	Idem
Pain scandinave feuilleté, farine blanche (Weston's)	81	Idem
Galettes de riz feuilletées (Rice Growers)	82	Idem
Pain suédois (Ryvita®)	69	Idem
Crackers Sao (Arnott's)	70 ▼	Idem
Canneberges, séchées, sucrées	64	Dans les plats cuisinés ou en collation
Jus de canneberge (Océan Spray®)	52	À consommer avec modération

Aliment		Valeur de l'IG
Crème caramel, allégée, sucrée (Nestlé)	33	Bon choix en dessert
Crispix®, céréales pour petit déjeuner	87	Occasionnellement
Croissant	67 ▼	De temps à autre pour se faire plaisir
Petite crêpe (blini)	69	À consommer avec modération
Crunchy Nut Cornflakes Bar®, barre aux céréales (Kellogg's)	72	De temps à autre pour se faire plaisir
Concombre	*	À consommer au quotidien
Petits gâteaux avec glaçage à la fraise (Farmland)	73 ▼	Avec modération
Crème anglaise, faite maison (lait, amidon et sucre)	43 ▼	De temps à autre. Choisir du lait écrémé
Crème anglaise allégée TRIM®	37	Avec un fruit ou un dessert
Compote de pommes, fruits frais épluchés	54	À tout moment
LAITS DAIRY FARMERS®		
Farmers' Best Milk, enrichi en oméga 3	27	IG bas. Choisir une qualité pauvre en graisses
Lite White, lait 1,4 % de MG	30	Idem
Shape, lait 0,1 % de MG enrichi en calcium	34	Idem
Lait écrémé 0,1 % de MG	32	Idem
Take Care, 1 % de MG + enrichi en calcium	23	Idem
Lait entier 3,6 % de MG	27	Idem
Pain, seigle noir, Riga®	86	Avec modération
Dattes, origine arabe, séchées, sous vide	39 ✳	Très énergétique. Occasionnellement une petite portion
Dattes, fruits secs	103	De temps à autre
Pommes de terre Désirée, épluchées, cuites 35 minutes à l'eau	101	Très occasionnellement
Figues séchées (Dessert Maid)	61	Nourrissant
Gelée pauvre en matières grasses, préparation instantanée à diluer avec de l'eau	*	Moins calorique que la qualité standard
Boissons non alcoolisées light	*	Moins caloriques et moins riches en nutriments que la qualité standard. À boire avec modération

Aliment		Valeur de l'IG
Barre allégée noisettes et abricots (Dietworks)	42	Complément diététique
Sablés, farine complète, qualité standard	59 ✳ ▼	Avec modération
Sablés, sans gluten (Nutricia)	58 ▼	Exceptionnellement
Riz doongara blanc, cuit à l'eau	56 ✳	Choix judicieux
Pomme, fruit sec	29	En collation. Petite quantité
Canard	* ▼	Dégraissé et sans peau
Aubergine	*	À consommer au quotidien
Œufs	*	Nourrissants. Ne pas cuisiner avec des graisses saturées
Endives	*	À consommer au quotidien
Boisson à la vanille Ensure®	48	Complément nutritionnel
Fanta®, boisson non alcoolisée à l'orange	68	Occasionnellement
Farmers' Best Milk, lait enrichi en oméga 3	27	Bon choix
Fenouil	*	À consommer au quotidien
Pâtes alimentaires fettuccine, aux œufs, cuites	32	Pour IG bas, cuisson *al dente*
Fibre Plus®, barre aux céréales pour le petit déjeuner (Uncle Toby's)	78	De temps à autre
Figues, séchées (Dessert Maid)	61	Nourrissantes. De temps à autre
Poisson	*	À privilégier. Cuisiner avec peu de matières grasses
Bâtonnets de poisson	38 ▼	Avec modération. Teneur en graisse élevée
Mélange quatre haricots, en conserve, égoutté (Edgell)	37	À consommer au quotidien
Frites surgelées, réchauffées au micro-ondes	75 ▼	Avec modération
Crème glacée à la vanille (Sara Lee)	38 ▼	Exceptionnellement pour se faire plaisir
Froot Loops®, céréales pour le petit déjeuner	69	Avec modération
Frosties®, pétales de maïs glacés au sucre (Kellogg's)	55	De temps à autre
Saccharose, pur	19 ✳	Sucre naturellement présent dans les fruits
FRUITS AU SIROP		
Abricots, sirop allégé en sucre	64	Manger les fruits et laisser le jus (calorique)

Aliment		Valeur de l'IG
Cocktail de fruits	55	Idem
Litchis au sirop, égouttés	79	Idem
Pêches, sirop sucré	58	Idem
Pêches, sirop allégé en sucre	57 ✳	Idem
Pêches, jus naturel	45	Idem
Poire, jus naturel	44	Idem
FRUITS SECS		
Pomme	29	Forte concentration de nutriments. À consommer avec modération
Abricots	31 ✳	Idem
Canneberges, sucrées	64	Idem
Dattes, dénoyautées	103	Idem
Figues, séchées (Dessert Maid)	61	Idem
Pruneaux, dénoyautés	29	Idem
Raisins secs	64	Idem
Raisins blonds Sultanas	56	Idem
FRUITS FRAIS		
Pomme	38 ✳	Riche en nutriments et antioxydants. En consommer même si IG élevé
Abricots	57	Idem
Banane	52 ✳	Idem
Fruit de l'arbre à pain	68	Idem
Cerises, rouge foncé	63	Idem
Compote de pommes, fruits frais épluchés	54	Idem
Raisins	53 ✳	Idem
Kiwi	53	Idem
Mangue	51 ✳	Idem
Orange	42 ✳	Idem
Papaye	56	Idem
Pain aux fruits secs et aux épices (Buttercup)	54	De temps à autre
Cocktail de fruits	55	Mieux : salade de fruits frais
Banane, barre fruitée, Heinz Kidz®	61	OK mais occasionnellement
JUS DE FRUITS		
Jus de pomme pur, clair (débarrassé des matières troubles), non sucré (Wild	44	En petite quantité. Mieux : fruit frais

Aliment	Valeur de l'IG	
About Fruit®)		
Jus de pomme pur (non débarrassé des matières troubles), non sucré (Wild About Fruit®)	37	Idem
Jus de pomme Granny Smith, pur (Ducat's)	44	Idem
Jus de pomme, sans sucre ajouté	40 ✕	Idem
Jus de pomme et de cassis, pur (Berri)	45	Idem
Jus de pomme et de cerise, pur (Wild About Fruit®)	43	Idem
Jus de pomme et de mandarine, pur (Wild About Fruit®)	53	Idem
Jus de pomme et de mangue, pure (Wild About Fruit®)	47	Idem
Jus de carotte, fraîchement pressé	43	Idem
Jus de canneberge (Ocean Spray®)	52	Idem
Jus de pamplemousse, non sucré	48	Idem
Jus d'orange, non sucré, frais	50 ✕	Idem
Jus d'orange, non sucré, à base de concentré (Ouelch)	53	Idem
Jus d'ananas, non sucré	46	Idem
Jus de tomate, sans sucre ajouté (Berri)	38	Idem
Fruit Loaf, pain aux fruits secs (Bürgen®)	44	Bon choix
Fruit Loaf, qualité standard	47	À consommer avec modération
Fruitful Lite®, céréales pour le petit déjeuner (Hubbards)	61	Bon choix
Fruity-Bix®, fruits et fruits à écale (Sanitarium)	56	En collation
Fruity-Bix®, baies sauvages (Sanitarium)	51	En collation
Mango Frutia®, dessert surgelé aux fruits, allégé	42	Bon choix avec modération
Ail	*	À consommer au quotidien
Gatorade®, boisson énergétique	78	Complément nutritionnel pour sportifs
Glace Alba® au chocolat sans saccharose	37	IG bas, dessert pauvre en lipides
Glace Alba® à la vanille sans saccharose	39	IG bas, dessert pauvre en lipides
Gingembre	*	À consommer au quotidien

Aliment		Valeur de l'IG
Céréales pour le petit déjeuner sans gluten (Vita Pro®)	52	Bon choix avec lait écrémé et fruit
Pâtes alimentaires à la farine de maïs, sans gluten (Orgran)	78	Pour IG bas, cuisson *al dente*
Pain multicéréales, sans gluten (Country Life)	79	Plus riche en fibres que le pain à la farine blanche sans gluten
Müesli, sans gluten (Freedom Foods) avec lait 1,5 % de MG	39	Petit déjeuner sans gluten à privilégier
Pâtes alimentaires, à la farine de riz et de maïs, sans gluten (Ris'O'Maïs)	76	Privilégier les variétés enrichies en protéines
Pois cassés et coquillettes à la farine de soja, sans gluten	29	Excellent
Spaghettis sans gluten, en conserve à la sauce tomate (Organ)	68	Choix judicieux
Riz gluant, blanc, cuit à l'autocuiseur	98	Avec modération
Gnocchi, pâtes alimentaires cuisinées, Latina®	68	Choix judicieux
Golden Fruit, biscuits (Griffin's, Nouvelle-Zélande)	77 ▼	De temps à autre
Sirop de sucre de canne	63	Occasionnellement
Golden Wheats®, céréales pour le petit déjeuner	71	De temps à autre
Gradual Release, céréales pour le petit déjeuner, avec lait écrémé	68	Avec modération
Jus de pomme Granny Smith, pur (Ducat's)	44	Avec modération (1 verre par jour)
Nectar de raisins (Château Barrosa)	52	Pour remplacer le miel. Avec modération
Pamplemousse, fruit frais	25	À consommer au quotidien
Jus de pamplemousse, non sucré	48	À boire avec modération
Raisins, fruits frais	53 ✳	À consommer au quotidien
Haricots verts	*	Aussi souvent que vous le souhaitez
Soupe aux petits pois, en conserve	66	Bon choix
Céréales pour le petit déjeuner (Guardian®)	37	Excellent choix
Confiserie Gummi, à base de glucose liquide	94 ✳	Occasionnellement
Jambon, jarret ou épaule	*	Dégraissé. Avec modération
Pain pour hamburger, farine blanche	61	Avec modération

Aliment		Valeur de l'IG
Flageolets, cuits, en conserve	38 ※	Excellents
Flageolets, secs, cuits à l'eau	33 ※	Excellents
COLLATIONS PRODUITS LAITIERS DIÉTÉTIQUES PAUL'S®		
Crème au citron	32	Pauvre en matières grasses. Pour remplacer yaourt
Crème à la framboise	32	Idem
Crème à la vanille	35	Idem
Healthwise®, pour transit intestinal (Uncle Toby's)	66	Choix judicieux
Haricots blancs à la sauce tomate, en conserve (Heinz®)	51	Bon choix
Helga's® Classic Seed Loaf, pain aux graines	68	Avec modération
Helga's® Traditional Wholemeal Bread, pain complet	70	Avec modération
Herbes aromatiques, fraîches ou séchées	*	À consommer au quotidien
Hi-Bran Weet-Bix®, biscuits au blé (Sanitarium)	61	Qualité à IG bas
Hi-Bran Weet-Bix®, avec soja et graines de lin (Sanitarium)	57	Bon choix
Highland Oatcakes, à la farine d'avoine (Walker's)	57 ▼	Occasionnellement
Highland Oatmeal, biscuits à la farine d'avoine (Weston's)	55 ▼	Occasionnellement
High-Pro®, boisson énergétique en poudre, avec lait écrémé (Harrod Foods)	36	Complément nutritionnel diététique
MIEL		
Capilano, mélange	64 ※	À consommer avec modération. Miel de fleurs pur pour IG le plus bas. Boutiques produits diététiques et supermarchés
Ironbark	48	Idem
Red Gum	53 ※	Idem
Salvation Jane	64	Idem
Stringybark	44	Idem
Yapunya	52	Idem
Yellowbox, miel liquide	35	Idem

Aliment		Valeur de l'IG
Honey Rice Bubbles®, riz soufflé au miel (Kellogg's)	77	Avec modération
Honey Smacks®, céréales pour le petit déjeuner (Kellogg's)	71	De temps à autre
Houmous, qualité standard	6	Pour remplacer le beurre
SPain pour sandwich riche en fibres (Tip Top®)	70	Avec modération
CRÈMES GLACÉES		
Peter's Light and Creamy, vanille allégée (Nestlé)	46	Calorique. Petite quantité occasionnelle pour se faire plaisir
Peter's Light and Creamy, chocolat, allégée (Nestlé)	49	Idem
Narco Light Prestige, allégée, noix de macadamia	37	Idem
Narco Light Prestige, allégée, vanille	47	Idem
Narco Light Prestige, allégée, caramel	37	Idem
Qualité standard, lait entier, tout parfum	47 ✳▼	Idem
Vanille française, lait entier (Sara Lee)	38 ▼	Idem
Chocolat, lait entier (Sara Lee)	37 ▼	Idem
Purée de pomme de terre (préparation instantanée)	69 ✳	Avec modération
Riz précuit, blanc, cuisson 6 minutes	87	Avec modération
Barre énergétique au chocolat PR Ironman®	39	Complément nutritionnel pour sportifs
Boisson énergétique Isostar®	70	Pour un événement exceptionnel. Ne pas consommer régulièrement
Confiture, abricot, allégée en sucre	55	Avec modération
Confiture, fraise, qualité standard	56 ✳	Avec modération
Riz jasmin, blanc, longs grains, cuit dans autocuiseur	109	Exceptionnellement
Crackers Jatz®, biscuits salés, qualité standard	55 ▼	Occasionnellement. Riches en graisses saturées
Gelée, produit diététique, poudre à dissoudre dans de l'eau	*	Moins calorique que la qualité standard
Bonbon Jelly Beans	78 ✳	Avec modération
Boisson Jevity® enrichie en fibres	48	Complément nutritionnel
Just Right®, céréales pour le petit déjeuner	60	Choix judicieux

Aliment		Valeur de l'IG
Just Right Just Grains, céréales pour le petit déjeuner aux grains entiers	62	Choix judicieux
Petits pains ronds, farine blanche (Kayser)	73	Avec modération
Pain norvégien Kavli®	71	À consommer avec modération
Haricots rouges, en conserve, égouttés (Edgell)	36 ※	À consommer au quotidien
Haricots rouges, secs, cuits à l'eau	28 ※	Excellent
Banane, barre fruitée, Heinz Kidz®	61	OK mais occasionnellement
Kiwi, fruit frais	58	Bon choix
Komplete, céréales pour le petit déjeuner (Kellogg's)	48	Avec modération
Just-Right®, barre aux céréales pour le petit déjeuner	72	Occasionnellement
Agneau	*	Dégraissé
Lean Cuisine®, produit diététique, poulet au riz	36	IG bas
PRODUITS NUTRITIONNELS LEAN®		
Fibergy®, barre aux flocons d'avoine	45	Repas à IG bas ou collation
Life Long Nutribar®, chocolat	32	Idem
Life Long Nutribar®, cacahuètes	30	Idem
Nutrimeal®, boisson en poudre, chocolat	26	Idem
Pain libanais, farine blanche	75	Avec modération
Poireaux	*	À consommer au quotidien
Soupe de lentilles, en conserve	44	Bon choix
LENTILLES		
Vertes, en conserve	48 ※	Excellentes
Vertes, séchées, cuites à l'eau	30 ※	Idem
Rouges, séchées, cuites à l'eau	26 ※	Idem
Salade verte	*	À consommer au quotidien
Réglisse (Farmland)	78	Avec modération
Life Savers®, menthe poivrée	70	Occasionnellement
CRÈMES GLACÉES/GLACES LIGHT PRESTIGE (NORCO)		
Noix de macadamia	37	Avec modération
Vanille	47	Idem

Aliment		Valeur de l'IG
Caramel	37	Idem
Pain de seigle diététique	68	Choix judicieux
Lait de soja, diététique, pauvre en MG (So Natural)	44	Bon choix
Haricots de Lima, mini-haricots, congelés et réchauffés	32	À consommer au quotidien
Pâtes alimentaires linguine, qualité épaisse, cuites à l'eau	46 ※	Servir avec des sauces pauvres en graisses
Pâtes alimentaires Linguine, qualité fine, cuites à l'eau	52 ※	Pour IG bas, cuisson *al dente*
Pain aux graines de lin et soja, Bakers Delight	55	À consommer au quotidien
Lite White, lait 1,4 % de MG (Dairy Farmers)	30	Bon choix
Saucisses au pâté de foie	* ▼	Riches en graisses saturées. Manger en petite quantité
Lucozade®, boisson énergétique gazeuse (riche en glucose)	95	Complément nutritionnel
Nouilles Lungkow, nouilles asiatiques à la farine de haricots mungo	33 ※	Nouilles asiatiques à IG bas
Litchis, au sirop, égouttés	79	Laisser le sirop riche en calories
M&M's®, cacahuètes	33 ▼	Avec modération
Macaroni, à la farine blanche, cuits à l'eau	47°	Servir avec des sauces pauvres en graisses
Macaroni et fromage prêt à l'emploi (Kraft)	64 ▼	De temps à autre
Nouilles asiatiques Maggi® cuisson rapide 2 minutes	54 ▼	Avec modération
Nouilles asiatiques Maggi® cuisson rapide 2 minutes allégées en graisse	67	Occasionnellement
Maltmeal Wafer®, gaufrettes (Griffin's, Nouvelle-Zélande)	50 ▼	Occasionnellement
Lait en poudre entier, Malted Milk Powder (Nestlé)	45 ▼	Exceptionnellement
Mangue, fruit frais	51 ※	À privilégier
Mango Frutia, dessert à la mangue congelé, pauvre en MG (Weis)	42	Bon choix si consommé avec modération
Sirop d'érable (Cottee's®)	68	De temps à autre
Sirop d'érable pur (Canada)	54	Avec modération
Marmelade, orange	55	Avec modération

Aliment		Valeur de l'IG
Mars, barre chocolatée, qualité standard	62 ▼	Exceptionnellement
Guimauve, rose et blanche, qualité standard	62	Occasionnellement
Burger pour végétarien (McDonald's)	59	De temps à autre
Toast Melba, qualité standard	70	Occasionnellement
Lait, concentré, sucré	61 ▼	Occasionnellement
LAITS, DAIRY FARMERS		
Farmer's Beest Milk enrichi en oméga 3	27	IG bas. Choisir une variété pauvre en graisses
Lite White, lait 1,4 % de MG	30	Idem
Shape, lait 0,1 % de MG enrichi en calcium	34	Idem
Lait écrémé 0,1 % de MG	32	Idem
Take Care, 1 % de MG, enrichi en calcium	23	Idem
Lait entier 3,6 % de MG	27	Idem
Lait de vache, frais, entier	31 ▼	Si problème de poids, choisir lait écrémé
Lait écrémé, chocolat, avec aspartame	24	Meilleur choix
Lait écrémé, chocolat, avec sucre, Lite White®	34	Avec modération
Lait écrémé	32	Bon choix
Biscuit au lait et arrow-root	69 ▼	Avec modération
CHOCOLAT AU LAIT		
Chocolat au lait, qualité standard (Cadbury's®)	49 ▼	Exceptionnellement. Pour se faire plaisir
Chocolat au lait (Dove®)	45 ▼	Idem
Chocolat au lait, qualité standard	45 ※ ▼	Idem
Chocolat au lait, allégé en sucre	35 ※ ▼	Idem
Chocolat au lait, avec du fructose à la place du sucre	20 ▼	Idem
Chocolat au lait (Nestlé®)	42 ▼	Idem
Milky Bar, barre chocolat blanc (Nestlé®)	44 ▼	Exceptionnellement
Millet, cuit à l'eau	71	De temps à autre
BOISSONS MILO®, NESTLÉ		
Malt Milo®, en poudre dans lait entier	37 ▼	Avec modération
Malt Milo®, en poudre dans lait demi-écrémé	40 ▼	Idem

Aliment	Valeur de l'IG	
Malt Milo®, en poudre dans lait écrémé	46 ▼	Idem
Milo®, préparation prête à consommer, 600 ml (bouteille en plastique)	30 ▼	Idem
Milo®, préparation prête à consommer, 250 ml (pack)	35 ▼	Idem
Milo®, en poudre dans lait entier	33 ▼	Idem
Milo®, en poudre dans lait semi-écrémé	36 ※ ▼	Idem
Milo®, en poudre dans lait écrémé	39 ▼	Idem
Milo®, barre chocolatée (Nestlé)	40 ▼	Exceptionnellement
Minestrone, soupe Country Ladle Traditional (Campbell's)	39	Produit sain
Mini-Wheats®, céréales pour le petit déjeuner avec des cassis (Kellogg's)	72	Avec modération
Mini-Wheats®, céréales pour le petit déjeuner, farine complète (Kellogg's)	58	Choix judicieux
Morning Coffee, biscuits sablés	79 ▼	Avec modération
Barre fruitée, abricot, pâte à la farine complète (Mother Earth)	50 ▼	De temps à autre
MÜESLI		
Müesli, sans gluten (Freedom Foods) avec lait 1,5 % de MG	39	IG et teneur en graisses variables. Choisir une variété pauvre en graisses saturées
Müesli, Naytura Premium, non grillé, avec fruits à écale	65	Idem
Müesli grillé (Purina)	43	Idem
Müesli, formule suisse (Uncle Toby's)	56	Idem
Oven-Crisp		
Barre au müesli avec des fruits secs	61	Exceptionnellement
Barre au müesli avec des pépites de chocolat ou des fruits	54 ※	De temps à autre
MUFFINS		
Aux pommes, fait maison	46 ※ ▼	Occasionnellement. Choisir qualité pauvre en graisses
Aux myrtilles, fabrication industrielle	59 ▼	Idem
Au son, fabrication industrielle	60 ▼	Idem
À la carotte, fabrication industrielle	62 ▼	Idem
Aux flocons d'avoine, préparation instantanée	69 ▼	Idem
Pain multicéréales pour sandwich (Tip Top®)	65	Avec modération

Aliment		Valeur de l'IG
Pain aux 9 graines (Tip Top®)	43	Bon choix
Haricots mungo	39	Excellents
Nouilles Lungkow, nouilles asiatiques à la farine de haricots mungo	33 ※	Bon choix
Champignons	*	À consommer au quotidien
Naytura Premium, müesli non grillé, avec fruits à écale	65	Choix judicieux
Nectar, raisins (Château Barrosa)	52	Pour remplacer le miel. Avec modération
Nesquick®, poudre, chocolat, dans lait 1,5 % de MG	41	OK de temps en temps
Nesquick®, poudre, fraise, dans lait 1,5 % de MG	35	OK de temps en temps
Nestlé® Aero mousse au chocolat	37	Pour collation ou dessert
Nestlé® mousse au chocolat light	37	Bon choix produit diététique
Nestlé® crème caramel light	33	Idem
Nestlé® gâteau au fromage et au citron	31	Idem
Nestlé® yaourt pêche et mangue	21	Excellent choix
Nestlé® yaourt fraise	19	Excellent choix
Pomme de terre nouvelle, avec la peau, cuite à l'eau 20 minutes	78	Avec modération
Pomme de terre nouvelle, en conserve, cuite 3 minutes au micro-ondes	65	IG plus bas
NOUILLES ASIATIQUES		
Riz séché, cuit à l'eau	61	Choisir variété à IG bas et utiliser peu de graisse pour la cuisson
Riz frais, cuit à l'eau	40	Idem
Qualité standard Maggi®, cuisson 2 minutes	51 ※	Idem
Nouilles Lungkow, nouilles asiatiques à la farine de haricots mungo	33 ※	Idem
Nouilles asiatiques Maggi® cuisson rapide 2 minutes	54	Idem
Nouilles asiatiques Maggi® cuisson rapide 2 minutes, allégées en graisses	67	Idem
Nouilles Soba, préparation instantanée à ajouter à soupe	46	Idem
Nouilles Udon, qualité traditionnelle (Fantastic)	62	Idem

Aliment		Valeur de l'IG
CRÈMES GLACÉES/GLACES LIGHT PRESTIGE NORCO		
Noix de macadamia	37	Avec modération
Vanille	47	Idem
Caramel	37	Idem
Nutella®, pâte à tartiner chocolat et noisettes	33	À consommer avec modération
Nutri-Grain®, céréales pour le petit déjeuner (Kellogg's)	66	Avec modération
Oat'n'Honey Bake, céréales pour le petit déjeuner (Kellogg's)	77	De temps à autre
Son d'avoine, non raffiné	55 ※	Riche en fibres. Ajouter dans de la bouillie de flocons d'avoine
Pain son d'avoine et miel (Bürgen®)	49	À consommer au quotidien
Flocons d'avoine, avoine roulée, crue (Lowan®)	59	Choix judicieux
Oignon	*	À consommer au quotidien
Orange, fruit frais	42 ※	À tout moment
Orange, boisson revigorante, reconstituée (Berri)	66	Occasionnellement
Jus d'orange, non sucré	50 ※	À boire avec modération
Pain au levain, biologique, Bill's Bakery	59	Choix judicieux
PRODUITS SANS GLUTEN ORGRAN		
Crêpes au sarrasin, préparation instantanée	102	Pour remplacer les produits riches en glucides
Pâtes alimentaires, farine de maïs, cuites à l'eau	78	Idem
Pâtes alimentaires, farines de riz et de maïs (Ris'O'Mais)	76	Idem
Spaghettis, riz et pois cassés, en conserve, égouttés	68	Idem
Pois cassés et coquillettes à la farine de soja	29	Idem
Lait de soja non dégraissé (So Natural)	44	Bon choix
Huîtres, naturelles	*	Inutile de vous priver !
Crêpes, pour préparation au mixer (Green's)	67 ▼	De temps à autre
Crêpes, au sarrasin, sans gluten, préparation prête à l'emploi (Orgran)	102	Avec modération

Aliment		Valeur de l'IG
Panais	97	En petite quantité
Petites tourtes, au bœuf, cuites (Farmland)	45 ▼	De temps à autre
PÂTES ALIMENTAIRES		
Capellinis, farine blanche, cuites à l'eau	45	Produits à IG bas à consommer régulièrement
Tortellinis, au fromage, cuisinés	50	Idem
À la farine de maïs, sans gluten, cuites à l'eau (Orgran)	78	Idem
Fettucine, œuf, cuites à l'eau	40 ※	Idem
Linguine, qualité épaisse, cuits à l'eau	46 ※	Idem
Linguine, qualité fine, cuits à l'eau	52 ※	Idem
Macaronis, farine blanche, cuits à l'eau	47 ※	Idem
Macaronis et fromage, mélange prêt à consommer (Kraft)	64	Idem
Pâtes enrichies en protéines, cuites à l'eau (Proti)	28	Idem
Raviolis, garniture viande, cuits à l'eau	39	Idem
Pâtes alimentaires, farine de riz et de maïs, Ris'O'Maïs sans gluten (Orgran)	76	Idem
Pâtes alimentaires, farine de riz, brunes, cuites à l'eau (Rice Growers)	92	Idem
Vermicelles de riz, sec, cuits à l'eau (origine chinoise)	58	Idem
Spaghettis, sans gluten, en conserve dans sauce tomate (Orgran)	68	Idem
Spaghettis, enrichis en protéines, cuits à l'eau	27	Idem
Spaghettis, farine de blé, cuits à l'eau 10-15 minutes	44 ※	Idem
Spaghettis, farine de blé complet, cuits à l'eau	42	Idem
Spiralis, farine de blé dur, cuits à l'eau (Vetta)	43	Idem
Pois cassés et coquillettes à la farine de soja, sans gluten, cuits à l'eau (Orgran)	29	Idem
Star Pastina, farine blanche, cuites à l'eau 5 minutes	38	Idem
Vermicelles, farine de blé dur, cuits à l'eau (Vetta)	35	Idem

Aliment	Valeur de l'IG	

EN-CAS À BASE DE PRODUITS LAITIERS DIÉTÉTIQUES (PAUL'S®)

Aliment	Valeur de l'IG	
Health Plus crème au citron	32	Pauvre en graisses saturées, riche en calcium. À privilégier
Health Plus crème à la framboise	32	Idem
Health Plus crème à la vanille	35	Idem
Papaye, fruit frais	56	Bon choix
Pêche, en conserve, sucre ajouté (Letona)	58	OK. Privilégier fruits au jus naturel
Pêche, en conserve, sans sucre ajouté	57 ✕	Idem
Pêche, en conserve, jus naturel	45	Hors saison des pêches
Pêche, fruit frais	42 ✕	À tout moment
Yaourt light, pêche et mangue (Nestlé)	21	En collation ou dessert
Cacahuètes, grillées, salées	14 ✕	En collation avec modération
Poire, fruit frais	38 ✕	À tout moment
Poire, oreillons, en conserve, jus naturel	44 ✕	Bon choix
Poire, oreillons, en conserve, sirop allégé en sucre (SPC Lite)	25	Avec céréales ou yaourt nature
Petits pois, secs, cuits à l'eau	22	Nourrissants. Dans soupes et ragoûts
Petits pois, congelés, cuits à l'eau	48 ✕	À consommer au quotidien
Noix de pécan, crues	10	En collation ou dans les plats cuisinés
Riz brun, cuit à l'eau (Pelde®)	76	De temps à autre
PerforMAX, pain multicéréales	38	Excellent
Tourtes, bœuf (Farmland)	45 ▼	De temps à autre
Annas, fruit frais	59 ✕	Bon choix
Ananas, jus, non sucré	46	Avec modération (1 verre par jour)
Haricots pinto, en conserve dans eau salée	45	Nourrissants
Haricots pinto, secs, cuits à l'eau	39	Excellents
Pain pita, farine blanche	57	Choix judicieux. Essayer à base de farine complète

PIZZA

Aliment	Valeur de l'IG	
Super Suprême, Pizza hut	36 ▼	De temps à autre
Super Suprême, pâte fine et croustillante, Pizza Hut	30 ▼	Idem

Aliment		Valeur de l'IG
Suprême Végétarienne, pâte fine et croustillante, Pizza Hut	49 ▼	Idem
Prune, fruit cru	39 ※	À consommer au quotidien
Polenta, cuite à l'eau	68	Occasionnellement
Pommes de terre Pontiac épluchées, cuites à l'eau 30-35 minutes	72	Avec modération
Pommes de terre Pontiac épluchées et coupées en cubes, cuites à l'eau 15 minutes, écrasées en purée	91	Avec modération
Pommes de terre Pontiac épluchées et cuites 6 à 7 minutes au micro-ondes à la puissance maximale	79	Avec modération
Pop-corn, qualité standard, cuits au micro-ondes	72 ※	À consommer sans beurre. Collation riche en fibres
Gaufres Pop Tarts® aux deux chocolats	70	De temps à autre pour se faire plaisir
Porc	*	Dégraissé
Bouillie de flocons d'avoine, préparation instantanée avec de l'eau (Uncle Toby's)	82	Avec modération. Privilégier les flocons d'avoine qualité standard
Bouillie de flocons d'avoine, grosse mouture, mélangée avec de l'eau	52	Acheter qualité diététique
Bouillie, multicéréales avec de l'eau (Monster Müesli)	55	Bon choix si consommés avec lait écrémé
Chips, pomme de terre, qualité standard, salées	54 ※ ▼	De temps à autre pour se faire plaisir
POMMES DE TERRE		
Désirée, épluchées, cuites à l'eau 35 minutes	101	Toutes les variétés ont un IG relativement élevé. Les patates douces sont de bons substituts
Purée, préparation instantanée (Edgell)	86	Idem
Nardine, épluchées, cuites à l'eau	70	Idem
Nouvelles, en conserve, cuites au micro-ondes 3 minutes	65	Idem
Nouvelles, en robe des champs, cuisson 20 minutes	78	Idem
Pontiac, épluchées, cuites à l'eau 15 minutes, écrasées en purée	91	Idem
Pontiac, épluchées, cuites à l'eau 30-35 minutes	72 ※	Idem

Aliment		Valeur de l'IG
Pontiac, épluchées, cuites au micro-ondes 7 minutes	79	Idem
Sebago, épluchées, cuites à l'eau 35 minutes	87	Idem
Patates douces, cuites au four	46 ✳	Idem
Quatre-quarts, qualité standard	54 ▼	De temps à autre pour se faire plaisir
Barre chocolatée Power Bar®	56 ✳	Complément nutritionnel pour sportifs
Bretzels, cuits au four, farine de blé	83	Avec modération. Caloriques
Pâtes alimentaires Proti, enrichies en protéines, cuites à l'eau	28	Excellent choix si pauvre en graisses
Pruneaux, dénoyautés (Sunsweet)	29	Une poignée en collation
Pudding, chocolat, préparation instantanée avec lait entier	47 ✳ ▼	OK occasionnellement. Lait écrémé
Pudding, vanille, préparation instantanée avec lait entier	40 ▼	Idem
Pudding, Sustagen®, vanille, préparation instantanée	27	Complément diététique
Sarrasin soufflé	65	Les grains soufflés ont un IG plus élevé
Pain scandinave soufflé, farine blanche	81	Avec modération
Galettes riz soufflé, farine blanche	82	Occasionnellement en collation
Blé soufflé, céréales petit déjeuner (Sanitarium)	80	Avec modération
Pain pumpernickel	50 ✳	Excellent choix
Potiron	75	À volonté. Pauvre en glucides
Sirop d'érable, pur (origine canadienne)	54	À consommer avec modération
Quinoa, biologique, cuite à l'eau	53	Excellente
Radis	*	À consommer au quotidien
Raisins secs	64	Avec modération
Raviolis, farine de blé dur, à la viande, cuits à l'eau	39 ▼	Bon choix avec sauce à la tomate
Real Fruit, barre fruitée à la fraise (Uncle Toby's)	90	De temps à autre
RIZ		
Arborio, pour risotto, riz blanc, cuit à l'eau (Sun Rice®)	69	Choisir une variété à IG bas pour une consommation quotidienne

Aliment		Valeur de l'IG
Basmati, blanc, cuit à l'eau (Mahatma)	58	Idem
Brisure de riz, thaïlandaise, blanche, cuite dans l'autocuiseur	86	Idem
Riz pelde, brun, cuit à l'eau	76	Idem
Riz calrose, brun, grosseur moyenne, cuit à l'eau	87	Idem
Riz calrose, blanc, grosseur moyenne, cuit à l'eau	83	Idem
Riz doongara, brun (Rice Growers)	66	Idem
Riz doongara, blanc, cuit à l'eau (Rice Growers)	56	Idem
Riz gluant, blanc, cuit dans l'autocuiseur	98	Idem
Riz cuisson rapide (6 minutes) dans l'eau bouillante	87	Idem
Riz jasmin, blanc, long grain, cuit dans l'autocuiseur	109	Idem
Riz long grain, blanc, cuit à l'eau 15 minutes (Mahatma)	50	Idem
Riz étuvé pelde (Sungold)	87	Idem
Riz Sunbrown Quick® (Rice Growers)	80	Idem
Riz sauvage, cuit à l'eau	57	Idem
Rice Bran (Rice Growers)	19	Riche en fibres. À consommer avec des céréales
Rice Bubble®, céréales pour le petit déjeuner	87	Avec modération
Riz Bubble Treat®, barre aux céréales (Kellogg's)	63	Occasionnellement
Galettes de riz, riz soufflé, farine blanche	82	Avec modération
Boisson au riz, naturelle, pauvre en graisses (Australia's Own)	92	Avec modération
Rice Krispies®, céréales pour le petit déjeuner (Kellogg's)	82	De temps à autre
Nouilles asiatiques, farine de riz, sèches, cuites à l'eau	61	Avec modération
Nouilles asiatiques, farine de riz, fraîches, cuites à l'eau	40	Excellent choix
Pâtes alimentaires, farine de riz, brunes, sans gluten, cuites à l'eau	92	Avec modération
Vermicelles de riz, sec, cuits à l'eau	58	Choix judicieux
Rich Tea® biscuits	55 ▼	Avec modération

Aliment		Valeur de l'IG
Ricies®, céréales pour le petit déjeuner (Sanitarium)	95	Avec modération
Riz'O'Mais pâtes alimentaires, sans gluten (Orgran)	76	Avec modération
Riz arborio pour risotto, cuit à l'eau (Sun Rice®)	69	Avec modération
Roquette	*	À tout moment. Salades et sandwiches
Cantaloup, fruit frais	67 ※	Avec modération
Petit pain, farine blanche (Kayser)	73	Avec modération
Roll-Ups®, en-cas aux fruits	99	Occasionnellement. Privilégier les fruits frais
Haricots romano	46	À consommer au quotidien
LAITS AROMATISÉS, PAUVRES EN GRAISSES RUSH® (PAUL'S)		
Rush® Absolute caramel	42	Avec modération
Rush® Heavenly vanille	42	Idem
Rush® Ultimate chocolat	38	Idem
Rush® café au lait	38	Idem
Rush® fraise des bois	38	Idem
Seigle	34	Excellent choix
Pain de seigle (Bürgen®)	51	À consommer au quotidien
Pain de seigle complet	58 ※	Choix judicieux
Ryvita, pain scandinave	69	Avec modération
Salami	* ▼	Avec modération. Riche en graisse
Saumon	*	Excellent
Boisson exotique énergétique Santal Active (Paul's)	52	Avec modération
Boisson fruits rouges revitalisante Santal Active (Paul's)	55	Avec modération
Sao®, crackers, farine complète	70 ▼	Avec modération
Sardines	*	Bon choix, frais ou en conserve dans l'eau salée ou eau de source
Saucisses, frites	28 ▼	Avec modération. Choisir variétés pauvres en matières grasses
Coquilles Saint-Jacques, naturelles	*	Avec modération. Cuisiner sans graisse

Aliment		Valeur de l'IG
Scones, farine complète, préparation instantanée	92	Occasionnellement
Pommes de terre Sebago, épluchées, cuites à l'eau 35 minutes	87	Ne pas trop cuire. Éviter en purée
Semoule, cuite	55 ✕	Pour remplacer la bouillie de flocons d'avoine
Graines de sésame	*	Avec modération. Nourrissantes mais riches en graisses
Échalotes	*	À consommer au quotidien
Shape, lait 0,1 % de MG, enrichi au calcium (Dairy Farmers®)	34	Excellent
Crustacés (bouquets, crabe, langouste, etc.)	*	Excellent choix
Sablés Arnott's®	64	Occasionnellement pour se faire plaisir. Riches en graisses saturées
Shredded Wheat®, pilpil de blé	75 ✕	Avec modération
Shredded Wheatmeal, biscuits au pilpil de blé (Arnott's®)	62 ▼	À consommer avec modération
Blettes	*	Bon choix
Ski®, yaourts maigres sucrés, tous arômes	40 ✕	Bon choix
Lait écrémé 0,1 de MG (Dairy Farmers®)	32	À consommer au quotidien
Skippy Cornflakes® (Sanitarium)	93	Avec modération
Slim-Fast®, boisson en canette, vanille ou chocolat	39 ✕	Repas diététique à boire
Slim-Fast®, poudre, tous arômes, avec du lait écrémé	35 ✕	Idem
BARRES FRUITÉES SNACK RIGHT® ***(ARNOTT'S)***		
Pomme et cassis	43	À consommer avec modération
Abricot et raisins secs	46	Idem
Fruits rouges	55	Idem
BONBONS AUX FRUITS SNACK ***RIGHT® (ARNOTT'S)***		
Pomme et raisins Sultanas	45	À consommer avec modération
Fruits rouges	52	Idem

Aliment		Valeur de l'IG
BARRES FRUITÉES FRUIT ROLL® ***(ARNOTT'S)***		
Pomme et cassis	43	À consommer avec modération
Pomme et raisins Sultanas	52	Idem
BARRES FRUITÉES FRUIT SLICE® ***(ARNOTT'S)***		
Mangue et fruit de la passion	49	À consommer avec modération
Mélange fruits rouges	50	Idem
Pomme et raisins Sultanas	45	Idem
Raisins Sultanas	48	Idem
Raisins Sultanas avec du chocolat	45	Idem
Barre chocolatée Snicker®, qualité standard	41 ▼	Occasionnellement pour se faire plaisir
Pois d'hiver	*	À consommer au quotidien
PRODUITS AU SOJA SO NATURAL		
Lait de soja, enrichi en calcium, 3 % de MG	36	Avec modération
Lait de soja, enrichi en calcium, 1,5 % de MG	44	Idem
Lait de soja, 3 % de MG	44	Idem
Milk-shake, banane, écrémé	30	Idem
Milk-shake, chocolat et noisettes, écrémé	34	Idem
Yaourt, pêche et mangue, 2 % de MG	50	Idem
Nouilles soba, prêtes à consommer, dans une soupe	46	Bon choix
BOISSONS NON ALCOOLISÉES		
Coca-cola®	53	Exceptionnellement
Boissons diététiques	*	Idem
Fanta®, boisson à l'orange	68	Idem
Solo®, citronnade	58	Idem
SOUPES		
Haricots noirs, en conserve	64	Choisir les variétés avec IG et teneur en graisses les plus bas
Consommé, poulet ou légumes	*	Idem
Petits pois, en conserve	66	Idem
Lentilles, en conserve	44	Idem

Aliment		Valeur de l'IG
Pois cassés, en conserve	60	Idem
Tomates, en conserve	45 ※	Idem
Minestrone Campbell's® (Country Ladle)	39	Idem
Pain au levain, complet (Bill's Bakery)	59	Choix judicieux
Pain de seigle au levain	48	À consommer au quotidien
Pain de blé au levain	54	Bon choix
LAITS DE SOJA		
So Natural, enrichi en calcium, entier	36	Choisir une qualité pauvre en matières grasses
So Natural, enrichi en calcium, écrémé	44	Idem
So Natural, 3 % de MG	44	Idem
Milk-shake au soja, banane, So Natural	30	Avec modération
Milk-shake au soja, chocolat et noisette, So Natural	34	De temps à autre
Yaourt au soja, pêche et mangue, So Natural	50	Avec modération
Fèves de soja, en conserve	14	Excellent choix
Fèves de soja, sèches, cuites à l'eau	18 ※	Excellent choix. À privilégier
Soy-Lin, pain au soja et graines de lin, Bürgen®	36	À consommer au quotidien
Soytana®, céréales pour le petit déjeuner, Vogel's®	58	Bon choix
Spaghettis, sans gluten, en conserve avec sauce tomate (Orgran)	68	IG plus bas que les autres pâtes alimentaires sans gluten
Spaghettis, farine de blé dur blanche, cuits à l'eau 10-15 minutes	44 ※	Servir avec des sauces sans matières grasses
Spaghettis, farine complète, cuites à l'eau	42	À consommer au quotidien
Special K®, qualité standard, céréales pour le petit déjeuner (Kellogg's)	56 ※	Choix judicieux
Pain multicéréales (Pav's Allergy Bakery)	54	À consommer au quotidien
Épinards	*	À consommer au quotidien
Pâtes alimentaires spirali, farine de blé dur, cuites à l'eau (Vetta)	43	À consommer au quotidien
Pois cassés et coquillettes à la farine de soja, sans gluten	29	Excellent
Soupe de pois cassés	60	Choix judicieux

Aliment		Valeur de l'IG
Pois cassés, jaunes, cuits à l'eau 20 minutes	32	Excellent choix. Nourrissants
Gâteau de Savoie	46	Occasionnellement pour se faire plaisir
Ciboule	*	À consommer au quotidien
Courge jaune	*	À consommer au quotidien
Calamar, sans pâte à frire et sans chapelure	*	Cuisiner sans matières grasses
Steak, tout morceau	*	Dégraissé, cuit au gril ou barbecue
Stoned Xheat Thins, crackers	67	Occasionnellement
Confiture de fraises, qualité standard	54 ※	Avec modération
Fraises, fruits frais	40	Sans restriction
Farce, au pain	70	Avec modération
Sucre	68 ※	Riche en calories. Avec modération
Sultana Bran, céréales pour le petit déjeuner (Kellogg's)	73	Avec modération
Raisins Sultanas	56	À consommer avec modération
Sunblest, pain à la farine blanche, (Tip Top®)	71	Choisir une variété à IG bas pour consommation quotidienne
Sunbrown Quick®, riz, cuit à l'eau	80	Mélanger avec de l'orge pour un IG plus bas
Pain aux graines de tournesol et orge, Riga®	57	Choix judicieux
Sunripe School Stipes, collations aux fruits secs	40	IG plus bas que d'autres collations à base de fruits secs
Sunsweet, pruneaux dénoyautés	29	Pour collations ou avec des céréales pour le petit déjeuner
Pizza Super Suprême, Pizza Hut	36 ▼	IG bas mais riche en graisses saturées. Avec modération
Pizza Super Suprême, pâte fine et croustillante, Pizza Hut	30 ▼	Avec modération pour se faire plaisir
Sushis, saumon	48	Bon choix
Sustagen®, boisson au chocolat	31	Complément nutritionnel
Sustagen®, pudding, préparation instantanée, vanille, à base de poudre	27	Complément diététique
Sustagen® Sport, boisson lactée	43	Complément nutritionnel

Aliment		Valeur de l'IG
Sustain®, céréales pour le petit déjeuner	68	Choix judicieux
Sustain®, barre aux céréales pour le petit déjeuner	57	Occasionnellement pour se faire plaisir
Rutabaga, cuisiné	72	De temps à autre
Maïs doux, grains entiers, en conserve, égouttés	46	À consommer au quotidien
Maïs doux, épis, cuits à l'eau	48	À consommer au quotidien
Patate douce, cuite au four	46 ✳	Excellent à la place des pommes de terre
Lait entier concentré, sucré	61 ▼	Avec modération
Canneberges séchées, sucrées	64	Avec modération
Sirop de sucre de canne	36	Occasionnellement. En petite quantité
Sirop d'érable, pur (Canada)	54	Avec modération
Sirop d'érable, aromatisé (Cottee's®)	68	Avec modération
Tacos, à base de farine de maïs, cuits au four	68	Servir avec de la viande maigre
Tahini, pâte de graisses de sésame, pure	*	Riche en graisses. En petite quantité
Take Care, lait écrémé enrichi en calcium	23	Excellent choix
Tapioca, cuit à l'eau, avec du lait	81	Avec modération
Taro, pelé (Colocasia esculenta), cuit à l'eau	54	IG bas. Idéal pour remplacer la pomme de terre
Thé, noir ou vert, sans lait et sans sucre	*	Sans restriction
Tiger Loaf®, pain à la farine blanche (Bakers Delight)	71	De temps à autre
Tofu, qualité traditionnelle, non sucré	*	Cuisson sans matières grasses
Jus de tomate, sans sucre ajouté (Berri)	38	À boire avec modération
Soupe à la tomate, en conserve	45 ✳	Bon choix, servir avec du pain à IG bas
Toohey's®, bière à 4,6°	66	À boire avec modération
Tortellinis, pâtes alimentaires au fromage, cuites à l'eau	50 ▼	Avec modération
Crème anglaise, vanille, écrémée (Paul's)	37	Avec un fruit ou un dessert
Truite, fraîche ou congelée	*	Excellent
Thon, frais ou en conserve dans de l'eau salée ou de l'eau de source	*	Excellent

Aliment		Valeur de l'IG
Dinde	*	Dégraissée et sans peau
Twisties, collation au goût fromage	74 ▼	Occasionnellement pour se faire plaisir
Twix®, barre chocolatée	44 ▼	Occasionnellement pour se faire plaisir
Nouilles asiatiques, cuisson rapide 2 minutes, 1 % de MG (Maggi)	67	Occasionnellement
Nouilles asiatiques, cuisson rapide 2 minutes, qualité standard (Maggi)	51 ✳ ▼	Avec modération
Nouilles udon, qualité standard (Fantastic)	62	De temps à autre
Ultra Bran Soy and Linseed, céréales pour le petit déjeuner au son, soja et graines de lin (Vogel's®)	41	Excellent
Crème glacée au chocolat (Sara Lee®)	37 ▼	Occasionnellement pour se faire plaisir
Up & Go, boisson, malt et cacao (Sanitarium)	43	Substitut de repas
Up & Go, boisson, malt (Sanitarium)	46	Pour collation ou repas léger
VAALIA® YAOURTS PAUVRES EN MATIÈRES GRASSES		
Abricot, mangue et pêche	25	Collation ou dessert
Vanille française	26	Idem
Crème au citron	43	Idem
Fruits rouges	28	Idem
Fruit de la passion	32	Idem
Fraise	28	Idem
VAALIA® YAOURTS SANS MATIÈRES GRASSES		
Vanille française	40	Collation ou dessert
Mangue	39	Idem
Fraise	38	Idem
Fruits rouges	38	Idem
Gâteau à la vanille, préparation instantanée, glaçage à la vanille (Betty Crocker)	42	Occasionnellement
Crème anglaise à la vanille, pauvre en matières grasses (Paul's)	37	Avec un fruit ou un dessert
Pudding à la vanille, préparation instantanée, lait entier	40 ▼	Occasionnellement
Gaufrettes, vanille	77 ▼	Occasionnellement

Aliment		Valeur de l'IG
Veau	*	Nourrissant. Dégraissé
Burger végétarien (McDonald's)	59	Occasionnellement
Pizza Suprême végétarienne, pâte fine et croustillante, Pizza Hut	49 ▼	Occasionnellement pour se faire plaisir
Vermicelles de riz, blé dur, cuits à l'eau (Vetta)	35	À consommer au quotidien
Vinaigre	*	À consommer au quotidien, notamment pour assaisonner des crudités
Vita-Brits®, céréales pour le petit déjeuner (Uncle Toby's)	68	Avec modération
Vita-Pro®, céréales pour le petit déjeuner sans gluten (Vogel's®)	52	Bon choix
Vitari, dessert aux fruits rouges, congelé, sans produits laitiers	59	OK. Avec modération
VOGEL'S® CÉRÉALES POUR LE PETIT DÉJEUNER		
Soytana®	58	Bon choix avec lait écrémé et fruit
Ultra Bran Soy and Linseed cereal, céréales pour le petit déjeuner au son, soja et graines de lin	41	Idem
Vita-Pro®, céréales pour le petit déjeuner sans gluten	52	Idem
Gaufrettes, vanille, qualité standard	77 ▼	De temps à autre
Gaufres, farine complète	76 ▼	Occasionnellement
Cresson	*	À consommer au quotidien
Cantaloup, fruit cru	76 ✕	Avec modération. Pauvre en glucides
Weis Mango Frutia®, dessert aux fruits congelé, pauvre en matières grasses	42	Bon choix. Avec modération
Blé, concassé, boulgour, prêt à consommer	48 ✕	Excellent dans les salades (taboulé)
BISCUITS AU BLÉ POUR LE PETIT DÉJEUNER		
Goldies®, aux raisins Sultanas (Kellogg's)	65	Pour une consommation quotidienne, choisir la variété à IG le plus bas
Goldies®, blé complet (Kellogg's)	70	Idem
Good Start, biscuits au müesli (Sanitarium)	68	Idem

Aliment		Valeur de l'IG
Hi-Bran Weet-Bix avec soja et graines de lin (Sanitarium)	57	Idem
Lite-Bix (Sanitarium)	70	Idem
Oat Bran Weet-Bix®, farine complète (Sanitarium)	57	Idem
Weet-Bix®, farine complète (Sanitarium)	69 ※	Idem
Vita-Brix® (Uncle Toby's)	68	Idem
Wheat Bites®, céréales pour le petit déjeuner (Uncle Toby's)	72	Avec modération
PAINS À LA FARINE BLANCHE		
Pain pour sandwich, farine blanche (Tip Top®)	70	Avec modération
Petits pains ronds, farine blanche (Kayser)	73	Idem
Pain libanais, farine blanche, Seda Bakery	75	Idem
Pain pita	57	Idem
Pain tranché, qualité standard	71 ※	Idem
Sunblest (Tip Top®)	71	Idem
Tiger Loaf® (Bakers Delight)	71	Idem
Wonder White®, pain blanc (Buttercup)	80	Idem
PAINS À LA FARINE COMPLÈTE		
Block Loaf (Baker's Delight)	71	Avec modération
Pain tranché	71 ※	Idem
Pain pour sandwich (Tip Top®)	65	Idem
Avec grains entiers	41	Excellent choix
PURS JUS DE POMME WILD ABOUT FRUIT®		
Jus, pomme et cerise	43	Avec modération. 1 verre par jour
Jus, pomme et mandarine	53	Idem
Jus, pomme et mangue	47	Idem
Jus, pomme, sans dépôt, filtré	44	Idem
Jus, pomme, avec dépôt	37	Idem
Riz sauvage, cuit à l'eau	57	
Igname, épluchée, cuite à l'eau	37 ※	Excellent
Yakult®, boisson au lait, avec probiotiques fermentés	46	Complément diététique

Aliment		Valeur de l'IG
YAOURTS		
Diététique, pauvre en matières grasses, sans sucre ajouté, vanille ou fruit	20 ※	Pour une consommation quotidienne, choisir la variété à IG bas
Pêche et mangue, pauvre en matières grasses (Nestlé)	21	Idem
Fraise, pauvre en matières grasses (Nestlé)	19	Idem
Ski®, fraise, pauvre en matières grasses, avec sucre	33	Idem
Ski®, tous arômes, sans matières grasses, avec sucre	40 ※	Idem
Ski d'Lite®, pauvre en matières grasses, avec sucre, fraise des bois	31	Idem
So Natural, yaourt au soja, pêche et mangue, avec sucre	50	Idem
Vaalia®, pauvre en matières grasses, avec sucre, abricot, mangue et pêche	26	Idem
Vaalia®, pauvre en matières grasses, avec sucre, vanille française	26	Idem
Vaalia®, pauvre en matières grasses, avec sucre, crème au citron	43	Idem
Vaalia®, pauvre en matières grasses, avec sucre, fruits rouges	28	Idem
Vaalia®, pauvre en matières grasses, avec sucre, fruits de la passion	32	Idem
Vaalia®, pauvre en matières grasses, avec sucre, fraise	28	Idem
Vaalia®, sans matières grasses, avec sucre, vanille française	40	Idem
Vaalia®, sans matières grasses, avec sucre, mangue	39	Idem
Vaalia®, sans matières grasses, avec sucre, fraise	38	Idem
Vaalia®, sans matières grasses, avec sucre, fruits rouges	38	Idem
Courgettes	*	À consommer au quotidien

※ valeur moyenne.
* peu ou pas de glucides.
▼ riche en graisses saturées.

QUELQUES VALEURS NUTRITIONNELLES CONCERNANT DES PRODUITS FABRIQUÉS ET COMMERCIALISÉS EN FRANCE

I – PRODUITS COMMERCIALISÉS PAR LA SOCIÉTÉ DANONE-LU★

3, rue Saarinen
96628 RUNGIS Cedex

Aliment	IG (le glucose étant pris comme référence)	Poids d'une portion moyenne (en g)	Teneur en glucides d'une portion	CG pour une portion
LU PETIT DÉJEUNER Chocolat et Céréales **	46	12,50 (= 1 biscuit)	8,7	4,0
LU PETIT DÉJEUNER Fruits et Fibres Figues **	41	12,50 (= 1 biscuit)	8,5	3,5
LU PETIT DÉJEUNER Brut de céréales ***	46	12,50 (= 1 biscuit)	8,9	4,1
LU PETIT DÉJEUNER Allégé en sucre céréales et pépites de chocolat ***	37	12,50 (= 1 biscuit)	9,0	3,3

Aliment	IG (le glucose étant pris comme référence)	Poids d'une portion moyenne (en g)	Teneur en glucides d'une portion	CG pour une portion
LU PETIT DÉJEUNER Céréales miel et pépites de Chocolat ***	47	13,50 (= 1 biscuit)	9,7	4,5
LU PETIT DÉJEUNER Müesli aux fruits ***	47	12,50 (= 1 biscuit)	9,1	4,3
Barquette abricot	71	6,60 (= 1 biscuit)	4,2	3,0
Véritable Petit Beurre	54	8,30 (= 1 biscuit)	6,6	3,6

* Les produits ci-dessus vendus en France ont été testés dans le laboratoire du professeur Jennie Brand-Miller en Australie. Pour un petit déjeuner, la portion recommandée est de 4 biscuits LU Petit déjeuner pour un individu moyen. Pour une pause, la portion recommandée est de 6 barquettes ou de 3 Véritable Petit Beurre.

** Les teneurs en glucides calculées correspondent aux glucides disponibles, c'est-à-dire aux glucides qui seront digérés et absorbés par l'organisme.

*** Par ailleurs, lorsque ces biscuits sont consommés au sein d'un petit déjeuner, il a été démontré que les glucides de ces derniers apparaissent de manière stable et prolongée dans le sang.

II – PRODUITS COMMERCIALISÉS PAR LA SOCIÉTÉ NESTLÉ NESTLÉ-PROTEIKA

2, avenue des Noëlles
44500 LA BAULE

Aliment	IG (le glucose étant pris comme référence)	Poids d'une portion moyenne (en g)	Teneur en glucides d'une portion	CG pour une portion
NUTREN ÉQUILIBRE Céréales Petit Déjeuner Nature	37	40	23	8,5

Aliment	IG (le glucose étant pris comme référence)	Poids d'une portion moyenne (en g)	Teneur en glucides d'une portion	CG pour une portion
NUTREN ÉQUILIBRE Céréales Petit Déjeuner Fraise	37	40	24,1	8,9
NUTREN ÉQUILIBRE Barres Citron Vert/Gingembre	41	22	10,3	4,2
NUTREN ÉQUILIBRE Barres abricot	41	22	10,2	4,2

Ces produits ont également fait l'objet de test dans le laboratoire du professeur Jennie Brand-Miller en Australie.

III – PRODUITS COMMERCIALISÉS PAR LA SOCIÉTÉ KOT
64, rue Pierre-Charron
75008 Paris

Aliment	IG (le glucose étant pris comme référence)	Poids d'une portion moyenne (en g)	Teneur en glucides d'une portion	CG pour une portion
Musli aux copeaux de chocolat DIATICAL type 2*		190	13	
Boisson au cacao DIATICAL type 2*		175	10	
Crêpe DIATICAL Type 2*		200		
Gâteau de semoule DIATICAL Type 2*		100	8,1	

Aliment	IG (le glucose étant pris comme référence)	Poids d'une portion moyenne (en g)	Teneur en glucides d'une portion	CG pour une portion
Barre figue amande DIATICAL Type 2*		30	9,5	
Omelette campagnarde aux cèpes DIATICAL type 2*		105	3,8	
Purée crème et fines herbes DIATICAL type 2*		140	8,2	
Flan aux petits légumes DIATICAL type 2*		105	5,5	
Moelleux chocolat amande DIATICAL type 2*		100	15,6	
Pain KOT**	61	100	21	12,8
Pancake KOT**	37	25	6	2,2
Pizza KOT**	40	100	15	6
Pâtes KOT**	50	60	29	14,4

* L'index glycémique et la charge glycémique n'ont pas été déterminés selon les méthodes de référence pour ces produits. Une méthode de digestion *in vitro*, c'est-à-dire en laboratoire dans des tubes, a permis de vérifier que ces produits étaient digérés plus lentement que les produits de référence. On peut donc dire qu'il est hautement probable que ces produits aient un index glycémique et une charge glycémique faibles (pour les produits ayant une teneur en glucides inférieure à 15 g par portion) ou très faibles (teneur en glucides inférieure à 10 g par portion).

** Produits testés dans le laboratoire du service de diabétologie de l'Hôtel-Dieu, Paris, France.

IV – PRODUITS TESTÉS DANS LE LABORATOIRE DU SERVICE DE DIABÉTOLOGIE DE L'HÔTEL-DIEU DE PARIS

1, place du Parvis-de-Notre-Dame
75181 PARIS Cedex 04

Aliment	IG (le glucose étant pris comme référence)	Poids d'une portion moyenne (en g)	Teneur en glucides d'une portion	CG pour une portion
Baguette courante française	78	40	24	19
Baguette de tradition française	57	40	24	14
Boule de pain français à la levure	81	40	21	17
Boule de pain français au levain	80	40	22	18
Boule de pain français complet	85	40	20	17
Pruneaux d'Agen* en sachet	52	25	10	5,2

* Pruneaux d'Agen hors noyau.

V – PRODUITS COMMERCIALISÉS PAR KELLOGG'S

Rue Léon-Blum
93110 ROSNY-SOUS-BOIS

La société KELLOGG'S France nous a fourni la liste de ses produits commercialisés en France. Elle nous précise que les produits fabriqués en France ne sont pas nécessairement strictement les mêmes que ceux commercialisés sous le même nom dans d'autres pays. Les différences peuvent concerner quelques ingrédients mais l'une des différences essentielles est l'origine géographique des céréales et des fruits utilisés qui sont obtenus localement et qui peuvent différer sensiblement entre l'Europe, l'Amérique, l'Australie ou l'Asie. Les valeurs d'index glycémique n'ayant pas été mesurées pour les produits commercialisés en France, les lecteurs sont invités à se reporter au tableau général du livre apportant des indications que nous pourrons considérer comme des valeurs approchées hautement vraisemblables.

CÉRÉALES FAMILLE ET ADULTES	CÉRÉALES ENFANTS ET ADOLESCENTS
All-Bran Chocolat ; All-Bran Figue et Pomme ; All-Bran Fibres Plus ; All-Bran Fruit'n Fibre ; All-Bran Pétales ; Country Just Right ; Country Store ; Extra Pépites Chocolat Noisettes ; Extra Pépites Fruits ; Kellogg's Oats® ; Kellogg's Original Corn Flakes ; Special K® ; Special K® Feuilles de chocolat au lait ; Special K® Feuilles de chocolat noir ; Special K® Fruits Rouges ; Special K® Mûre Myrtille Cassis ; Special K® Pêche Abricot	Coco Pops® ; Coco Pops® 2 Choc' ; Coco Pops® Paille ; Coco Pops® Rikiki Billes ; Crisp-X® Chocolat ; Frosties® ; Frosties® Choco Max ; Frosties® Crok'Choc ; Frosties® Nuts ; Frosties® Pépites ; Kellogg's Chocos® ; Miel Pops® ; Rice Krispies® ; Smacks® ; Smacks Trésor® ; Smacks Trésor® Tout Choco

ALIMENTATION, ACTIVITÉS (EXERCICES PHYSIQUES, TÉLÉVISION)

Photocopiez la page en 3 exemplaires que vous compléterez à intervalle régulier (pour commencer 1 fois par mois puis 1 fois tous les 3 mois et ce, durant une année complète), afin d'identifier vos points forts et vos faiblesses.

Date : ....

Repas	Heure	Aliments et boissons consommés (aliments et quantité)	Nutriments			Situation Sentiments ? *(joie, tristesse, colère, etc.)*
			Glucides	*Protéines à IG bas*	*Bonnes graisses*	

TEMPS PASSÉ À REGARDER LA TÉLÉVISION (ENTOURER LA BONNE RÉPONSE) :

0 – 30 – 60 – 90 – 120 – 150 – 180 ou plus (minutes)

EXERCICES PRATIQUÉS (COCHER LA BONNE RÉPONSE) :

○ Aérobies   ○ Résistance

DURÉE (ENTOURER LA BONNE RÉPONSE) :

0 – 5 – 10 – 15 – 20 – 30 – 45 – 60 ou plus (minutes)

PERCEPTION SUBJECTIVE DE L'EFFORT (PSE) (ENTOURER LA BONNE RÉPONSE) :

1 – 2 – 3 – 4 – 5 – 6 – 7 – 8 – 9 – 10

ALIMENTS À IG BAS ET POIDS

Résumé des résultats de neuf études scientifiques

Pays	Population	Type d'étude	Résultats	Références
Australie	Jeunes adultes en surpoids	89 sujets ont suivi pendant 12 semaines l'un des quatre régimes ci-après : 1) traditionnel, pauvre en graisses ; 2) IG bas ; 3) riche en protéines ; 4) IG bas et teneur en protéines basse	Les régimes 2, 3 et 4 ont permis de perdre 50 % de graisses de plus que le régime 1. Avec le régime 2, diminution des risques de développer une maladie cardiaque	McMillan-Price et associés Étude non publiée (2004)
États-Unis	Jeunes adultes en surpoids	39 sujets ont opté pour un régime : 1) à IG bas ; ou 2) pauvre en graisses. Même objectif : perdre 10 % du poids total	Le taux métabolique au repos a moins baissé pour 1 (6 %) que pour 2 (11 %). Diminution des risques de développer une maladie cardiaque	Pereira et associés

Pays	Population	Type d'étude	Résultats	Références
États-Unis	Adolescents en surpoids	16 sujets ont suivi : soit 1) un régime pauvre en graisses ; soit 2) un régime à CG basse, pendant 12 mois	Ceux ayant le régime 2 ont perdu plus de graisses et n'ont pas regrossi. Ceux qui ont suivi le régime 1 ont repris leurs kilos au bout de 6 mois	Ebbeling et associés *Archives of Pediatric and Adolescent Medicine* (2003)
Royaume-Uni	Hommes en surpoids	17 hommes ont suivi l'un de ces 4 régimes : 1) régime à IG bas ; 2) régime à IG élevé ; 3) régime riche en graisses ; 4) régime riche en sucres	Malgré tous leurs efforts pour avoir un apport énergétique identique, ce sont les « IG bas » qui ont perdu le plus de poids	Byrnes et associés *British Journal of Nutrition* (2003)
France	Hommes en surpoids	11 sujets ont suivi : 1) un régime à IG élevé pendant 5 semaines, puis 2) un régime à IG bas pendant 5 semaines, sans avoir pour objectif de perdre du poids	Durant le régime à IG bas, les hommes ont perdu 500 g de graisses, notamment la graisse stockée autour de la taille	Bouche et associés *Diabetes Care* (2003)

Pays	Population	Type d'étude	Résultats	Références
États-Unis	Enfants en surpoids	109 enfants ont consommé : soit 1) des aliments à IG bas ; soit 2) des aliments pauvres en graisses, durant 4 mois	17 % des enfants du groupe 1 ont perdu trois unités du total de leur indice de masse corporelle (IMC), contre 2 % pour les sujets du groupe 2	Spieth et associés *Archives of Pediatric and Adolescent Medicine* (2000)
Allemagne	Adultes diabétiques (type 1)	Étude menée sur 1 500 sujets dans 31 cliniques en Europe	Plus l'IG des repas est bas, moins les hommes ont de ventre	Buyken et associés *International Journal of Obesity* (2001)
États-Unis	Femmes enceintes	12 femmes ont consommé : 1) des aliments à IG élevé ; 2) des aliments à IG bas, durant leur grossesse	Celles du groupe 2 ont pris 12 kg, contre 20 kg pour celles du groupe 1	Clapp J *Archives of Gynaecology and Obstetrics* (1997)
Afrique du Sud	Femmes en surpoids	30 femmes ont suivi : 1) un régime à IG bas ; et 2) un régime à IG élevé pendant 2 périodes de 12 semaines	Les femmes du groupe 1 ont perdu 2 kg de plus les 12 premières semaines et 3 kg de plus les 12 dernières semaines que celles du groupe 2	Slabber et associés *American Journal of Clinical Nutrition* (1994)

NB : des études menées sur des animaux ont révélé que, à court terme, mais aussi à long terme, les régimes traditionnels pauvres en graisses augmentent la masse graisseuse au fil du temps (Brand-Miller et associés, *American Journal of Clinical Nutrition*, 2002).

REMERCIEMENTS

Le graphique page 30 est extrait de l'ouvrage *Pocket Picture Guide to Obesity*, coécrit par I.D. Caterson et J. Broom en 1997 et publié par Excerpta Medica, Londres.

Le graphique page 54 est tiré d'un article publié en 1997 par S.H.A. Holt, J.C. Brand-Miller et P. Petocz dans l'*American Journal of Clinical Nutrition* (66 ; 1264-1276) sur la relation entre le taux d'insuline et l'alimentation.

Le graphique page 64 provient d'un article sur la corrélation entre les index glycémiques des aliments, la suralimentation et l'obésité, coécrit en 1999 par D.S. Ludwig, J.A. Majzoub, A. Al-Zahrani, G.E. Dallal, I. Blanco et S.B. Roberts, publié dans *Pediatrics* (103 : 3).

Le graphique page 67 (en haut) est paru pour la première fois en 2003 dans un article coécrit par C.B. Ebbeling, M.M. Leidig, K.B. Sinclair, J.P. Hangen et D.S. Ebbeling, publié dans *Archives of Pediatric and Adolescent Medicine* 157 : 725-727.

L'Histoire de Paul page 102 est extraite de *Diary of a Fat Man* de Paul Jeffreys publié en 2003, Penguin, Auckland.

Le tableau pages 147-148 concernant les substituts à privilégier est adapté d'un article coécrit en 1992 par J.O. Prochaska, C.C. Di Clemente et J.C. Norcross, et publié dans l'*American Psychologist* (47 : 1102-1104).

Faites des exercices régulièrement mais sans en faire une obsession ! page 311 est extrait de *The deadliest Sin*, publié par Jonathan

Choisir un sport ou une activité physique, pages 317–321 est adapté de la troisième édition de *The Fitness Leader's Handbook* de Gary Egger et Nigel Champion, publiée en 1988 par Kangaroo Press, Sydney.

Un livre comme celui-ci n'aurait jamais pu voir le jour si nous n'avions bénéficié d'une aide extérieure. Si toutes les personnes qui travaillent à Hodder Headline Australia ont fait preuve d'un réel professionnalisme et méritent une médaille, nous tenons tout particulièrement à remercier notre éditrice, Siobhan Gooley, qui a mis tous les moyens matériels à notre disposition et Lisa Highton dont l'énergie et la prise de décision ont permis que la collection New Glucose Revolution remporte un véritable succès auprès de nos lecteurs. Nous remercions également Philippa Sandall, notre agent littéraire, qui nous a épaulées du début à la fin et qui nous a littéralement poussées afin que nous franchissions la ligne d'arrivée. C'est de Matthew Lore, notre éditeur new-yorkais, que nous nous sommes inspirées pour écrire les parties sur les personnes qui mangent sous l'emprise du stress et celles qui souffrent du syndrome de l'alimentation nocturne. Nous n'aurions pas pu nous passer de la collaboration du Dr Susanna Holt et de toute son équipe spécialisée dans le calcul des index glycémiques des aliments, Vanessa de Jong, Hamilton Budd, Ellie Faramus, Emma Ryan et tous les volontaires qui se sont prêtés aux différentes études. Nous avons fait appel à la connaissance du professeur Ian Caterson, afin de réunir les résultats des études les plus récentes sur les causes et les traitements de l'obésité. Un grand merci au professeur Gary Egger, pour avoir partagé avec nous son savoir et son expérience sur le rôle que jouent les exercices physiques dans la perte de poids. Nous remercions le professeur David Ludwig du Children's Hospital de Boston pour ses conseils avisés et les résultats de ses travaux sur l'IG et l'obésité. Merci à tous les volontaires qui ont participé aux différents tests sur la perte de poids – leurs efforts n'ont fait que confirmer notre théorie, selon laquelle avoir une alimentation à IG bas est indispensable pour se débarrasser des kilos superflus. Merci également à Isa Hopwood, qui a testé notre Plan d'action. Pour finir, un grand merci à tous nos lecteurs et lectrices, confrères et consœurs, connaissances et patients qui se sont prêtés au jeu et ont prouvé que les aliments à IG bas pouvaient vraiment faire des merveilles. Il serait injuste d'oublier de remercier nos maris, John Miller, Jonathan Powell et Michael Price, pour leur patience et leur compréhension lorsque nous passions nos nuits et nos week-ends à travailler. Nous les embrassons et leur disons : « Merci. »

INDEX

Photocomposition Nord Compo

Dépôt légal : mars 2010
ISBN : 978-2-501-06454-5
NUART : 40.5335.1/01
Imprimé en Allemagne par GGP Media GmbH